Una familia feliz

Novela

David Safier

Una familia feliz

Traducción del alemán por Lidia Álvarez Grifoll

Seix Barral

El papel utilizado para la impresión de este libro es cien por cien libre de cloro y está calificado como **papel ecológico**.

Título original: *Happy Family*

Avinguda Diagonal, 662-664, 7.ª planta. 08034 Barcelona (España)
www.seix-barral.es
www.planetadelibros.com

Realización de la cubierta: Booket / Área Editorial Grupo Planeta
Ilustración de la cubierta: © Ed
Fotografía del autor: © Hergen Schimpf
Primera edición en Colección Booket: enero de 2014

Depósito legal: B. 25.094-2013
ISBN: 978-84-322-2127-9
Impresión y encuadernación: BLACK PRINT CPI, Barcelona
Printed in Spain - Impreso en España

Biografía

David Safier nació en Bremen en 1966. Es autor de las novelas *Maldito karma* (Seix Barral, 2009), *Jesús me quiere* (Seix Barral, 2010), que ha sido llevada al cine, *Yo, mi, me... contigo* (Seix Barral, 2011) y *Una familia feliz* (Seix Barral, 2012), de la que se está preparando una adaptación cinematográfica. Ha escrito los guiones de series de televisión de éxito como *Mein Leben und Ich* («Mi vida y yo»), *Nikola* y *Berlin, Berlin*. Ha sido galardonado con el Premio Grimme y el Premio TV en Alemania, y con un Emmy en Estados Unidos. Vive y trabaja en Bremen. Sus libros han vendido tres millones de ejemplares en Alemania y están en vías de traducción en todo el mundo. En reconocimiento a su éxito en España, los libreros de Bilbao le han otorgado la Pluma de Plata.

A Marion, Ben
y Daniel: ¡vosotros
me hacéis feliz!
(Por supuesto, tú también,
Max.)

EMMA

—Hay un refrán indio que dice que, cuanto más quieres a alguien, más ganas te dan de matarlo —dijo mi empleada.

Y yo pensé: «Pues sí que quiero a mi familia.»

El móvil sonó por enésima vez mientras estaba trabajando en mi pequeña librería. Primero había llamado Ada, mi hija adolescente, para prepararme anímicamente porque había suspendido (por desgracia, tenía el mismo talento para las mates que un perro labrador).

Después me llamó su hermano pequeño, Max, para decirme que no podía entrar en casa porque se había vuelto a olvidar las llaves (¿existirá algo parecido al Alzheimer infantil?).

Y, según la pantalla del móvil, esta vez era Frank, mi marido. Probablemente para comunicarme que, como cada día, llegaría tarde a casa de la oficina. (Lo cual no sólo significaba que tendría que discutir yo con Ada por su gandulitis escolar olímpica, sino también que tendría que luchar sin ningún tipo de ayuda contra el caos que reinaba en casa. Algunos días parecía que los hunos la hubieran arrasado. Acompañados por elefantes. Y ogros. Y Britney Spears.)

Decidí no coger el móvil y ahorrarme una conversación que sólo habría conseguido enfadarme y que, al acabar, habría hecho que me enfadara aún más por haberme enfadado tanto.

En vez de contestar, miré apáticamente por la ventana de mi librería, que se llamaba *Lemmi und die Schmöker*, como el programa de televisión sobre libros infantiles de los setenta. Y pensé con tristeza que hubo un tiempo en que yo quería a mi familia incondicionalmente. Eso fue antes de que nos visitaran los monstruos habituales: estrés profesional, crisis de los cuarenta y pubertad.

Sí, los Von Kieren habíamos sido una familia feliz. Pero habíamos perdido algo en los últimos años. Lamentablemente, no tenía ni idea de qué era y, por lo tanto, aún tenía menos idea de cómo podría volver a encontrar ese algo. Aunque lo deseaba con toda mi alma.

Mientras añoraba los viejos tiempos, por delante del escaparate de mi librería pasó un chico con un trasero formidable. Me puse bien las gafas y lo observé con más detalle.

—Un buen culo, ¿eh? —comentó Cheyenne, mi vieja empleada, que en realidad se llamaba Renate, pero que no respondía a ese nombre y que, con sus flores en el pelo y sus vestidos holgados, seguramente era la hippie más vieja de todo el universo conocido.

—Ejem, yo no he visto ningún culo —mentí de manera no muy convincente. Cheyenne sonrió con picardía. Y yo me apresuré a añadir—: Además, le faltaba chicha.

—O sea que lo has visto, Emma —dijo sonriendo burlona. Y mientras yo ponía cara de «me han pillado», ella señaló—: Ese chico podría ser tu hijo.

Dios mío, Cheyenne tenía razón. Yo estaba a finales de los treinta y él, como mucho, a principios de los veinte. Y me quedaba encandilada mirando a un chico tan joven. Qué vergüenza.

—¿Cuándo hiciste el amor por última vez, Emma? —preguntó Cheyenne, y bebió un sorbito de su té-yogui, que olía como si un yogui viejo hubiera tomado un baño de pies dentro.

—Ejem... —Dudé en la respuesta porque me costaba recordarlo.

—Lo imaginaba —dijo sonriendo con guasa.

De hecho, con todo el estrés que Frank y yo teníamos en el trabajo y con los niños, practicar el sexo regularmente era ciencia ficción para nosotros.

—Yo lo hice ayer —me informó contenta.

Antes de que pudiera pedirle a Cheyenne que no entrara en detalles, continuó hablando:

—Ya te digo, Werner es un poco canijo, pero tiene una cosita enorme...

—Un momento —la interrumpí algo confusa—, ¿llamas «cosita» a...?

—Cosita o pilila.

—Prefiero «cosita» —decidí.

—Eso mismo dice Werner.

Bebió otro sorbo de té y prosiguió gozosa:

—Werner es casi tan buen amante como Carlos en otra época, durante el otoño caliente de Italia.

A Cheyenne le encantaba hablarme de sus ex amantes, de los hombres que se había cepillado a lo largo de décadas, de Yusuf, de Mumbato o de Mao... Y a mí me gustaba escuchar sus historias de países lejanos. Países que probablemente yo nunca vería, aunque de joven siempre había soñado con viajar por todo el mundo.

—Tengo que ir a casa para que mi hijo pueda entrar... —expliqué suspirando, y cogí de la percha mi chaqueta de cuero gastada.

—Ve tranquila, Emma, casi no tenemos clientes —dijo sonriendo la vieja novia hippie.

—¡Tenemos muchos clientes! —protesté.

Pero no era cierto. Esa tarde también habían entrado muy pocos: la médico que una vez a la semana me pedía consejo durante horas para luego encargar los libros en Amazon. Una familia que había comprado a sus hijos un volumen de *La casa mágica del árbol*, pero que me habían destrozado doce libros caros de tapa dura al hojearlos con sus manos pringadas de helado. Y Werner, el amante de Cheyenne, que, sólo por ver a su amor, había comprado el cuento *Conny duerme en el jardín de infancia*.

—Tendríamos que vender literatura erótica —propuso Cheyenne.

—¡Es una librería infantil!

—Pero hay títulos muy interesantes de literatura erótica —insistió—. Por ejemplo, *La esclava de los cosacos*...

Torcí el gesto.

—O *Intercambio de camas en Dinamarca*...

Torcí más el gesto.

—O *Tres nueces para Cenicienta*.

—Eso es un cuento infantil —repliqué.

—No en esa versión —dijo Cheyenne sonriendo con picardía.

—¡No quiero vender ese tipo de libros! —protesté, y añadí a toda prisa—: Y tampoco quiero saber de qué van las tres nueces.

—¡Pero la tienda se irá a pique! —insistió Cheyenne—. El sofá de lectura está hecho una pena, el rincón de los juegos es casi tan viejo como yo y el otro día, al sacar el polvo de las estanterías del almacén, vi una cucaracha.

Cheyenne pronunciaba en voz alta verdades detestables sobre mi librería. Verdades que yo no quería oír porque eran culpa mía. Si tuviera más energía y más tiempo para la tienda, todo tendría mejor aspecto y también habría más ventas. Pero ¿a quién le queda energía y tiempo cuando se tiene una familia que te deja sin fuerzas?

Cheyenne pronunció otra verdad, mucho más amarga:

—Sólo hay una posibilidad para aumentar los beneficios: tienes que despedirme.

—Eso, ni soñarlo —repliqué.

—Pero si no me necesitas —dijo Cheyenne suspirando con tristeza, y de repente pareció realmente vieja—, tú sola te bastas para vender cuatro libros.

«Eso es cierto», pensé.

—Y siempre me equivoco en las cuentas —se lamentó en voz baja.

—Eso es cierto —dije entonces en voz alta.

—Y la semana pasada atasqué el váter.

—¿Fuiste tú? —grité indignada, porque el váter atascado me había acarreado una factura de fontanería muy elevada—. ¿Cómo lo hiciste?

—Se me cayó dentro el parche para las hemorroides —confesó tímidamente.

Cheyenne tenía razón en todo: despedirla le iría bien a mi cuenta corriente y seguramente también a mi librería. Pero, sin el sueldo, la pobre tendría que dormir en su vieja furgoneta Volkswagen, ya que apenas cobraba pensión porque, en vez de trabajar, se había pasado la vida recorriendo mundo. Ella, como yo siempre pensaba con nostalgia, había visto muchas más cosas y había vivido más de lo que yo jamás haría en mi aburrida y pequeña vida.

—No te despediré nunca —declaré con determinación.

Cheyenne me sonrió profundamente agradecida y dijo:

—Eres una buena persona.

Le devolví la sonrisa. Pero estaba claro que tenía que ocurrírseme algo si quería que la librería sobreviviera. Porque, sin ese negocio, sólo sería ama de casa y madre. Y eso me parecía muy poco. Sobre todo en el estado en que se encontraba ahora mi familia.

Mandé al universo el deseo de que existiera una salvación para mi tienda, sólo para constatar de inmediato que el universo tenía un curioso sentido del humor.

Cuando me disponía a salir por la puerta, entró Lena en la librería. ¡Precisamente Lena! No la había visto desde hacía quince años, y estaba casi igual que entonces: delgada y despampanante. Sólo que ahora también llevaba ropa cara y elegante, que yo nunca había visto fuera de las revistas de famosos.

En tiempos remotos, Lena y yo habíamos trabajado juntas de editoras júnior supermotivadas en la filial alemana de la editorial Penguin. Lena era ambiciosa y tendía a dar codazos. Aun así, yo siempre le sacaba algo de ventaja. Al final, incluso me ofrecieron un puesto en Londres. Se trataba de un empleo de ensueño, con el que habría podido conquistar el mundo como había soñado desde que era niña. Cuando Lena se enteró de la oferta, se puso verde de envidia.

Sin embargo, había conocido a Frank unas pocas semanas antes en un club de recreo a orillas del Spree. Yo jugaba a voleibol con unos amigos, él llegó, explicó que era nuevo en la ciudad, que había venido a estudiar Derecho, y preguntó si podía jugar con nosotros. Lo miré a los ojos, de un azul profundo, y mi cerebro dijo adiós, adiós. Entregó a mis hormonas las llaves de mi cuerpo y se fue de vacaciones a tomarse unas caipiriñas en alguna playa del Caribe y a disfrutar bailando limbo.

Paralelamente, el cerebro de Frank también se despidió. Y cuando dos cerebros se despiden de ese modo, al cabo de nada se llega a situaciones en las que uno se echa encima del otro en un arrebato de amor y, arrastrado por la pasión, no le da mucha importancia a que el condón se salga. Con la consecuencia de que al cabo de unas semanas te sorprenden unas náuseas matutinas.

Cuando tuvimos en las manos el test de embarazo positivo, nos alegramos un montón. Y eso que yo tenía claro que, con una criatura, no podría aceptar el trabajo de ensueño en Londres. Pero amaba a Frank como nunca había amado a nadie. Y desprenderme del niño..., sólo con pensarlo aún me venían más náuseas matutinas.

La primera vez que vi en la ecografía una cosita pequeña flotando, que crecía dentro de mí, me emocioné. Animadísima, señalé la pantalla y murmuré: «Qué preciosidad.» Y no me importó que el médico dijera: «Eso es la vejiga.»

Me decidí en contra de Londres, a favor de la criatura y de Frank. Lena no lo comprendió y me dijo que ella habría optado por el aborto. Pero se alegró, porque así podía hacerse con mi puesto en Londres, cosa que comentó con la frase: «El fallo de tu condón me ha traído suerte.»

Después, de vez en cuando, me llegaron voces de que Lena había hecho carrera en Londres. Pero no quise conocer más detalles sobre la vida que yo no había vivido. Al principio, porque era muy feliz con mi vida familiar y, en los últimos años, porque a veces me sorprendía a mí misma con pensamientos del tipo «qué habría pasado si», y no quería darles cancha. Y ahora esa vida estaba delante de mí. En mi pequeña librería.

—¿Lena...? —pregunté con incredulidad.

—La misma que viste y calza —dijo radiante.

¿Qué hacía allí? ¿Después de tantos años?

—Tú... —balbuceé—, es increíble, estás como siempre.

—¡Tú también, Emma von Kieren! —replicó, y las dos supimos que era mentira.

Yo tenía tantas canas que, en el cuarto de baño, me

había quedado más de una vez dudando delante del tinte rojo de mi hija. Además, y eso era realmente mucho peor, me había quedado una buena barriga por los embarazos (Cheyenne incluso me regaló una vez una camiseta con el texto Yo he vencido a la anorexia).

—¡Y vuelves a estar embarazada! —exclamó Lena contenta señalando mi barriga.

Me puse como un tomate.

Y Cheyenne se partía de risa discretamente.

Lena vio mi cara de circunstancias y comprendió:

—Ay, lo siento...

—¿Qué... qué te trae por aquí? —pregunté para desviar la conversación del tema de mi barriga.

—Estoy en Berlín por trabajo. Y cuando la gente de nuestro antiguo departamento me dijo que tenías una pequeña librería pensé en pasar a verte —dijo radiante.

—Y... ¿qué tal en Londres? —pregunté, y me arrepentí de la pregunta casi en el mismo instante en que pronuncié las palabras.

—Muy bien. Ahora dirijo el departamento de *bestsellers* internacionales y me ocupo de Dan Brown, John Grisham, Cornelia Funke... —explicó en un tono lo más modesto posible, pero que no ocultaba suficientemente sus ganas de presumir.

Entonces tuve claro a qué había venido: quería restregarme por las narices su fantástica vida. Mezquina. Realmente mezquina. Pero coronada por el éxito. Tuve que esforzarme de verdad por no ponerme verde de envidia.

—Se ve mucho mundo —explicó Lena sonriendo desenfadada—. La semana pasada estuve en un festival de literatura en la isla Mauricio.

Entonces sí me puse verde y pensé: «Como siga, ¡gritaré!»

—Acompañando a Hugh Grant.

—¡¡¡AHHHHH!!! —grité.

—¿Te pasa algo? —preguntó Lena preocupada.

—Ejem, no, no... —me apresuré a mentir—, me... me ha picado una cucaracha.

—¿Tienes cucarachas en la tienda? —preguntó con asco.

—Sólo una... —respondí, y deseé que me tragara la tierra.

Sin embargo, al cabo de unos segundos logré controlarme y entonces intenté convencerme de que no tenía por qué envidiar a Lena. Las mujeres con carreras exitosas no solían tener relaciones estables ni hijos y, como es de sobra conocido por las películas y las revistas femeninas, detrás de su radiante fachada se sentían infelices y vacías. Así pues, pregunté:

—¿Tienes familia?

—No —contestó.

Y yo me regocijé pensando: «Infeliz, ¡lo sabía!»

—Hasta ahora, he vivido la vida —explicó Lena—. Y he tenido muchos amantes. Tú ya sabes cómo es eso.

—No, no lo sabe —dijo Cheyenne sonriendo burlona, y yo estuve a punto de tirarle un libro a la cabeza. O veinte.

—Ah, claro —rectificó Lena—, tú tienes la gran suerte de tener al mismo hombre en la cama desde hace quince años.

Gran suerte. Suspiré para mis adentros y pensé que Frank tenía gases nocturnos desde hacía un tiempo a causa del estrés.

—Pero ahora estoy con Liam —dijo Lena radiante y, desgraciadamente, no parecía sentirse ni infeliz ni vacía—. Se dedica a la banca de inversiones y vivimos en una casita de campo monísima cerca de Londres.

Dejó tiempo para que en mi mente se formara la imagen de esa vida idílica en el campo antes de hacer la pregunta que yo más temía.

—¿Y a ti cómo te va, Emma?

No estaba dispuesta a mostrar mis puntos débiles y quería demostrarle a Lena que yo también lo había hecho todo correctamente en la vida. Por eso contesté:

—¡Tengo dos hijos maravillosos!

A Cheyenne se le escapó la risa.

—¿Qué? —le pregunté a mi vieja empleada—. ¿No hay libros para ordenar?

—No, no hay —dijo sonriendo.

La señora hippie no quería perderse el espectáculo. Me volví hacia Lena y, fingiendo una sonrisa, añadí:

—Y a Frank y a mí nos va muy bien en nuestro matrimonio desde hace quince años.

A Cheyenne volvió a escapársele la risa, y yo estuve a punto de preguntarle: ¿Qué, no hay ninguna pared contra la que tengas que estamparte?

—¿Y cómo va la librería? —se interesó Lena.

—Bastante bien —contesté.

Cheyenne se tronchaba de risa. Le lancé una mirada asesina. Comprendió y dijo:

—Tengo que ir al lavabo.

Y desapareció.

Lena miró desconcertada a la anciana y murmuró:

—Yo despediría de inmediato a una empleada tan estrambótica.

—Yo nunca lo haría —afirmé con determinación.

Lena se quedó perpleja. Por eso cambió rápidamente de tema.

—Espero tener algún día una familia tan feliz como la tuya.

Se oyeron carcajadas en el lavabo.

—¿Qué le pasa a esa mujer todo el rato? —inquirió Lena.

—Ah, las pastillas contra la incontinencia, que tienen efectos secundarios —dije.

—¡Lo he oído! —protestó Cheyenne al otro lado de la puerta del lavabo.

—Tengo una idea para tu librería —comentó Lena sin más rodeos. Se había dado perfecta cuenta de que el negocio no iba bien y saltaba a la vista que disfrutaba dándoselas de mecenas—. Stephenie Meyer estará esta noche en el Ritz-Carlton para presentar su nuevo libro, *Amanecer*. ¿Y a qué no adivinas quién la representa?

No hacía falta adivinarlo.

—Si asistes, te la puedo presentar, y a lo mejor conseguimos que haga una lectura en tu librería...

No supe qué decir. ¡Un acto de ese estilo daría a conocer mi librería en toda la ciudad! En ese momento, estuve a punto de darle un abrazo de agradecimiento a Lena, aunque tenía claro que sólo me invitaba para que pudiera ver de cerca la carrera de ensueño que había hecho.

—La presentación del libro será un gran acontecimiento —explicó entusiasmada Lena—. Comida riquísima. Disfraces de monstruo. Sabes qué, ¡lleva también a tu familia! Así la conoceré.

—¡Lo haré! —contesté riendo.

Por un lado, me hacía ilusión por la gran oportunidad que suponía. Por otro, pensé que si Lena veía a mi familia, a lo mejor le daría envidia. Al fin y al cabo, una familia era lo único que yo tenía y ella no. Y si a Lena le daba envidia..., bueno, ella ya no me daría tanta envidia a mí.

Lena se despidió dándome dos besos que apenas me rozaron las mejillas y salió de la tienda. Cuando ya estaba fuera, oí la cadena del váter. Cheyenne volvió del lavabo y afirmó:

—Olvídalo, esa tía es más feliz que tú.

Pero yo contesté con determinación:

—¡Eso ya lo veremos!

ADA

Me habría encantado ser una medusa.

El tarado del profesor de biología nos aburría desde hacía semanas con medusas y otros celentéreos, y además intentaba desesperadamente crearnos la ilusión de que era importante conocer a esos seres. ¡Qué manera de hacernos perder el tiempo! Porque, incluso en el caso improbable de que en un futuro lejano, al llegar a la edad adulta, un día te sentaras y pensaras que realmente te gustaría saber cómo se multiplican las medusas de las narices, siempre podrías buscarlo en la Wikipedia o en alguna página de Internet cien veces mejor, que seguramente existiría entonces.

Sin embargo, aquel día pensé por primera vez en las medusas. Vivían de coña. Las medusas no tenían una madre plasta ni un padre estresado ni un incordio de hermano ni clases donde te aburrían con las medusas.

Pero, sobre todo, una medusa no suspendería por no tener ni idea de medusas.

Mi padre reaccionaría más bien con poco interés a mi cateada, tenía tanto trabajo en el banco que probablemente no sabía ni en qué curso estaba. Pero mi madre seguro que se transformaba en una «mamá de psicodrama». Siempre me venía con el rollo de que tenía que pensar en mi futuro. Y estaba en lo cierto, por supuesto, eso lo tenía claro, que no era tonta del todo. Pero cuanto más me decía las cosas con su cantinela lloricona, más se me pasaban a mí las ganas de escucharla. Si alguien buscaba en la Wiki el término «contraproducente», seguro que el primer resultado sería la foto de mi madre. Además, ¿cómo iba a pensar en el futuro si apenas conseguía arreglármelas en el presente?

El presente se sentaba dos filas más adelante, se llamaba Jannis, era un guitarrista bastante bueno y se parecía a Pete Doherty, aunque mucho más saludable. El día anterior, no sólo había fumado porros con Jannis, sino que también nos habíamos enrollado en el sofá de su sala de ensayo. Eso sí, no llegamos hasta el final. Por un lado, porque todavía no me había acostado nunca con un tío y, por otro, porque no sabía si Jannis iba en serio conmigo.

Pero habría estado bien que quisiera algo de mí, porque fue muy tierno, sobre todo cuando me besó con cariño los dos tatuajes de mariposas que tengo en los hombros. (Los chicos con los que había salido antes no eran ni de lejos tan mañosos como Jannis. Algunos no se habían atrevido casi ni a tocarme; otros, en cambio, habían confundido mis pechos con plastilina.)

Por desgracia, Jannis era conocido por tomarse a las mujeres tan en serio como Drácula. Además, si algún día llegaba a querer de verdad a alguna, seguro que no sería a mí. A los chicos de los que me enamoraba les gustaba dejarme plantada.

Así pues, con la historia de Jannis estaba en el buen camino para ser desgraciada. Pero, aunque lo sabía, no podía luchar contra mis sentimientos. Las medusas también eran afortunadas en otro sentido: no tenían hormonas.

Las hormonas son idiotas.

Habría que abolirlas.

O encerrarlas en la cárcel.

Ése era el sitio de las puñeteras hormonas. Si estuvieran entre rejas, yo no habría tenido que luchar constantemente con el presente y podría haberme preocupado de verdad por mi futuro, como mamá quería.

Jenny, tan buena amiga como gordinflona, se dio cuenta de que miraba a Jannis y me susurró al oído:

—¿Te has colgado de él, Ada?

—No digas tonterías —mascullé.

—Eso significa: «sí».

—No, eso significa: «¡No digas tonterías!»

—Y eso significa: «Uy, me han pillado» —dijo Jenny con una amplia sonrisa.

Jenny siempre estaba segura de sí misma. Y eso que estaba tan gorda que en cualquier comedia de instituto podía interpretar a la chica que forma parte del equipo juvenil masculino de lucha. Pero había adoptado una postura: «Nunca tendré un cuerpo perfecto, por lo tanto, mejor conformarse ahora que andar por el mundo los próximos setenta años siendo desgraciada.»

Yo estaba delgada y, sin embargo, siempre renegaba por el pecho plano con el que andaría por el mundo los próximos setenta años. Porque si el cuerpo de mi madre era un indicador de mis genes, estaba claro que no me crecería más la delantera.

Por fin sonó el timbre y el profesor de biología terminó el monólogo sobre las medusas, con el que había estado a punto de dormirse hasta él. Nos levantamos y Jenny dijo:

—Yo me largo.

—¿Por qué?

—Porque viene Jannis.

¡Jannis se dirigía realmente hacia nosotras!

Empezaron a temblarme las rodillas.

—Ey, Ada —dijo, esforzándose por parecer desenfadado.

Mi labio inferior se contagió del temblor de las rodillas, y contesté:

—Eeeeee...

Dios mío, nunca me había comportado así delante de un chico. Me sentí como si acabara de salir de «Hannah Montana».

—Ejem, ¿cómo dices? —preguntó Jannis educadamente.

Lo intenté de nuevo, con poco éxito:

—Eeeyjans.

Me miró como si aún fuera fumada del día anterior.

Nos callamos los dos, un poco cortados. No empezó a hablar hasta que el aula se quedó vacía:

—Lo de ayer...

Estaba claro lo que vendría a continuación: me diría que ayer llevaba un colocón, que la cosa no iba en serio y que tocaba ir a por la siguiente chica. Bueno, esto último seguramente no lo reconocería y me contaría la trola de la falta de tiempo. Pero, en principio, todo eso significaría: la siguiente, por favor.

Para adelantarme a las calabazas, me puse a garlar a toda prisa:

—Lo de ayer fue un error. Si no llegamos a fumar hierba, no me habría enrollado contigo porque no eres mi tipo, en serio, y también podrías ponerte más desodorante...

Jannis no dijo nada, miraba cortado al suelo y parecía un perro al que acababan de pisarle el rabo.

—¿Pasa algo? —pregunté insegura.

—No, ¿por qué? —contestó haciéndose el duro.

—Bueno, es que parece que te han pisado el rabo.

—¿QUÉ?

—Quiero decir... si fueras un perro... —me apresuré a contestar. A cada segundo que pasaba, metía más la pata.

—Sí, bueno... —dijo—, es sólo que... lo de ayer... a mí me gustó. Y tú... olías muy bien.

Lo decía sinceramente, lo noté.

—Aaaaaa —balbuceé. El labio inferior y el superior temblaron entonces a dúo.

—¿Qué? —preguntó.

—Aaaaaa —seguí balbuceando, y refunfuñé para mis

adentros: «Eh, partes atontadas de mi cuerpo, ¿no podríais controlaros?»

Lo hicieron. Un poco. Al menos hasta que pude volver a hablar de manera medio comprensible.

—A mí... también me gustó.

—Pues entonces, ¿por qué me has dicho que fue un error? —inquirió Jannis.

—Porque a veces soy una medusa.

—Todos lo somos alguna vez —contestó con una supersonrisa.

Y si no hubiera estado loca por él desde hacía tiempo, me habría enamorado en ese mismo instante.

—¿Te apetece que hagamos algo esta tarde? Con hierba o sin hierba, da igual —preguntó.

—Sí, me apetece —contesté felicísima, y pensé: «Nada, nada en el mundo podrá impedir que esta tarde salga con Jannis.»

EMMA

A mi familia no le impresionó la idea de ir a ver a Stephenie Meyer.

—Yo ya he quedado —refunfuñó Ada, más vehemente que de costumbre.

—Yo tengo trabajo —dijo Frank, más deprimido que de costumbre.

—Yo quiero leer —murmuró Max quedamente, como de costumbre.

Era un poco bajito para tener doce años, y también estaba un poco gordo. Era muy inteligente, y eso no ayudaba precisamente a que su popularidad ascendiera a las cotas más altas en su clase. Por eso, en los últimos años, se había convertido en una rata de biblioteca extremadamente tímida, a la que le encantaba sumergirse en mundos de fantasía. Era obvio que la realidad le parecía demasiado realista. Por un lado, lo comprendía, pero no podía consentirlo. Al principio intenté que estudiara música, pero la directora del coro me llamó aparte: «Lamento tener que decirlo, pero su hijo no daría con el tono aunque lo tuviera delante.» Después lo apunté a fútbol, pero el entrenador recordaba en sus métodos a Saddam Hussein. En el último partido antes de borrarse, Saddam me gruñó: «Viendo como corre su hijo, tendría usted que investigar si no es homosexual.» Yo aún continuaba buscando un sitio donde Max pudiera disfrutar de la realidad, pero hasta ese momento no lo había encontrado.

Miré a mi familia, que estaba sentada a la mesa de la cocina de nuestro piso, situado en un edificio antiguo, y les dije decidida:

—¡Pasaremos la noche en familia!

—Yo haré lo que me dé la gana —replicó Ada.

Era una de sus frases típicas. Igual que: «Ya recogeré luego», «Acabaré los deberes a tiempo» o «Mamá, yo nunca me fumaría un porro». (Nunca he comprendido por qué algunos críos empiezan a fumar hierba al llegar a la pubertad. De hecho, deberían hacerlo sus padres para soportar esa fase de la vida.)

Sin embargo, la frase típica preferida de Ada era ésta: «Mamá, eres patética.» Si cantaba, era patética. Si me maquillaba, era patética. Si no me maquillaba, era aún más patética. Sólo una vez que fui con ella en bañador a la piscina descubierta, no fui patética, sino mortalmente patética.

Por lo general, intentaba educar a mis hijos sin demasiadas amenazas, pero en esa ocasión era importantísimo para mí que fuéramos en familia a la presentación de Stephenie Meyer, puesto que así podría fardar delante de Lena, y por eso les dije con determinación:

—Ada, si no vienes con nosotros, ¡te quedarás castigada en tu cuarto!

Me miró roja de ira, más furiosa que de costumbre, por lo visto se trataba de una cita muy importante. Seguramente con un chico. Pero si se lo comentaba, o si le mencionaba que había suspendido, fijo que explotaría al instante. Y si ella explotaba, yo también explotaría. Y mientras las dos detonáramos alegremente, Frank se encorvaría sobre su portátil y Max sobre su libro. Por eso no repliqué y dejé que su furia flotara en la habitación, hasta que ella mascullό:

—Es fantástico hacer cosas en familia. Sobre todo si puedes hacerlas voluntariamente.

Frank me llevó aparte y me preguntó en voz baja:

—Emma, a mí no me castigarás en mi cuarto si no voy, ¿verdad? Tengo que pensar cómo les vendo los recortes a los empleados del banco.

A Frank le habría gustado trabajar de abogado para defender a los pobres. Pero al acabar la carrera de Derecho constató que la gente que defiende a los pobres también acaba siendo pobre. Y como tenía una familia a la que alimentar, aceptó un trabajo en el departamento jurídico de un banco, donde actualmente se ocupaba de las reestructuraciones y de diseñar organigramas. Sufría mucho con esas tareas. Era muy difícil decirle a alguien que iban a despedirlo. De hecho, ¿cómo se inicia una charla de ese tipo? Seguro que no con un «Adivine cuál de sus jefes se ha equivocado especulando», ni con «A partir de ahora ya no tendrá que enfadarse con su jefe de departamento», ni con «Si yo fuera usted, en el futuro cultivaría mi propia comida en el jardín».

Intenté relajarlo con una broma:

—No, para ti no habrá castigo en el cuarto, habrá abstinencia sexual.

—¿Cómo dices? —No lo había entendido.

—Tienes que decidir: el trabajo o sexo esta noche. ¿Qué dices?

—Hmm... —Lo meditó.

¡Lo estaba meditando!

Vaya, tiempo atrás, yo siempre había pensado que entre mis padres apenas había pasión. Pero, aunque casi nunca fueron muy cariñosos el uno con el otro, practicaron el sexo hasta más allá de los cincuenta, como comprobé dolorosamente una vez que entré por error en su dormitorio: daban la impresión de dos ballenas haciendo lucha libre.

—¡Es muy importante para mí! —le aclaré a Frank con contundencia.

—De acuerdo, ya trabajaré en el borrador cuando volvamos a casa. Dormir es para los aficionados —dijo con una sonrisa de cansancio.

Siempre me sorprendía lo mucho que me fascinaba su sonrisa, incluso cuando estaba tan cansado. Cada vez que sonreía, mi cerebro imaginaba lo bien que le sentaría volver al Caribe y bailar limbo. Con todo, Frank era muy distinto al de antes. Le clareaba el pelo y tenía la cara pálida y enflaquecida. Pertenecía al grupo de personas que adelgazan con el estrés, cosa que yo, una tragona con el estrés, consideraba una cualidad envidiable.

Le di un beso en la mejilla, me acerqué a Max, que estaba contrariado, y le dije:

—Si no nos acompañas, volveré a apuntarte a fútbol.

Cuando los tuve a los tres a bordo, les enseñé los disfraces que había alquilado a precio de oro esa misma tarde. Al fin y al cabo, la presentación del libro era una fiesta de disfraces de monstruo, y yo quería causar buena impresión. Había elegido los atuendos clásicos de los monstruos de película más famosos de los buenos tiempos del cine.

—El monstruo de Frankenstein —dijo Frank, suspirando cansado, cuando le entregué el disfraz con que tendría que pasearse como antes hiciera Boris Karloff: unos pantalones grises raídos, un chaleco de pieles marrón y un cráneo cuadrado de color cetrino con tornillos.

—¿Y qué son esas vendas? —preguntó crispada Ada cuando le puse en las manos su disfraz—. ¿Soy el monstruo de las gasas?

—No, eres la momia —expliqué entusiasmada—. Has pasado tres mil años dentro de un sarcófago en una pirámide, hasta que te liberaron unos ladrones de tumbas.

—Pues qué bien. Ahora tengo que ir de carne putrefacta de hace tres mil años —gruñó—. Eso te iría mejor a ti, mamá.

Encantadora. De nuevo un comentario que confirmaba mi hipótesis de que los dolores del parto sólo eran un aperitivo de la adolescencia que te ofrecía la naturaleza.

—También podríamos hablar de tus notas putrefactas —contesté picada.

—Seguro que sería un supertema —contestó, y sus ojos brillaron de enfado.

—No empecéis a discutir otra vez —intentó mediar Frank.

Ada y yo lo increpamos al unísono:

—Tú no te metas.

Sobresaltado, meneó la cabeza y pronunció la frase que más odiábamos las dos:

—Sois clavadas.

Cuando estábamos a punto de saltarte al cuello por ese comentario, Max comentó en voz baja:

—A mí me gustaría ir de zombi.

—Pero si ya vives como un zombi —señaló Ada.

Decidí ignorar el comentario, me volví hacia el pequeño y le expliqué:

—Todos vamos de monstruos del cine clásico. Por eso tú serás un hombre lobo.

Cuando le di su disfraz peludo de lobo, lo miró decepcionado. También pasé eso por alto y anuncié:

—Yo iré de vampiro. Al viejo estilo refinado de Drácula.

Les mostré con entusiasmo la dentadura postiza con colmillos afilados y el traje negro con una capa roja de terciopelo.

—Con eso te parecerás más al conde Draco —comentó Ada.

—Antes te gustaba mucho el conde Draco —contesté, y recordé con nostalgia los buenos tiempos en que ella era pequeña y, después del baño y oliendo a champú para bebé, se sentaba en pijama en mi regazo y veíamos juntas Barrio Sésamo. Se hacen mayores demasiado deprisa. A medida que cumples años, cada vez te da más la sensación de que alguien le ha puesto la directa a la vida.

—El conde Draco sólo sabe contar hasta diez, como mucho —replicó Ada—. Además, tiene TDAH.

—Aun así, es más formidable que tú en aritmética —dijo Max en voz baja. No era muy hablador, pero cuando hablaba le encantaba incordiar a su hermana.

—Tú cierra el pico o te venderé en el circo para que hagas de foca.

—¡Algún día te llegará la hora de la revancha por todas tus vilezas! —amenazó Max temblando de rabia. Siempre le afectaba mucho que su hermana le mencionara el sobrepeso.

—¡Mi corazón tiembla de miedo, foqui! —dijo Ada sonriendo burlona.

Ada también se lo pasaba en grande tocándole la fibra con ese tipo de frases. Estaba convencida de que Max era nuestro preferido y ella una cenicienta incomprendida, a la que sólo liberaría de su terrible destino un príncipe. O la mayoría de edad.

Yo quería a mis dos hijos, aunque a veces los cambiaría por dos masajes de placer. A veces, en los momentos de armonía que tenía con ellos, pocos y cada vez más escasos, los quería tanto que incluso dolía. Eran los dolores más hermosos de mi vida.

Suponía o, mejor dicho, tenía la esperanza de que los dos hermanos en el fondo también se quisieran. Y también tenía la esperanza de que Frank y yo nos siguiéramos queriendo como antes, a pesar de todo el estrés diario. Pero, si realmente era así, si todos nos queríamos, ¿por qué nada era como antes? ¿Por qué teníamos que discutir todos los días? ¿Por qué tenía que obligarlos a hacer algo juntos? ¿Cuándo fue la última vez que hicimos algo juntos?

Mientras me planteaba esas preguntas, me di cuenta de que esa noche no se trataba únicamente de impresionar a Lena o de salvar mi librería: los Von Kieren haríamos algo en familia por primera vez en mucho tiempo. Tal vez veríamos que nos lo pasábamos bien juntos. Al fin y al cabo, yendo a la presentación del libro hacíamos algo extraordinario. Y quizás, sólo quizás, esa noche incluso recuperaríamos lo que habíamos perdido como familia.

Mientras íbamos con nuestros disfraces en el viejo Ford, casi me sentí orgullosa de todos nosotros, porque estábamos imponentes: papá, el monstruo de Frankenstein; mi hija, la momia; mi hijo, el hombre lobo; y yo, el vampiro increíble con gafas. ¡Cuatro monstruos de camino hacia el ancho mundo!

El estado de ánimo de los demás no era ni de lejos tan

bueno como el mío: Max leía uno de sus libros, Frank se quejaba porque su enorme cabeza de Frankenstein chocaba a cada bache contra el techo del coche, y Ada no paraba de escribir sms. Yo no entendía por qué siempre estaba mandado sms o chateando. No entendía tantas cosas de ella: por qué siempre se tapaba los oídos con unos auriculares, por qué se había desfigurado con tatuajes su precioso y joven cuerpo, o por qué era una tarea tan insuperable y hercúlea vaciar el lavavajillas.

Claro que, por otro lado, mi madre tampoco entendía todo lo que yo hacía antes: por qué iba como Madonna en *Material Girl*, por qué escuchaba a tanto volumen a Duran, Duran y, menos todavía, por qué me gustaba Don Johnson (vale, ahora, cuando veía por casualidad una reposición de «Miami Vice», yo también me lo preguntaba: Don llevaba trajes de tonos pastel, un peinado de lo más hortera y mediría más o menos 1,23 metros de altura).

Tal vez era cierto lo que me había dicho la tutora de Ada: las sinapsis en el cerebro de los niños recibían un nuevo cableado al llegar a la pubertad. Lo cual, traducido, probablemente significaba que en el cerebro de un adolescente se podía colgar un letrero con las palabras: CERRADO POR REFORMAS.

Así pues, decidí no permitir que las sinapsis de Ada me estropearan la velada. Cuanto más tranquila me mantuviera, mayor sería la probabilidad de que nos lo pasáramos bien juntos. En la radio sonaba *Rastaman Vibration* de Bob Marley. Una canción que antes me encantaba, y por eso subí el volumen y yo también canté:

—*It's a new day, a new time and a new feeling...*

Me emocioné con la esperanza de que esa noche sería realmente un nuevo día para mi familia, de que se anunciaba una nueva época con otros sentimientos.

Canté hasta que Ada dijo de mal humor:

—¿No podrías parar, mamá?

—Ah, ¿esto también es patético? —pregunté picada.

—No, no lo es —contestó Ada.

—¿Ah, no? —pregunté, contenta y sorprendida.

—No —dijo sonriendo—, sólo es una mierda.

Seguro que no sería fácil impedir que sus sinapsis me estropearan la velada.

Poco después pasamos con el coche por delante del elegante hotel Ritz-Carlton.

—Enseguida veremos a Stephenie Meyer —anuncié.

Lo dije sabiendo que ningún miembro de mi familia era fan de la autora. Ada no leía nada que no fueran sms, Frank no tenía tiempo para leer y, a Max, los vampiros de Stephenie Meyer le parecían demasiado «infantiles»; a él le iban más los zombis, los orcos y los bárbaros.

Entramos en el hotel caminando sobre una alfombra roja, y nos condujeron a un salón señorial donde pululaban más de doscientos invitados. Tenían copas de champán en la mano. Seguramente habríamos disfrutado de ese fantástico ambiente festivo si no llega a ser por un pequeño detalle en los invitados, que nos dejó cortadísimos. Tras unos momentos de silencio común por el susto, Max pronunció lo evidente:

—Mamá..., aquí nadie va disfrazado.

—Excepto cuatro imbéciles —completó Ada.

Fue uno de esos instantes en los que te gustaría poder decir algo más que «Sí, bueno...».

Ada reaccionó la primera y sonrió satisfecha.

—Pues ya podemos largarnos.

Lo suyo fue un acto reflejo de huida bastante comprensible, sobre todo si se tenía en cuenta que los primeros invitados empezaban a mirarnos.

—Buena idea —comentó Frank, que ya tenía excusa para volver al trabajo.

—No, nos quedaremos y nos lo tomaremos a risa —animé a mi familia.

—Me temo —puntualizó Frank— que los únicos que se lo toman a risa son los demás.

Me volví hacia él y observé que los otros invitados se sonreían o se reían al vernos, algunos incluso nos señalaban con el dedo. Antes de que pudiera contestar nada, Frank retomó la palabra:

—¿No es ésa Lena?

En efecto, Lena caminaba con elegancia hacia nosotros, y a Frank se le caía la baba mientras la miraba desde su cabeza de Frankenstein. Nunca había aprendido a mirar discretamente a las mujeres atractivas. Y a mí me sentaba como una patada. Pero nunca se lo había comentado para no humillarlo ni humillarme.

Lena me saludó sorprendida.

—¡Habéis venido disfrazados!

—No, qué va —comentó Ada.

—Dijiste que habría disfraces de monstruos... —intenté explicarme.

—Sí —Lena rió—, pero no los llevan los invitados. Sólo el grupo que tocará más tarde.

Mi familia me dedicó una mirada muy elocuente.

—¿No lo habías entendido? —preguntó Lena.

—No, ¡no lo había entendido! —contestaron a coro mis hijos.

Lena se volvió hacia Ada y preguntó:

—¿Y qué os parece Stephenie Meyer?

Recé para que mi hija no entrara al trapo sólo para demostrarme lo poco que le apetecía estar en aquel acto.

—Stephenie Meyer me parece genial, genial —contestó Ada.

Me alivió enormemente oírlo.

—¡Es mi autora favorita! —añadió.

Era casi increíble que Ada quisiera causar buena impresión.

—¡Me encanta Stephenie Meyer!

Aunque quizás exageraba un poco, le estaba agradecida: seguramente no lo había hecho tan mal al educarla si sabía comportarse en presencia de otras personas.

—Me gusta tanto Stephenie Meyer —siguió dándole a la lengua— que me encantaría que me desvirgara.

Me quedé estupefacta.

Lena, también.

Y Ada me miraba con una sonrisa de oreja a oreja. Lo noté claramente aunque llevara la boca tapada con las vendas de la momia.

Quise apaciguar la situación y pensé febrilmente cómo podía explicarle a Lena que mi hija era una pequeña bromista encantadora. Sin embargo, antes de que pudiera decir nada, oímos una voz aflautada:

—*What did this nice girl say about me?*

Era Stephenie Meyer.

Llevaba un elegante traje sastre, estaba justo detrás de nosotros y sonreía amablemente, sin sospechar nada. Nosotros nos habíamos quedado sin habla. El comentario de Ada le habría resultado embarazoso a cualquier escritora famosa. Pero de pronto recordé que, para colmo de males, la señora Meyer era mormona.

Se acercó a Ada y le dijo sonriendo:

—*Come on, you can tell me.*

Vi la cara de espanto de Ada y estuve segura de que

no seguiría poniéndome en ridículo. Cierto que a veces llegaba muy lejos, pero ¿tanto? No sería capaz.

Por desgracia, tenía un hermano. Y en casa le había anunciado que algún día se tomaría la revancha por todas las vilezas que Ada le había hecho. Así pues, le tradujo amablemente a la señora Meyer lo que Ada había dicho:

—*She wants to be deflowered by you.*

Entonces fue Stephenie Meyer la que se quedó estupefacta.

Fue uno de esos momentos en que te gustaría decir: «Es la primera vez que veo a estos niños.»

En lugar de decirlo, intenté salir del atolladero.

—*She said, she wants to give flowers to you.*

Stephenie Meyer vio que Ada no llevaba flores y me lanzó una mirada que significaba: «Menos cachondeo.»

Y se fue profundamente ofendida a charlar con otros invitados. Miré a Frank, pero no supo cómo consolarme. Los hombres sólo están un poquitito más dotados que los orangutanes para ofrecer consuelo. Al cabo de un momento dijo en voz baja:

—Yo... voy al bufé.

—Te acompaño —se apresuró a añadir Ada.

—Yo tengo un hambre de hombre lobo canina —se sumó rápidamente Max.

Mi familia puso pies en polvorosa. Al cabo de unos instantes de silencio incómodo, Lena me comentó titubeante:

—Tus hijos no son perfectos, ¿verdad?

Confirmé sus palabras con un movimiento de cabeza.

—Y las cosas tampoco van muy bien con tu marido, ¿verdad? —preguntó con cautela.

—¿Por qué lo dices? —pregunté con cierta inseguridad. Hasta entonces, Frank no había metido la pata.

—No para de mirarle el trasero a Stephenie Meyer.

En efecto: a Frank, de pie junto al bufé, se le caía la baba mirando desde su cráneo verde de Frankenstein el culo de la señora Meyer, que charlaba a un par de metros por detrás de nosotras. Me dolió. Más que el numerito de los niños. Y eso también me había dolido bastante.

—Conseguiremos que haga la lectura —me consoló Lena.

¡Precisamente ella me consolaba! Y eso que sólo me había invitado para presumir. Una cosa estaba clara: no podría demostrarle que yo era más feliz que ella, principalmente porque no era más feliz. Más o menos como el joven Werther de Goethe no era más feliz que Narciso Bello, el primo del pato Donald.

Aparté la vista de Lena y la dirigí hacia Frank, que acababa de mancharse el chaleco con un trocito de salmón, pero no se había dado cuenta porque continuaba concentrado en la observación del trasero.

—Y eso que la Meyer tiene el culo gordo.

—*What did she say?* —preguntó entonces Stephenie Meyer a mis espaldas.

Me habría encantado transformarme en un murciélago, como hacen los vampiros, y salir volando del salón.

Stephenie Meyer se nos acercó y me preguntó:

—*What exactly is a* «culo gordo»*?*

No supe qué contestar y me limité a balbucear:

—Sólo hablo español.

—¿Qué es un culo gordo? —preguntó.

La muy tonta también sabía español.

Ya podría ser como la mayoría de sus compatriotas, que sólo sabían decir «Hey, Macarena». Pero no.

Desesperada, pregunté con una sonrisa de circunstancias:

—*Czi mowi Polski?*

Stephenie Meyer hizo un gesto de desdén con la mano

y se fue. No valía la pena perder el tiempo con una chiflada disfrazada de monstruo, y que además la ofendía. Lena me pasó cariñosamente el brazo por los hombros y suspiró.

—Creo que no conseguiremos que haga la lectura.

Me imaginé al encargado de resolver los casos de insolvencia paseando por mi librería, pasándoselo bomba con mi contabilidad y asombrándose con la cucaracha y el váter atascado.

Pero lo peor no era que ya no podría reanimar la tienda con la ayuda de la señora Meyer. No, lo peor era que la noche con mi familia había sido un desastre. Ninguno de nosotros la había disfrutado en absoluto. Quizás había llegado la hora de reconocer definitivamente que ya no éramos una verdadera familia.

ADA

Mamá estaba tan cabreada con nosotros que circuló por Berlín conduciendo a todo trapo con un estilo que recordaba el *Grand Theft Auto*. Pero nadie se quejó. Nadie se atrevió a decir nada. Incluso papá mantuvo la boca cerrada aunque su cráneo de Frankenstein no paraba de chocar contra el techo de la carrocería. Sólo respirábamos lo necesario para no ahogarnos. Era un silencio similar al del Salvaje Oeste antes de un tiroteo. Una cosa estaba clara: si alguno de nosotros decía algo, lloverían balas dentro del coche.

Mientras continuaba evitando respirar innecesariamente, eché un vistazo al móvil. Tenía un sms de Jannis: «Me gustas.» Lo había leído unas 287 veces. Y pensaba febrilmente qué le contestaba. «Tú a mí también» habría bastado. Pero mi corazón daba tales saltos de alegría que le habría escrito de inmediato: «Te quiero.» Aunque, si hubiera contestado algo tan ofensivo, estaría igual de loca que la mujer que había obligado a su familia a hacer el ridículo con unos disfraces de monstruo.

Sin embargo, soñé un poco con qué pasaría si le mandaba a Jannis un sms diciéndole «Te quiero» y él me contestaba lo mismo y, de esa manera, aquel día se convertía en el mejor de mi vida a pesar de haber suspendido y de la terrorífica noche haciendo de momia. Mis dedos teclearon medio en broma las palabras que, naturalmente, nunca enviaría. En ese momento, mamá volvió a prestar interés nulo a un semáforo en rojo y cogió una curva a tanta velocidad que casi salimos volando por las ventanillas. Vi a cámara lenta cómo mi pulgar se deslizaba sobre «Enviar». Mi «te quiero» se había enviado.

No creo en Dios, pero en ese instante recé en silencio: «Por favor, por favor, Dios, haz que la red de telefonía tenga una avería total.»

Dios no me hizo ese insignificante favor: la señal de cobertura de mi móvil seguía como antes.

Unas décimas de segundo después llegó la respuesta de Jannis: «¿Qué?»

No muy ingenioso, típico de chicos. Y tampoco era la respuesta que esperaba recibir mientras soñaba despierta como una tonta, por eso le contesté enseguida: «Me he equivocado al teclear.»

Confié en que se lo tragaría y con eso se acabarían los mensajes. En vano.

«¿Qué querías escribir?», preguntó por sms.

«Te cierro», contesté espantada.

«¿¿¿Me cierras???», fue la respuesta, y se notaba que habría puesto cien interrogantes más.

«Te hierro», contesté aún más espantada.

«¿Te hierro?»

«Sí.»

«???»

«Té y hierro, son muy buenos para la salud», escribí.

«?????»

A esas alturas, seguro que me tenía por una pirada.

Pensé en contestarle mandándole un muñequito Android meando. Pero Jannis me sacó del apuro. No preguntó nada más y me mandó la frase más hermosa que jamás me había dicho, escrito o chateado un chico: «Yo también te cierro, Ada.»

Me inundó una oleada de felicidad. Era muy, muy feliz, y habría podido abrazar a todo el mundo. Quizás incluso a mamá.

Mi madre vio por el retrovisor que yo sonreía dentro de mi disfraz de momia. Al verme tan feliz, frenó en seco enfadadísima... y se salió del camino.

Y entonces comenzaron a llover las balas.

EMMA

Salté fuera del coche con la capa ondeando y vi que había frenado a pocos metros de una vieja mendiga. La anciana pedía limosna junto a la calzada, llevaba un pañuelo atado a la cabeza, tenía el rostro macilento y, a juzgar por sus ojeras, era muy, pero que muy vieja. No se había espantado cuando me subí a la acera a toda velocidad. Al contrario. Me miraba sonriendo, como si le hubieran pasado cosas muchísimo peores a lo largo de su vida. Luego levantó una lata y chapurreó:

—¿Tú tiene euro?

Estaba demasiado furiosa para ocuparme de ella y, en vez de prestarle atención, ordené a mi familia de monstruos que salieran del coche. Me planté delante de Frankenstein, la momia y el hombre lobo y perdí los estribos como nunca antes los había perdido nadie disfrazado de Drácula, ni siquiera el propio Drácula:

—Ada, ¿cómo se te ocurre sonreír? Me pones en ridículo, suspendes, fumas porros...

—Yo no fumo... —protestó débilmente Ada.

—¿Me tomas por tonta? —la interrumpí—. ¡Y pobre de ti como me contestes!

Bajó la vista, consciente de su culpabilidad. Max esbozó una gran sonrisa, con lo cual fue el siguiente a quien canté las cuarenta.

—Y tú... ¡tú sólo abres la boca para hacer enfadar a tu hermana!

Él también bajó la vista, consciente de su culpabilidad. Frank, en cambio, se puso delante de los dos e intentó mediar:

—No vamos a levantarles la voz a los niños...

—De momento, ¡sí!

—No tiene sentido... —replicó tímidamente.

—Vaya, ¿ahora te ha dado por ocuparte de su educación? —lo abronqué, y los críos se alegraron claramente de salir de la línea de tiro—. En todo el día, no estás más de veinte minutos despierto en casa, y sólo físicamente.

—¿Ahora la vas a tomar conmigo? —preguntó obtuso.

—¿Acaso crees que no he visto cómo le mirabas todo el rato el culo gordo a Stephenie Meyer?

—Culo gordo... —dijo Max con una risita.

—¡A callar! —lo reprendí, y noté que las lágrimas me asaltaban. Si gritaba tanto a mi familia era únicamente porque estaba muy triste y, si no lo hacía, me echaría a llorar. Y si empezaba, no podría parar.

—¿Crees que no me duele que no me encuentres tan atractiva como antes? —le pregunté a Frank.

No supo qué contestar, sólo me miró indefenso. Habría sido un momento ideal para decir: «Pero, cariño, si yo te encuentro tan atractiva como el primer día.»

Sin embargo, se quedó allí quieto y callado.

Y yo empecé a vapulearlo:

—¡Tampoco es que tú seas un Adonis!

—¿Qué...? —preguntó sorprendido.

—Se te ha quedado la cara chupada. ¡Y el pelo sólo te crece donde no debería!

—Yo pensaba que los de la espalda te gustaban —balbuceó desconcertadísimo—. Pero si siempre me llamas «osito»...

—¡A ninguna mujer del mundo le gustan los osos!

—Sabéis qué —dejó caer Ada—, a los hijos no les interesa saber que sus padres están tan poco enamorados.

Con ese comentario perdí definitivamente los nervios.

—Es un asco que mi hija sólo me critique. También es un asco que mi hijo viva como un monje. Y es más que un asco que mi marido y yo no tengamos una verdadera vida matrimonial. Pero ¿sabéis cuál es la madre de todos los ascos? La madre de todos los ascos es que ya no somos una verdadera familia... Y sí, ya sé que «ascos» se usa poco en plural, ¡pero le va que ni pintado a nuestro asco de familia!

Todos me miraban con estupor mientras las primeras lágrimas brotaban en mis ojos. Con la voz quebrada, les dije en tono suplicante a los tres:

—Yo... no puedo seguir así.

En lo más hondo de mi ser pensé que ése era el momento ideal para que Frank dijera: «Todo se arreglará.»

Pero en sus ojos no se veía nada de «todo se arreglará». Únicamente me miraban vacíos y cansados. Observé a Max y noté que sólo quería sumergirse en una de sus novelas de zombis, y Ada seguía hirviendo por dentro. Entonces lo tuve claro: no se arreglaría nada. Nada de nada.

—Y pensar que podría haber estado con Hugh Grant en la isla Mauricio... —balbuceé con los nervios de punta.

Entonces me eché a llorar definitivamente.

FRANK

Cansado.

Estaba muy cansado.

Terriblemente cansado.

Los niños no estaban cansados. No soportaban ver a su madre llorando y por eso miraban al suelo. Pero yo estaba demasiado agotado. Así pues, sólo pregunté perplejo:

—¿Hugh Grant? ¿Por qué Hugh Grant?

¿Qué pensaba hacer Emma con él en la isla Mauricio? Bueno, no costaba imaginar qué quería de él. Pero ¿por qué lo mencionaba ahora? No entendía nada.

Desde hacía un tiempo, tenía la sensación de que mi cerebro estaba en las nubes. «Desde hacía un tiempo» significaba en este caso «desde hacía años». En mi trabajo en el banco me sentía como un corredor de maratones. Alguien a quien, al acabar la carrera, le dicen: «Por cierto, esto era un triatlón.» Y a quien, al finalizar el triatlón, le anuncian: «Por cierto, te has dejado una cosa en la salida de la última carrera. ¿Podrías ir a buscarla, por favor?»

En nuestro departamento estábamos todos destrozados. Un compañero que tenía cierto talento para la música había compuesto una canción titulada *No puedo más.* Cuando se dio cuenta del eco que la canción tenía entre los demás compuso la continuación, *Tampoco quiero más.* Canciones que daban la talla para convertirse en coplas de nuestro mundo moderno. Y siguieron otras:

Necesito cinco cafés.

Tinnitus.

Buscando la libertad.

Creo que me volveré loco.

Ya oigo voces.

Me compraré un Uzi (una canción muy animada en la que todos cantábamos el estribillo marcando el ritmo: «¡Uzi! ¡Uzi! ¡Uzi!»).

El último tema que había compuesto era un reggae: *Dispara contra la junta, pero no mates al jefe de la cantina.*

Y eso que todos los colegas estábamos de acuerdo en que el jefe de la cantina se había ganado a pulso que le pegaran un tiro.

Si no hubiera estado tan cansado, tan hecho polvo, seguramente no me habría comportado toda la noche como un idiota y no habría cometido tantos errores: habría apoyado más a Emma en su propuesta de ir a la presentación del libro, habría aceptado de inmediato su oferta de sexo para esa noche y, sobre todo, no le habría mirado el trasero a Stephenie Meyer (o al menos no habría permitido que Emma me pillara). Además, si hubiera estado más despierto, seguramente habría podido encontrar palabras de consuelo. Sin embargo, no se me ocurría nada que no fuera «Todo se arreglará». Pero me lo guardé para mí porque no estaba seguro de que Emma quisiera oír algo tan ridículo. Por otro lado, no tenía ni idea de qué tendría que contestar si me preguntaba: «¿Y cómo se arreglará?»

Emma era desgraciada y todos teníamos nuestra parte de responsabilidad. Nos lo había dejado bien claro con su monólogo del asco. Sin embargo, un poco enfadado, pensé que ella también tenía parte de culpa en su desgracia: siempre quería algo más que nuestra pequeña vida. Siempre quería más que yo. Ella quería ver mundo, conquistarlo y etcétera, etcétera, etcétera. Pero siempre que le comentaba, aunque fuera de pasada, que ella también contribuía a su desgracia se ponía hecha una fiera y yo iba a parar rápidamente al país de los lamentos. Por eso mantenía la boca cerrada desde hacía años en lo relativo a ese tema. Igual que tampoco me entrometía cuando me daba la sensación de que Emma se excedía controlándoles la vida a los niños. Y si ahora, en medio del llanto, le daba mi sincera opinión de que siempre se enfadaba demasiado con ellos, fijo que me arrancaría la cabeza de monstruo que llevaba.

Emma no paraba de llorar. Ni siquiera lo intentaba. El llanto la sacudía y no pude soportarlo más. Sus penas siempre me habían afectado más que las mías. Yo seguía queriendo a aquella mujer; al menos cuando no estaba tan cansado, cosa que, como ya he dicho, hacía años que no ocurría.

Dios mío, ¡deseé tanto no estar cansado!

Sin embargo, si lo meditaba a fondo, no sabía realmente si aún la quería, puesto que siempre estaba agotado. ¿Cabía la posibilidad de que, si algún día volvía a estar despierto, ya no quisiera que fuera mi esposa?

Si aún la amara, ¿habría pasado lo que pasó cuando fui de vacaciones a Egipto?

Esa idea me dejó aún más extenuado.

La deseché y decidí intentarlo con un simple «Todo se arreglará», y si Emma me preguntaba «¿Cómo?», le diría simplemente «Se arreglará» y barrería cualquier otro intento por su parte de entrar en detalles con un «Chist..., no hables». Pero, justo cuando iba a poner en práctica mi plan y me disponía a acercarme a mi mujer para abrazarla, vi que la mendiga también se ponía en movimiento y se dirigía a Emma.

BABA YAGA

¡Esa mujer disfrazada de vampiro! ¡Esa ridícula mujer llorona y vanidosa! Era mi última oportunidad. ¡Esa mujer quizás podría llevarme a casa!

Hacía más de 250 años que no había estado allí. Porque me habían desterrado. Y no me quedaba mucho tiempo. Porque moriría al cabo de tres días. Ninguna medicina podía hacer nada contra mi enfermedad. Ninguna oración. Ninguna magia negra. Ni siquiera la mía.

Me acerqué con mi lata a la mujer, que lloraba a moco tendido como un perro que se ha enterado de que la veterinaria va a castrarlo.

En mi plan con aquella mujer, no había nada que perder. Excepto la ridícula vida de su familia.

EMMA

La vieja se plantó súbitamente delante de mí. Era extraordinariamente ágil para su edad. De hecho, era extraordinariamente ágil para cualquier edad. Abrió la boca y reparé en que un gorrión podría haber construido un nido en los huecos que presentaba su dentadura.

—¿Tú tiene euro? —volvió a preguntar.

—¿No ve que estoy ocupada con un ataque de nervios? —gruñí.

—¿Tú tiene euro? —insistió.

Parecía de muy mal humor. Y no sólo porque yo no le daba un euro. Era como si yo le repugnara profundamente. ¿Se debía a mi lloriqueo?

La mendiga extendió la mano. Aunque hubiera querido darle un euro, no habría podido: mi disfraz de Drácula tenía una preciosa capa, pero sin bolsillos. Y no había cogido el bolso porque un vampiro con bolso no parece ni la mitad de auténtico.

—Tú ere digraciada con familia —señaló.

—Tú ere muy pirspicaz —repliqué.

Lo bueno era que la vieja había atajado mi llanto con su charla. Me soné y dejé de llorar mientras la mujer se dirigía a los demás:

—Vosotro igual de digraciados.

A juzgar por las miradas de mi familia, todos se sintieron retratados. Dios mío, ¿tenía razón la desdentada? Mis hijos y mi marido, ¿eran tan desgraciados como yo? Estuve a punto de echarme a llorar otra vez. Todavía más fuerte.

Sin embargo, antes de que mis lagrimales volvieran del descanso del trabajo, la mendiga dijo con dramatismo:

—Todas familias filices son muy paricidas. Las disgraciadas lo son cada una a su manera.

—¿Te has tragado una edición de *Anna Karenina*? —pregunté muy irritada, puesto que sabía que esa cita era de Tolstói. Mi familia no sabía de qué hablaba, no conocían a Tolstói y seguramente se habrían quedado dormidos antes de acabar la tercera página de *Anna Karenina*.

—Yo ayudo a Tolstói a escribir entonces —explicó la vieja.

—Eso es imposible —repliqué, puesto que sabía que había escrito el libro en el siglo XIX. La anciana era vieja, pero nadie era tan viejo como para que fuera posible que hubiera vivido en aquella época.

La respuesta fue una sonrisa sin dientes. Sabionda. Arrogante. Un poco chiflada. No, tachemos «un poco» y sustituyámoslo por «totalmente». Me dio miedo y le ordené:

—Esfúmate.

No contestó y continuó sonriendo. Me miró profundamente a los ojos y tuve la desagradable sensación de que podía ver en lo más hondo de mi alma. Quise alejarme, pero su mirada me tenía atrapada. No podía apartarme, así de simple.

—Esfúmate... —repetí débilmente.

—Tú no valora tu vida —afirmó con desdén.

—Y tú ere dura de mollera —contraataqué con valentía, aunque tenía miedo: ¿había visto realmente algo en mi alma o sólo me lo había parecido?

Entonces, se apartó de mí por fin. Pero no pude respirar tranquila. Porque en vez de largarse a aterrorizar a otra gente, se dirigió a Max. También a él lo miró profundamente a los ojos, él tampoco pudo alejarse de ella y a él también le entró miedo. Al cabo de unos segundos inquietantes de silencio, le dijo:

—¡Tú huye de vida!

En eso tenía que darle la razón, porque Max era realmente una persona muy retraída.

La vieja continuó su camino y Max se echó a un lado tambaleándose. Acto seguido, la mendiga fue a cantarle las cuarenta a Ada. Aunque mi hija también habría preferido apartar la vista, tampoco pudo. Igual que Max o yo.

—Tú no tiene idea de qué va a hacer con tu vida —le dijo la anciana.

—Pero al menos no hablo como si hubiera ido a la escuela de retórica de Yoda —replicó Ada.

La vieja le daba pánico, pero intentó que no se le notara. Con poco éxito: Ada se retorcía los dedos, como siempre que estaba nerviosa. Max, en cambio, cruzaba las piernas como si estuviera a punto de hacérselo en los pantalones. Siempre había sido un niño muy miedoso; de muy pequeño ya tenía miedo de todas las cosas habidas y por haber: de los payasos, de las medusas en la arena de la playa, de los grupos de habaneras...

—Deje a nuestros hijos en paz —le espetó Frank a la chiflada, y se puso delante de ella.

Un error. Porque entonces él también cayó en el embrujo de su mirada hipnotizadora. En su alma, pues yo ya estaba convencidísima de que era capaz de ver en el alma de la gente, encontró lo siguiente:

—Tú no tiene emoción en tu vida.

Después de que lo dijera, Frank se puso a temblar. Todos temblábamos. Nunca habría imaginado algo así con lo de «por fin haremos alguna cosa juntos».

La vieja mendiga sacó un amuleto del bolsillo de su abrigo andrajoso. Era de plata, el puño parecía una cabeza de gato y encima leí las palabras *Baba Yaga.*

—Yo pronto muero —gritó.

—Oh, cuánto lo lamento —dije, intentando relajar la situación mostrándome un poco compasiva.

—Yo no creo tú —replicó, y me restregó agresivamente el amuleto por las narices. Tuve la sensación de que iba a matarme. O bien golpeándome con el amuleto o bien con su aliento fétido.

En ese instante ya no me dio pena. Al contrario, me sorprendí a mí misma con el mal pensamiento de que estaría bien que ese «pronto muero» llegara muy deprisa.

—En tres días yo muero y ¡vosotros quejas!

Por eso me había mirado tan mal desde el principio. Me consideraba una llorona egoísta.

—Vosotros no vive vuestra vida. ¡Vidas de vosotros no valen nada! —vociferó, y su aliento casi acaba con el mío.

—Ejem..., ¿no cree que exagera...? —dije, intentando poner calma.

Sus ojos empezaron a brillar y gritó:

—¡Yo maldigo vosotros!

—Ejem... ¿Cómo...? ¿Qué...? —pregunté espantada.

—¡Yo maldigo vosotros! —repitió, y sus pupilas comenzaron a lanzar destellos en toda regla.

—No, tú pones de nervios nosotros —replicó Ada con valentía.

En vez de contestar, la vieja levantó el amuleto hacia el cielo y, con una voz una octava más baja y tres veces más lúgubre, gritó:

—*Este tranaris, este pranduce...*

—¿A qué viene eso? —inquirí asustada.

—*Nici mort...* —continuó mascullando—. *Niki al franci...*

—No irá en serio...

—Cre... Creo que sí —dijo Frank. Su voz sonó atemorizada mientras señalaba hacia arriba. Levanté la vista y lo vi: el cielo estaba despejado y, aun así, habían empezado a formarse relámpagos en el firmamento.

—Ahora sí que exagera un poco —balbuceé.

Max miraba a lo alto con la boca abierta. Igual que Frank y, ahora, también yo. Sin embargo, Ada se acercó a la vieja con la intención de encontrar una explicación para aquel espectáculo, por improbable que fuera.

—Sí, un supershow... de primera... No sabía que las mendigas ahora trabajaban con pirotécnicos... Pero no soy fan de los efectos especiales... —dijo valerosamente.

A modo de respuesta, los ojos de la anciana se iluminaron de color verde... como esmeraldas. Los ojos enteros. No se le veían las pupilas.

—Tampoco soy fan de los ojos verdes... —murmuró Ada, visiblemente intimidada.

Max recuperó el habla y balbuceó temeroso:

—Tonta del haba, esto no es pirotecnia. Es magia negra.

La vieja mendiga corroboró la hipótesis de Max con más conjuros.

—*Re spirit, re brut...* —gritó. En voz más alta. Más profunda. Más lúgubre.

Los rayos se juntaron en el cielo. Y formaron una enorme bola de fuego centelleante. Aunque yo, como europea occidental ilustrada, no podía creer en la magia, los hechos hablaban claramente en favor de que algo de eso estaba ocurriendo. ¿Era aquella mujer una maga como había dicho Max? ¿O más bien una bruja? ¿Tenían importancia esos pequeños detalles a la vista de los rayos que pendían sobre nosotros? Era de cajón que en cualquier momento nos caerían encima.

—*¡Rece brut tre animal!*

La bola de fuego pendía ahora en el cielo justo sobre nosotros, y me atenazó un miedo tremendo y negro. Un pánico cerval. Pero no tenía tanto miedo por mí como por mis hijos. La mujer había dicho que nuestras vidas no valían nada. O sea que tampoco las de Ada y Max.

—Perdone a los niños... —supliqué—. ¡Por favor!

Frank repitió en voz baja:

—Por favor...

La vieja nos miró y sonrió. Era una sonrisa horrible. Pero por lo menos sonreía ante mis ruegos por los niños. En mí brotó la esperanza. ¿Perdonaría la bruja —porque tenía que ser una bruja, ¿no?— a los niños?

La bruja dejó de sonreír.

Mi corazón se encogió de miedo por mis hijos. Fue como si alguien lo aplastara. Ésa debía de ser la sensación más horrible que pueda sentir nadie. En cualquier caso, era más horrorosa que cualquier otra que yo hubiera sentido nunca en la vida.

Los ojos verde esmeralda brillaban cada vez más claros, como si detrás de ellos tuviera lugar una explosión nuclear. La bruja abrió la boca casi destentada y gritó:

—¡SEMPER MONSTER!

Entonces, sus ojos explotaron de verdad. Unos rayos verde esmeralda salieron despedidos hacia el cielo. Como rayos láser.

—Y tampoco soy fan de esto —balbuceó temerosa Ada en voz baja.

—No puedo más que secundarlo —dijo Frank con voz temblorosa.

Los rayos verdes que despedían los ojos de la mendiga alcanzaron la bola de fuego centelleante que pendía sobre nosotros. Con una lentitud infinita, casi a cámara lenta, la bola se deshizo en relámpagos. En relámpagos verde esmeralda. Que salieron despedidos hacia la tierra. Cuatro en total. Caían a toda mecha sobre nosotros. Uno por cabeza.

Antes de que nos alcanzaran, Ada, rebelde incluso en un momento de pánico, murmuró:

—Como me muera precisamente hoy, voy a pillar un cabreo bestial.

Si hubiera tenido tiempo y calma para reflexionar qué se siente cuando te fulmina un rayo, tanto da si verde esmeralda o del color habitual, seguramente habría pensado que era como recibir una enorme descarga eléctrica. Una descarga que te acaba reduciendo a un puñado de cenizas que el viento dispersa, contribuyendo con ello al calentamiento global por emisiones de CO_2.

En realidad, no fue como una descarga eléctrica, sino más bien como si me descompusieran en mil pedazos. No, no «como si». ¡Exactamente así!

No sé si grité durante la descomposición. Mi boca, igual que las demás partes de mi cuerpo, fue también una simple pieza por un breve instante. Tal vez dije: «Tendría que haberle dado un euro a la anciana.»

Y luego me recompusieron. Con pedazos nuevos. Entre los cuales, como constaté más tarde, también se contaban dos colmillos afilados.

Cuando volví a abrir los ojos, estaba tendida en el suelo y lo veía todo borroso. Como a través de un vidrio translúcido. Lo único que me pareció observar fue que el cristal izquierdo de mis gafas se había roto. Me quité las lentes y de repente pude ver con claridad. ¿Cómo era posible? No es que yo fuera ciega sin las gafas, pero sí un poco corta de vista. Sin embargo, vi claramente, casi en alta definición, que la chiflada se carcajeaba con su dentadura podrida. Estuve a punto de volver a ponerme las gafas.

Quise ir hacia la vieja, gritarle que qué nos había hecho, pero entonces oí chillar a Ada con terror:

—¡No puedo quitarme las vendas!

Mi corazón de madre no pudo soportar el pánico que impregnaba su voz. Dejé que la bruja chiflada que no paraba de reír continuara siendo una bruja chiflada que no paraba de reír, y corrí hacia mi hija. Estaba sentada en el bordillo y tiraba de sus vendas, que no tenían el mismo aspecto de antes. Si antes parecían gasas de farmacia, ahora se veían viejas, grises y sucias. Como si hubieran estado bajo tierra.

Me senté a su lado en la acera y dije:

—No pasa nada, mamá te ayudará, Snufi.

Antes, cuando mi hija era pequeña, siempre la llamaba Snufi, mi peluchito. Pero cuando llegó a la pubertad, al oír la palabra «Snufi» me miraba tan enfadada que parecía dispuesta a disparar un cohete tierra-aire. Sin embargo, ahora estaba tan espantada que la palabra incluso le infundió cierta confianza infantil.

Intenté quitarle las vendas del disfraz. En vano. Era como si tirara de su piel.

—Tú tampoco puedes, tú tampoco puedes... —constató Ada, alucinada.

Yo habría alucinado con ella. Pero no podía permitírmelo. Así pues, decidí tranquilizarla con una mentira. La estreché entre mis brazos y dije:

—Sólo es un mal sueño, Snufi.

Cuando era pequeña, siempre le decía cosas así cuando se despertaba de noche porque había tenido una pesadilla. Luego la dejábamos gatear en nuestra cama de matrimonio, donde a veces se quejaba de las ventosidades que soltaba Frank por el estrés, y decía cosas como: «Oh, papá, ahora sí que me gustaría tener la nariz tapada.»

—¿Esto es un sueño...? —preguntó incrédula Ada en mis brazos.

—Sí, no es más que una quimera de tu imaginación.

—Suena bien... Sea lo que sea una quimera.

—Es una cosa... —comencé a explicarle.

—... que me importa un pito —completó mi frase, y se apretó a mí.

Hacía años que no se había acurrucado así conmigo. La miré a los ojos, que se dibujaban en su rostro a través de todas aquellas vendas siniestras y ceñidísimas. Los ojos parecían espantosamente viejos. Las pupilas eran negras. Intenté disimular el terrible pánico que me entró.

—¿También es una quimera que la vieja se ría? —preguntó Ada.

—Sí... —contesté con voz queda.

—¿Y que los vecinos corran las cortinas de miedo?

Levanté la vista hacia los edificios. Las personas que se asomaban a las ventanas tenían miedo, eso estaba claro. Por los rayos. Por la vieja. ¿Por nosotros?

—Eso también es una quimera —corroboré.

—Me gustan las quimeras —explicó Ada—. Aunque la palabra suene un poco rancia.

Pasé por alto el comentario.

—No tendría que haber fumado hierba anoche —murmuró en mis brazos.

—¿Fumaste hierba? —pregunté enfadada. Pero decidí que en aquel momento tenía otros problemas.

—Seguro que estaba adulterada —supuso Ada—. Con plástico líquido...

¿Adulteraban la marihuana con esas cosas? Por lo visto, el mundo de los adolescentes actuales era mucho más peligroso de lo que yo temía. Aunque probablemente no tan peligroso como lo que estábamos viviendo en aquellos momentos.

—Entonces, ¿me lo estoy imaginando todo? —preguntó Ada, que necesitaba una confirmación cada cinco segundos.

—Sí.

—¿También que Max ha levantado una pierna y se está meando en la farola?

—¿QUE HACE QUÉ?

Miré hacia Max. Parecía un lobo de verdad. Y levantaba la pierna junto a la farola.

¡¿¡Levantaba la pierna!?!

—Si tú también puedes verlo... —Ada había atado cabos y se puso a temblar de nuevo—. No es un sueño.

—Yo no lo veo —continué mintiendo.

—Entonces, ¿papá tampoco mide unos dos metros treinta y acaba de arrancar la puerta del coche?

Miré hacia Frank. Era un gigante. Un gigante con una cabeza cuadrada. Él se parecía más al maldito monstruo de Frankenstein que a Boris Karloff. Sujetaba la puerta arrancada con una mano y me miraba con unos ojos grandes que reflejaban poca inteligencia.

—¿Tampoco lo ves? —preguntó Ada.

—No... ¡Y deja de hacerme preguntas de una vez!

No podía concentrarme en impedir que ella perdiera los estribos porque estaba demasiado ocupada en no perder yo los míos.

—Todo irá bien —susurré.

Me deshice del abrazo y me fui hacia la bruja, que ya no se tronchaba de risa.

—¿Qué nos has hecho? —inquirí.

—Lo que vosotros merece.

—¿Qué significa eso? —pregunté.

—Sólo puede vivir filiz quien valora filicidad en la vida.

—Si quisiera hablar con una galleta de la suerte, me compraría una —le aclaré furiosa.

—Yo transformado todos.

—¿Transformado?

—Yo enseño tú —se ofreció.

Se abrió el abrigo, guardó el amuleto en el bolsillo interior derecho y sacó del izquierdo un sencillo espejito hexagonal de madera.

—Único espejo de mundo —explicó— donde tú puede verte.

Miré en el hexágono y vi que tenía la cara palidísima. Casi como de pergamino fino. Y terso. Ya no tenía pecas. Ni espinillas. Incluso me había desaparecido la verruga de la barbilla. En cambio, tenía los ojos rojos. Inyectados en sangre. Con todo, irradiaba una vitalidad increíble. Tenía un aspecto fantástico. Deslumbrante. Muy, muy estupendo.

Si ese aspecto increíble se debía al espejo, me habría encantado tener uno igual en el cuarto de baño.

Pero no se debía al espejo, claro.

Lo comprendí al ver un último y pequeño detalle aterrador en mi imagen reflejada: tenía dos colmillos afilados de un blanco radiante.

—¿Soy... soy un vampiro? —le pregunté estupefacta a la bruja.

—Con dura mollera.

Y se fue.

MAX

Cuando uno es tan inteligente como yo, a menudo te parece que los demás tienen el intelecto de una ameba. Aunque mis padres y mi hermana no lo hubieran procesado enseguida, yo comprendí de inmediato qué había ocurrido: la mendiga nos había transformado en monstruos con su maldición. Para siempre. Eso en latín es «*semper*» (sí, en esa asignatura también sacaba matrícula de honor). Sabido era, por las viejas historias, que las mendigas eran muy competentes cuando se trataba de maldiciones. Aunque no tanto en lo referente a la higiene dental. En cualquier caso, había sido una suerte para mí no haber escogido el disfraz de zombi.

Así pues, yo era un hombre lobo y no tenía ni idea de cómo tomármelo. En la parte positiva del balance cabía apuntar lo siguiente: en calidad de semejante animal, y aunque aún no lo había comprobado, seguro que era veloz y fuerte. Me sentía como si pudiera correr cientos de kilómetros, cuando normalmente los cien metros lisos en la escuela me parecían una carrera de fondo. Y los mil metros, un vía crucis.

En la parte negativa se incluía lo siguiente: tenía pelo por todo el cuerpo. Si iba a tenerlo para «*semper*», eso probablemente significaría que nunca conquistaría a una chica (mamá no estaba muy contenta con la espalda peluda de papá). Por otro lado, si había que creerse los cómics de La Patrulla X, las mujeres encontraban muy sexy a Lobezno, el héroe peludo. Ahora bien, ¿quién quiere a una chica a la que le chifla tanto pelo?

No estaba muy seguro de si debía considerar positivo o negativo que mi olfato animal fuera tan fino. Por un lado, me abría un mundo de sensaciones totalmente nuevo y fascinante. Por otro, olía con bastante precisión que un indigente había orinado hacía poco en la esquina de un edificio.

—¡Ataca! —me gritó mi madre.

Me gritó realmente «¡Ataca!».

Estaba completamente histérica. Seguro que quería que atrapara a la bruja para que revocara la maldición. Al parecer, mamá también había ido procesando poco a poco lo que había ocurrido y no tenía ganas de ser una chupasangre el resto de su vida inmortal. En cambio, yo seguía sin decidir si quería seguir siendo un hombre lobo o no. Como hombre lobo poseía superpoderes. Podría combatir a los malos y convertirme en un superhéroe por el que incluso se pirraran las chicas a las que no les gustan tanto los peludos.

Por otra parte, sabía por todas las historias habidas y por haber que los mutantes acaban siendo linchados en la hoguera. O van a parar a un laboratorio del Gobierno de Estados Unidos para ser analizados en la mesa de disecciones con la esperanza de desarrollar un suero energético a partir de un hombre lobo. Un suero que luego inyectarían a los soldados, que se convertirían en hombres lobo vestidos con uniforme de los Marines y, acto seguido, serían trasladados en helicóptero a Afganistán para enseñarles de una vez por todas a los talibanes qué es una situación peliaguda.

Si hubiera sabido que me lanzarían una maldición, me habría disfrazado de otra cosa: de Superman, por ejemplo. Aunque entonces tendría que pasearme todo el rato con un pijama azul. James Bond habría sido más fascinante. O mejor aún: Godzilla. Siendo Godzilla habría podido destruir mi escuela de un coletazo. Pulverizaría hasta el váter donde mi torturadora me metía la cabeza y luego tiraba de la cadena.

Por cierto, mi torturadora se llamaba Jacqueline.

Sí, mi terrorista personal era una chica. Tenía quince años y aún iba a clase con los de doce. Jacqueline era muy atractiva, al menos si te gustaban las mujeres culturistas piradas, con piercings y tatuajes de pitbull.

Los profesores le tenían tanto miedo como los demás, por eso la dejaban en paz y sólo decían cosas como «Bueno, hay amores que matan, y cuando le coge cariño a algo...». Luego, cuando yo preguntaba: «Puede, pero ¿también tiene que tirarlo al cubo de la basura?», la única respuesta que recibía era: «Ah, eso forma parte del cariño.»

Jacqueline me aterrorizaba sobre todo a mí, porque entre nosotros existía la mayor diferencia de coeficiente intelectual de la escuela. Yo siempre intentaba mantener la dignidad en sus ataques. Una vez le dije: «Un día pasaré por tu lado con mi Mercedes de lujo y tú vivirás de las ayudas sociales.» Y ella lo aceptó riendo: «Sí, pero tú, dentro del Mercedes, pensarás: esa que vive de las ayudas sociales me zurraba siempre.»

—¡ATACA! —volvió a gritar mamá.

Había llegado el momento. Tenía que empezar a decidirme. ¿Quería seguir siendo un hombre lobo fuerte, aun a riesgo de que me mataran con balas de plata? ¿O una rata de biblioteca a la que Jacqueline seguiría metiendo en el váter?

La decisión no fue difícil.

—¡ATACA! —gritó mamá de nuevo.

Me senté sobre las patas traseras. Y aunque yo formaba parte de la especie de hombres lobo que podían hablar como los humanos, sólo contesté:

—¡Guau! ¡Guau!

EMMA

Éramos monstruos. Frikis... desfigurados... ¡Monstruos!

Tenía que obligar a la bruja a deshacer la transformación. Para conseguirlo, no sólo tenía que atraparla, sino que seguramente necesitaría ayuda. Corrí hacia Frank, que seguía mirando confuso la puerta del coche.

—¡Eh! —grité.

Siguió mirando la puerta.

—¡Eh! —grité más fuerte.

Me miró y ladeó un poco la cabeza. Daba la impresión de que intentaba recordarme, pero no lo lograba.

—¡Tenemos que obligar a la bruja a que vuelva a transformarnos! —le expliqué.

—Ufta —contestó con una voz profunda que sonaba a carraca.

A saber qué significaba «ufta».

—¿Qué? —pregunté.

—Ufta —repitió con su voz de carraca.

Eso no aclaraba las cosas. ¿Era un problema de habla o de inteligencia? Tal como me miraba, me temí lo peor.

—¿Sabes quién soy? —pregunté cautelosa.

—¿Úfta? —preguntó él.

—No, soy Emma —contesté.

—¿Ufta?

—¡EMMA!

—¿Efta?

El aprendizaje daba resultados, aunque mínimos.

—Emma —lo intenté de nuevo pronunciando con claridad.

—¿Ufta? —repitió.

Hasta ahí llegaban los resultados.

—Arrggg —grité desesperada.

—¿Arrggg? —preguntó señalándome.

—No, no soy Arrggg, ¡soy Emma!

—Efta —dijo contento con su voz de carraca.

—Algo me dice que no serás de mucha ayuda —constaté apesadumbrada. Y también constaté, todavía más apesadumbrada, que ésa había sido una de las conversaciones más largas que habíamos tenido en las últimas semanas.

A esas alturas estaba claro que tendría que ir sola a cantarle las cuarenta a la bruja. La ágil anciana ya casi había llegado al final de la calle, y eché a correr. Frank me llamó, «¡Efta!», y en su voz resonó un poco de alegría porque había hecho un nuevo progreso de aprendizaje. Agitaba la puerta del coche, y por un momento me pregunté cómo explicaríamos los daños a la compañía de seguros.

Sin embargo, ese pensamiento enseguida cedió su puesto a otro. Mientras corría, me di cuenta de que podía hacerlo a una velocidad increíble. Por lo visto, siendo un vampiro se podía participar tranquilamente en el Tour de Francia. Sin bicicleta.

La bruja dobló hacia un callejón sin salida. Como esos que salen en las series de televisión norteamericanas. Uno de esos donde el traficante de drogas hispano intenta desesperadamente trepar por el muro alto que hay al final, pero el poli lo trinca y lo tira al suelo, y luego lo machaca como a mí me gustaría machacar a la bruja. La vieja se dirigía hacia el muro, pero no me dio el gusto de intentar treparlo. Se plantó en medio del callejón y me sonrió con aires de superioridad. Luego subió por la pared de un viejo edificio berlinés que le quedaba a mano derecha.

Sí, ¡subió por la maldita pared!

Lentamente. Sin parar. En vertical. En ángulo recto respecto al suelo. Como si tuviera ventosas gigantes en la suela de los zapatos. Y una musculatura dorsal impresionante que no se puede conseguir en un gimnasio. Me miró desde arriba y me sonrió de nuevo con arrogancia. Estaba conectada en modo chulería.

—Mierda —murmuré frustrada porque estaba a punto de escabullirse.

Apreté los puños y di un salto entre maldiciones furibundas. ¡Tres metros! Por lo visto, entre mis cualidades vampirescas también se contaba una potencia de salto impresionante. Sin embargo, en vez de alegrarme, me asustó mucho volar tan alto. Presa del pánico, me agarré con una mano al canalón del edificio y me sujeté con la otra al alféizar de una ventana. Me quedé pegada a la pared como si King Kong me hubiera escupido contra ella. Me encaramé al alféizar y me puse de pie. Tenía a la bruja justo por encima, y entonces pude ver por debajo de la falda ancha que llevaba puesta. En una noche plagada de visiones inquietantes, aquélla se llevó la palma.

Encima de mí había otro alféizar. Salté desde el mío y fui a parar al piso de arriba. A la bruja se le cayó la sonrisa desdentada de la cara y aceleró el ritmo.

—¡Tú no atrapa mí! —me gritó.

—Y tú no canta victoria —contesté muy segura, y salté al siguiente alféizar.

A través de la ventana entreabierta, vi a una pareja de unos treinta años haciendo el amor. La mujer me vio y dijo lo que probablemente yo también habría dicho en su lugar:

—¡AHHHHHHH!

El hombre, que todavía no me había visto, refunfuñó frustrado:

—¡Exageras con las críticas a mis habilidades de amante!

La mujer señaló hacia la ventana, él se volvió, me vio y la secundó:

—¡AHHHHHHH!

Balbuceé con torpeza lo más tonto que seguramente puede decirse en semejante situación:

—Por mí no se molesten. Sigan con lo suyo, sigan.

Los dos me miraban fijamente, observaban aterrorizados mis colmillos y no siguieron.

Yo miré hacia arriba. La vieja ya estaba en la cuarta planta, un piso más y llegaría al tejado. Dejé atrás a la pareja, que necesitaría una buena terapia con un sexólogo, y continué saltando de alféizar en alféizar.

Cuando la bruja trepó al tejado, yo llegué al cuarto piso y fui a parar delante de un viejo alcohólico que estaba asomado a la ventana con una botella de vino tinto en la mano. Llevaba unos calzoncillos blancos y una camiseta imperio de aquellas que yo creía que se habían extinguido en los años ochenta. Sorprendentemente, no se espantó al verme.

—Por fin algo diferente —dijo en tono de reconocimiento.

—¿Algo diferente? —pregunté, y me tapé la boca con la capa para que no me viera los colmillos. No quería asustarlo innecesariamente.

—Cuando estoy borracho sólo veo a mi hija muerta.

Sentí compasión por el borracho. El dolor por la pérdida de su hija lo había abocado a la bebida. A mí probablemente me habría ocurrido lo mismo si la bruja hubiera matado a mis hijos. Seguro que también me habría convertido en una alcohólica. O me habría suicidado de inmediato.

—Le traigo recuerdos de su hija. Está muy bien en el cielo —contesté dulcemente.

El hombre sonrió conmovido. Y yo también esbocé una leve sonrisa detrás de la capa. En medio de todo aquel caos, vivía un momento de humanidad. Triste. Pero lleno de humanidad.

Entonces recordé que tenía cosas que hacer, pegué dos brincos y aterricé con elegancia en el tejado cubierto de grava. En circunstancias normales, podría haber disfrutado de las magníficas vistas sobre las luces de Berlín (de hecho, sólo faltaba una tumbona y un cóctel margarita), pero perseguí a la bruja, que se dirigía al borde del tejado. La atraparía enseguida. Aunque quisiera bajar del edificio, yo saltaría más deprisa de lo que ella podía andar. Pero no descendió al llegar al borde. Tampoco se detuvo. Saltó al siguiente edificio y continuó avanzando. Llegué al borde y, nerviosa, me pregunté si yo también tenía que saltar. Al parecer, mi nuevo cuerpo era capaz de conseguirlo. Pero la distancia me daba un miedo increíble. Probablemente no sobreviviría a una caída desde aquella altura. En ese momento, mi corazón tendría que estar latiendo con fuerza. Me llevé la mano al pecho. Y no noté ningún latido.

¡Dios mío, no tenía corazón!

Acto seguido me entró aún más miedo. No tenía elección: tenía que atrapar a la bruja y, para ello, tenía que saltar tras ella. Retrocedí unos pasos, cogí carrerilla y salté. Con ímpetu. Lejos. Fue una sensación magnífica. ¡Como volar!

Al cabo de unos segundos de éxtasis aterricé en el otro edificio. Eso no entusiasmó a la bruja, que saltó al siguiente. La seguí. Aquello se había convertido en una persecución por los tejados de Berlín, y temí que la cosa continuara así durante horas, porque Berlín tenía unos cuantos tejados. Pero no podía desistir, quería que mi familia volviera a ser como unos minutos antes, aunque entonces no me pareciera especialmente adorable. En realidad, seguía sin parecérmelo. Pero era mejor que ser para siempre como la familia Adams de las historias de monstruos. Además: al contrario que la familia Von Kieren, ¡los Adams eran felices! Vaya, ahora incluso envidiaba a una familia de monstruos.

Justo cuando empezaba a enfadarme por ello, me di cuenta de que no me había concentrado como tocaba en el salto. Iba a brincar de un edificio a otro y noté que tendría que haber saltado desde más distancia. Mucha más. Me precipité como una piedra. Ni siquiera tuve tiempo de patalear en el aire como un personaje de dibujos animados. Choqué brutalmente contra un Ford Transit que pasaba. El techo del coche se abolló ruidosamente con el impacto. Rodé sin control sobre el coche y fui a parar a la calle. Caí encima de un hombro. Me dolió horrores. Aunque aquel cuerpo de vampiro era muy atlético, por lo visto estaba muy lejos de ser invulnerable. Me levanté a duras penas, me sujeté el hombro, que afortunadamente aún podía mover, y vi que el Ford Transit se alejaba. El conductor miraba por el retrovisor. Pero no podía verme. Los vampiros no se reflejan en los espejos. Y eso me llevó a preguntarme: si los vampiros no pueden mirarse al espejo, ¿cómo demonios se maquillan las mujeres vampiro? ¿Sin mirarse, como el payaso del McDonald's?

Oí la risa de la bruja. Me miraba burlona desde lo alto de un tejado. Pero en lugar de desaparecer de una vez por todas, bajó del edificio en vertical, aterrorizando de un modo alucinante a los paseantes nocturnos. Cuando llegó a la acera, andando de nuevo en horizontal, se plantó delante de los asombrados paseantes y les ordenó:

—Vosotros a casa y olvida todo.

Nunca había visto a la gente asintiendo con la cabeza

de un modo tan sincronizado. Ni tampoco desapareciendo tan deprisa.

—Tú tiene fuerzas de vampiro —constató satisfecha al volverse hacia mí—. Y tú puede usarlas. No muy bien. Pero bueno.

—¿De qué hablas?

—Yo puesto tú a prueba.

—¿Cómo?... ¿Qué?... ¿La persecución sólo era un test...?

—Yo ya dicho —comentó la vieja sonriendo burlona—. Tú dura mollera.

No entendí nada. ¿Para qué me había puesto a prueba?

—Tú gustará a él —dijo asintiendo satisfecha.

—¿A quién?

—A él.

—«A él» no es un nombre. ¿De quién se trata?

—Del príncipe de los malditos.

—¿No es eso demasiado críptico? —pregunté irritada.

—No —dijo sonriendo—, no lo es.

Por fin había conseguido pronunciar una frase sin errores. Lástima que con eso yo no ganara nada.

—Yo ahora por fin viaja a casa. Gracias a ti, yo ahora puede morir.

Dio media vuelta y se fue. Lentamente. Con mucha calma. Hacia un chiringuito de kebabs llamado *Don Osmán Superkebab*. ¿Qué iba a hacer la bruja allí dentro? ¿Comer la especialidad de la casa? En realidad, tanto daba. En aquel local estaría atrapada en una ratonera. La cazaría. Con violencia. Con colmillos. ¡Tanto daba cómo!

Entré decidida en el chiringuito. Al cruzar el umbral de la puerta, me mareé de golpe. No era el malestar habitual de «Voy a un chiringuito donde la carne grasienta gira veinticuatro horas al día alrededor de su propio eje desde la primera oleada de inmigrantes turcos, y huele como tal». Al dar el primer paso dentro el local, me desplomé, arrastré conmigo un taburete de aluminio y caí de bruces al suelo. Un dolor agudo me venció. Quise preguntar qué me ocurría, pero de mi boca sólo salió un estertor. Con todo, la bruja me entendió. Se inclinó hacia mí y me susurró al oído una sola palabra:

—Ajo.

Al despertar, yacía al aire libre y Don Osmán, el propietario del chiringuito, me estaba haciendo el boca a boca. Por suerte, el Don no se alimentaba de sus kebabs y no olía a ajo. Seguramente sabía lo que le servía su distribuidor de carne barata y por eso sólo comía verduras de Anatolia.

Osmán puso sus labios sobre los míos y tuve que admitir que, por desgracia, ése había sido el momento más íntimo que había tenido con un hombre desde hacía semanas.

A nuestro lado había un individuo con traje mil rayas, tipo banquero de punta en blanco, comiéndose impasible su kebab. Por lo visto, al contrario que Frank, él poseía el estómago inhumano de acero que se necesita para hacer carrera en un banco.

Don Osmán se apartó finalmente de mí y, en un alemán sin acento que contradecía todos los debates negativos sobre la integración, declaró:

—Esta mujer no respira.

Unos minutos antes, ese hecho me habría alterado. Pero a esas alturas ya sabía que tampoco tenía corazón. En todo ello podía reconocerse un diseño orgánico global.

—Está... fría como un pez —balbuceó afectado Don Osmán.

Eso sí me alteró.

—No es usted muy amable que digamos.

El banquero dejó de comer del susto, mostrando con ello algo parecido a una emoción humana.

—¡Por Alá! —exclamó Don Osmán.

—Me temo que no tiene nada que ver con eso —aclaré.

—¿Quién... eres tú? —preguntó Don Osmán.

Miré hacia arriba, vi que la mendiga había desaparecido y contesté:

—Rajada.

Aturdida, le di las gracias al dueño del chiringuito, que me había sacado de su local, me levanté y decidí volver con mi familia. En de vez de saltar por los tejados, opté por hacer el camino como siempre, en metro. No llevaba dinero ni tarjeta, pero quería viajar en metro para poner un poco de normalidad en mi vida. Al menos por un momento. Y fue realmente un instante porque, tan pronto como subí, los demás pasajeros me observaron desconfiados, temerosos, casi aterrorizados. El intelecto quería convencerlos de que sólo era un disfraz. Pero el instinto les decía otra cosa. Notaron que yo no era un verdadero ser humano, y todos se replegaron en la otra mitad del vagón. Al parecer, los vampiros poseían otra facultad: podían encontrar asiento libre en cualquier momento, incluso en hora punta.

Mientras el metro se deslizaba por las vías, oí pronunciar a los demás pasajeros frases como:

—Oh, Dios mío... Esa... Esa mujer no se refleja en el cristal de la ventanilla...

—Mierda, ¡es verdad!

—¿Cómo harán ese truco?

—Cosas de Hollywood.

—¿Hollywood? ¿Acaso ves por aquí a Tom Cruise?

—No, aún me daría más miedo.

—Yo creo que no es un truco.

—Eso mismo me temo yo.

—Y yo me temo que acabo de hacérmelo encima.

Mientras los demás pasajeros probablemente sopesaban la idea de tirar del freno de emergencia, yo me preguntaba quién sería el «príncipe de los malditos» del que me había hablado la bruja. ¿Por qué lo llamaba príncipe? Si yo fuera el jefe de los malditos, me haría llamar emperador, rey o presidente del consejo de administración de los malditos. ¿Y por qué iba yo a gustarle al príncipe? ¿Con aquella pinta? ¿O con mi pinta original? Aquel noble de poco rango debía de tener un gusto bastante excéntrico.

El metro paró por fin. Me apeé, olvidé al príncipe y caminé deprisa hacia la calle donde había dejado a mi familia, nuestro coche y la puerta de nuestro coche. Ada seguía sentada en el bordillo, contemplando sus manos vendadas como si fueran dos cuerpos extraños. Max, en cambio, gruñía a la gente que estaba detrás de las cortinas y parecía pasárselo en grande cuando se retiraban asustados hacia el interior de sus pisos. ¿Y Frank? Frank observaba a dos policías. Se habían bajado del coche patrulla y se acercaban con tanta cautela como había que acercarse a un hombre de dos metros treinta con tornillos en la cabeza.

Uno de los dos policías era alto. El otro, bajo. Ambos rollizos. Y ambos parecían inseguros. El hecho de que Frank estuviera doblando una farola probablemente contribuía a su inseguridad. Frank no actuaba con maldad. Más bien como un niño curioso. Un niño curioso con una fuerza sobrenatural. Un poco como el pequeño Obélix, que nadie querría tener por hijo.

—¡Deje eso! —le ordenó el policía alto a Frank.

—¿Ufta? —Frank contestó exactamente lo que yo esperaba.

—¿Es usted extranjero?

—¿Ufta?

—Tú ser extranjero. ¿Tú tener permiso de residencia? —preguntó el policía alto. Era un fenómeno interesante que los alemanes creyeran que los extranjeros los entenderían mejor si hablaban mal el alemán.

—¿Uftata? —dijo Frank, variando un poco.

—¡Enséñanos los papeles! —exigió el policía alto, que se acercó a Frank acompañado por el bajito. A éste, empezaban a aparecerle gotas de un sudor frío en la frente, y parecía preguntarse si había sido una buena idea pedirle los papeles.

Cuando el alto estuvo cerca de Frank, éste se sintió atacado y gruñó fuerte:

—¡Urggg!

Los policías se detuvieron, y yo intuí claramente que aquel «¡Urggg!» era una señal de que enseguida ocurriría lo que a los presentadores del telediario les gustaba definir con el término de «baño de sangre». Tenía que intervenir, y me interpuse entre ellos.

—¡Efma! —atronó contenta la voz de Frank cuando me vio, y yo me alegré de que me reconociera. Y aún me alegré más de que desviara su atención de los policías.

—Buenas noches —saludé a los policías, que me miraron espantadísimos; seguro que ellos también me habrían dejado un asiento libre en el metro, si hubiéramos estado en un metro.

—¿Conoce a este individuo? —preguntó el policía alto, intentando que la voz no le temblara demasiado.

—Sí, es mi primo de Albania —mentí.

—Pues no parece albano.

—Ejem... Es que sólo es medio albano —me apresuré a explicar.

—¿Y qué es del otro medio? —preguntó el policía alto, no muy convencido.

Me estrujé el cerebro y solté la primera nacionalidad que se me ocurrió. Por desgracia, fue «noruego».

Los policías no se lo creyeron. Pero antes de que pudieran expresar su desconfianza, se acercó Ada, los observó de cerca y dijo:

—Si vosotros también sois una quimera de mi magín, la cosa es oficial: mi magín deja mucho que desear.

—¿Qué es una quimera? —preguntó el policía alto.

—¿Qué es un magín? —preguntó el bajo.

—¿Qué clase de frikis sois? —volvió a intervenir el alto.

Los dos habrían querido creerse mi mentira, pero éramos tan inquietantes que no pudieron. Entretanto, Max le gruñía contento a una mujer emperifollada y con zapatos de tacón alto, que acababa de doblar la calle y que, al verlo, pensó que todos los caminos conducían a Roma, incluso en Berlín. La mujer salió corriendo y se veía a la legua que Max había disfrutado asustándola. Cada vez aumentaban más mis sospechas de que mi hijo sabía perfectamente lo que se hacía.

—¿Es suyo ese perro... o lo que sea? —preguntó el policía alto.

—Sí —contesté, pero no quise acariciar a Max para demostrarlo. Ni idea de lo que le haría a mi mano de vampiro.

—¿Dónde está su chapa de identificación?

—Ejem... eh... buena pregunta —balbuceé.

—A mí también me lo parece.

—Una pregunta que puede contestarse con un simple «sí» —añadí para ganar tiempo.

—La pregunta empezaba con un «dónde» —insistió enojado el policía alto.

—Ésa podría ser una buena puntualización gramatical —señalé.

—Si no tiene chapa, ¡tendremos que llevárnoslo a comisaría! —El policía alto empezaba a perder la paciencia.

—¿De verdad tienen que hacerlo? —pregunté.

—¿De verdad tenemos que hacerlo? —preguntó asustado el policía bajo. No sabía qué significaba «magín», pero por lo visto tenía el suficiente para imaginar qué ocurriría si alguien metía a un lobo como Max en el asiento trasero del coche. Porque eso podría significar: policía, eres un saco de pienso.

Mirando al policía bajo asustado, propuse:

—Ahora nos iremos todos a casa y nos olvidaremos de la chapa del perro.

—Creo que es una idea excelente —le comentó a su compañero alto—. Podemos hacer la vista gorda con lo de la chapa. Y también con lo de la farola...

—¿Pretende irse en ese coche? —lo interrumpió el policía alto, que al parecer no consideraba la posibilidad de «hacer la vista gorda» y miraba nuestro Ford Transit sin puerta.

—Sí —contesté débilmente.

—¡Estáis todos detenidos, frikis! —respondió, y desenfundó la pistola. Había perdido definitivamente la paciencia.

—URGHH —opinó Frank, que había reconocido la amenaza.

Eso espantó también al policía alto.

Yo ya estaba harta de tanta discusión. Por eso no tenía nada en contra de asustar aún más a nuestros dos amigos y servidores públicos.

—Ya habéis oído lo que ha dicho el albano-noruego —dije.

El policía alto me apuntó entonces con la pistola.

—¿No irá en serio lo de la pistola, verdad? —le pregunté sonriendo, pero con un deje amenazador.

—Grggg —atronó Frank apoyándome.

Entonces también se acercó Max, levantó la pata y descargó en la pierna del policía bajo. Luego le gruñó. El policía bajo farfulló aterrorizado:

—No, no iba en serio. Sólo era una broma. Somos unos auténticos cómicos. En comisaría nos llaman «Siegfried y Roy, los graciosos». Pero nosotros no hacemos magia como Siegfried y Roy, y tampoco somos tan homosexuales... Bueno, en realidad, no somos nada homosexuales, y tampoco tenemos tigres, pero por lo demás...

—Ya te había entendido, Siegfried —le dije. Luego me volví hacia el compañero alto y le pregunté sonriendo—: ¿Tú también, Roy? —Y abrí tanto la boca que mis colmillos brillaron a la luz de la luna.

—Yo también he entendido —dijo, y bajó la pistola.

Me sentí aliviada. El grave peligro había pasado. Podíamos irnos a casa y concentrarnos allí. Pensar qué había que hacer para salir de aquel embrollo. Si es que se podía.

El viaje en coche hasta casa fue bastante apretado gracias a Frank, y también bastante aireado gracias a la puerta que faltaba, lo cual no estuvo mal puesto que Max olía muy fuerte a animal peludo y Ada un poco a mortaja. Aparqué el coche destrozado delante de nuestro bloque, subimos las escaleras y, justo cuando íbamos a entrar en nuestro piso de alquiler, avisé a Frank:

—Cuidado, tienes que aga...

Antes de que pudiera pronunciar el «charte», chocó contra el umbral de la puerta. Con la frente.

—Ufta —rezongó desconcertado, y vi que había saltado un trocito de madera del marco debido a la colisión.

Después de enseñarle a Frank a inclinarse, entramos en casa: gracias a Dios, era un piso antiguo de techos altos. Frank podía caminar erguido por las habitaciones, cosa que no le impidió darse de cabeza contra la lámpara de araña de Ikea. El trasto osciló hacia atrás, volvió y le dio de nuevo en la frente. Furioso, Frank arrancó la lámpara del techo mientras gritaba «Irgg», cosa que probablemente significaba algo así como «Mierda de Ikea». La lámpara se estampó ruidosamente en el suelo. Lo triste fue que, en medio del caos que casi siempre imperaba en nuestra casa, eso apenas tuvo importancia.

Mientras que Max escondía el rabo entre las piernas, espantado por la situación, Ada caminaba arriba y abajo por el piso como una sonámbula. Empezaba a preocuparme seriamente por ella. Si algún día volvían a transformarnos en nosotros mismos, seguro que los Von Kieren no nos libraríamos de unas cuantas horas de terapia.

Fuimos a la sala de estar y me dejé caer en el sofá. Normalmente, cuando me tiraba en el sofá de noche, corría el peligro de dormirme de inmediato. Pero ya era la una de la madrugada y me sentía en plena forma, como si fuera la una de la tarde. Y me habría tomado un par de expresos dobles. Por decirlo con palabras de un *hit* idiota de los años ochenta que cantaba Sandra, yo era probablemente una *Creature of the night.* Remarcando lo de «criatura».

Ada se echó a mi lado y me preguntó en voz baja:

—Mamá, no me lo estoy imaginando... ¿verdad?

La observé. No me dio la impresión de que se volvería loca si oía la verdad; como mucho, se hundiría un poco más. Me pareció un momento relativamente favorable para desembucharle la verdad, puesto que todo apuntaba a que seguiríamos así por mucho tiempo. No tenía ni idea de dónde estaba la bruja. Por eso le expliqué:

—Nos han lanzado una maldición, Snufi.

En efecto, Ada se hundió un poco más.

—Entonces, todo esto no es una quimera, es una queputada.

Antes de que se me ocurriera algo para consolarla, Frank rompió con los dedos la lámpara de pie. Menos mal, porque nos la había regalado su madre, que tenía un gusto que en un mundo mejor seguramente estaría castigado con la pena de muerte.

Antes de que Frank convirtiera el piso en un montón de residuos tóxicos, preferí llevarlo hasta el sofá. Lo empujé suavemente por las caderas hacia los cojines. El sofá se encorvó una barbaridad con su peso (¿pesaría unos 250 kilos?), pero resistió. Tenía que encontrar algo que lo mantuviera sentado. ¿Le ponía la tele? Claro que, entonces, podría ver cosas terribles que le harían perder los estribos: tiroteos, animales de rapiña o música popular.

Así pues, cogí una bola de nieve de cristal que también nos había regalado su madre después de una excursión a Colonia. Le enseñé qué había que hacer para que nevara en la catedral de Colonia y se quedó fascinado. Cogió la bola con el máximo cuidado para no romperla con la fuerza de sus dedos. La sacudió con cariño y rió cuando la nieve comenzó a caer:

—Jojojo.

Sonó un poco como cuando ríe Papá Noel. Si a su voz le hubieran puesto un distorsionador metálico.

La risa profunda de Frank hizo que mi cuerpo vibrara. Y entonces me di cuenta de que yo no tenía corazón, no respiraba, o sea que tampoco debía de tener pulmones, pero tenía estómago. ¿Quién se había inventado la anatomía de los vampiros? ¿Tal vez el mismo gracioso que había concebido los genitales masculinos?

¿O que el amor y la rabia estuvieran tan unidos?

Frank tenía una risa infantil. Ingenua. Inocente. En cierto modo, dulce. Tanto como se podía encontrar dulce a alguien con unos dientes que parecían menhires sin pulir. La última vez que había visto a Frank tan contento fue la primavera en que se marchó una semana de viaje a Egipto con sus antiguos compañeros de colegio.

Mi mirada se posó entonces en Max, que salía a cuatro patas de la sala de estar, y lo seguí a su cuarto. Éste se componía esencialmente de pilas de libros que se apoyaban unos en otros, y yo siempre pensaba que, si alguien sacaba un solo libro de allí, se produciría una reacción en cadena incontrolable.

Max examinó un volumen titulado *Los muertos vivientes*. Si en la cubierta no hubiera habido zombis que recordaban de lejos a Keith Richard de los Stones, a esas alturas me habría sentido atraída por el título.

Max examinaba el volumen como si se dispusiera a leerlo... Ahí fallaba algo. No era un lobo normal o, mejor dicho, un niño al que hubieran transformado en un lobo normal. ¡Ese lobo parecía tener intelecto!

Aunque yo era muy silenciosa y no respiraba (sin pulmones, no tenía que hacerlo si no quería), su oído de lobo se percató de mi presencia. Soltó el libro espantado, se volvió rápidamente, se apartó a un lado y fingió que no había pasado nada. Sólo habría faltado que cantara discretamente «tralaralalará».

—¿Puedes entenderme? —pregunté.

Ninguna reacción, excepto una mirada que también expresaba «tralaralalará».

—Si me entiendes, mueve la cola.

(Por cierto, ésa era una frase que seguramente ninguna madre querría decirle a su hijo.)

Max no movió nada.

—Sé que me entiendes.

Ninguna reacción de nuevo.

—Hum, si no conseguimos romper la maldición —dije como de pasada—, tendremos que castrarte.

(Y ésa era una amenaza que seguramente ninguna madre quiere pronunciar.)

—¡No lo harías! —contestó Max sin pensar.

Y me sorprendió: no sólo podía entenderme, sino que también podía hablar. ¡No sólo ladrar!

Al darse cuenta de que se había delatado, se tapó el hocico con las patas delanteras. ¡Demasiado tarde!

—¿Por qué has hecho ver que sólo podías ladrar? —pregunté enfadada. La familia estaba en una situación deplorable, y él jugaba a jueguecitos tontos.

—Yo... yo... —tartamudeó.

—¿Tú...? —insistí.

—Yo no quiero que se rompa la maldición.

—¿Qué?

—Yo no quiero que...

—Acústicamente, lo he entendido —lo interrumpí—. Pero no lo comprendo.

—Me gusta así.

—¿Y por qué?

—Yo... ahora soy especial, excepcional —me explicó con voz queda.

—Antes también eras especial.

Meneó con tristeza su cabeza de lobo.

Aquello fue un *shock* para mí: mi hijo pequeño, ¿no se sentía especial? ¿Sólo ahora, siendo un hombre lobo? ¿Por qué no me había dado cuenta de que tenía tan mala opinión de sí mismo?

—Tú ahora también eres excepcional, gracias a la transformación —explicó Max—. Eres fuerte, eres veloz y, sobre todo, eres inmortal.

¿Inmortal? Intenté concebir la idea, pero fui incapaz de imaginarlo: ¿tenía que vagar eternamente por el mundo? Eso no sólo sorprendería a los del fondo de pensiones. Además, ¿cómo iba a soportar una vida eterna si en mi vida normal no conseguía ser un poco feliz ni siquiera un par de días?

Antes de que pudiera profundizar en la idea, oí rugir a Frank. Corrí alarmada a la sala de estar, Max me siguió trotando a cuatro patas. Frank contemplaba la bola de nieve que se le había reventado entre los dedos. Ya sólo tenía la catedral de Colonia en la mano. Pero su infortunio no era el mayor problema en ese instante: ¡Ada había desaparecido! En el sitio que había ocupado en el sofá, sólo quedaba su móvil.

ADA

Jannis, Jannis, Jannis... Necesitaba a alguien normal a mi lado. Bueno, Jannis no era realmente normal. Alguien que me «cierra» no puede estar bien de la cabeza. Al menos no lo estaban los dos únicos tíos que hasta entonces me habían confesado que estaban locamente enamorados de mí. Uno se comía los mocos. El otro me lo dijo para disimular; en realidad le iban los bailarines que interpretaban el *Cascanueces*.

Aun así, en comparación con mi familia, cualquiera era normal. Y no sólo desde que nos habíamos transformado en monstruos. Típico, algo así tenía que pasarnos a los Von Kieren. Encima, a mí me había tocado transformarme en momia, mientras que la pirada de mi madre, a la que teníamos que agradecer toda esa mierda, al menos podía ser un vampiro.

¿Por qué no podía pasarme a mí como a Harry Potter? ¿Por qué no se me acercaba un gigante con barba y me decía: «Las personas con las que has vivido penosamente todo este tiempo no son tu familia. No son más que unos mamarrachos que en los próximos siete volúmenes se arrepentirán de todo lo que te han hecho»?

Llamé a la puerta de Jannis. Sabía que estaba solo en casa. Vivía con su madre, que era la más fiestera desde Lady Gaga, aunque las trenzas de chica que siempre llevaba no quedaban muy dignas en una cuarentona. En cualquier caso, le daba mucha libertad a Jannis, y de ese modo, dentro de la gama de madres, se situaba exactamente en el polo opuesto a la mía. Jannis abrió la puerta. Me eché en sus brazos. Eso lo espantó. Los chicos siempre se espantan cuando una chica muestra demasiados sentimientos (para ser sincera, las chicas también se espantan cuando lo hace un chico). Pero ¿qué podía hacer yo? ¡Era una momia putrefacta! En un caso así, si no mostrabas sentimientos, podían meterte directamente en un sarcófago.

—Me... aprietas —balbuceó sorprendido Jannis—, y sólo... sólo tengo un tórax.

Lo solté y me miró con asombro. Hasta entonces no se había fijado bien en mi aspecto.

—¿De qué es ese disfraz tan enrollado? —preguntó, confuso y sin considerar el «disfraz» enrollado, sino más bien asqueroso.

—No es un disfraz... —empecé a explicarle.

—¿Vestuario de una película? —preguntó.

—¡No!

—Pues entonces es un disfraz —afirmó cabezota, y añadió—: En cualquier caso, está un poco sucio y huele una barbaridad... Tendrías que hablar con el que te lo ha alquilado...

—¡No es un puto disfraz! —grité.

—Entonces, ¿qué es? —preguntó, sobresaltado por mi arrebato.

—Han maldecido a mi familia...

—Sí, claro... —dijo con una sonrisa forzadísima.

—¡Toca! —Le acerqué el brazo—. ¡Toca el puto brazo!

—Uf, estás un poco desequilibrada —constató.

Confié en que no sería tan idiota como para dejar caer el comentario de «¿Tienes la regla?».

—¿Tienes la regla? —preguntó.

—¡TOCA DE UNA VEZ!

—Ninguna chica me lo había pedido nunca de una manera tan romántica —comentó intimidado.

Luego me tocó el brazo, comprobó que las vendas eran mi piel y se echó a temblar.

—Yo... —dije en voz baja— ...necesito que alguien me abrace.

Jannis puso cara de no querer ser ese alguien. Más bien parecía desear que lo abrazaran a él. Pero no la momia histérica que tenía delante.

—Jannis... —le supliqué—, por favor...

—¿Es... es un truco?

—No, ¡soy una friki! —chillé.

—O eso o estás como una chota por montarme este numerito. Sinceramente, las dos cosas me parecen siniestras...

Mientras hablaba, no dejaba de mirar la puerta, seguramente pensando en entrar dentro de casa y cerrármela en las narices. Luego volvió a mirarme con una mezcla de miedo y asco. Como si yo fuera un monstruo. Cosa que era externamente. Pero ¿y por dentro?

—Yo pensaba... tú también me has dicho «te cierro» —señalé cautelosa.

Caviló un momento, mientras cambiaba el peso de un pie a otro, y finalmente dijo:

—Me equivoqué al teclear.

Eso me rompió el corazón. Maldiciones, vendas, brujas: todo eso quizás habría sido soportable si él me hubiese «cerrado».

—¿Qué... querías escribir? —pregunté con una última chispa de esperanza desesperada.

—Te bizqueo —dijo con voz débil.

—¿Y eso qué significa? —pregunté embalada—. ¿Que no quieres volver a verme?

—Bueno, ahora ya no importa... —comentó.

Y era cierto. Lo único que importaba era que no me quería.

En ese instante, deseé que los rayos de la bruja nos hubieran matado.

—Además, salgo con Noemi —añadió Jannis.

¿Se enrollaba conmigo y salía con otra? ¡Precisamente con Noemi! Era una auténtica medusa y sólo tenía dos cualidades destacables. Y las dos las tenía en el pecho. Que Jannis prefiriera a una mujer con un par de buenos melones lo empeoraba todo. Entonces deseé que los rayos de la bruja no sólo me hubieran matado a mí, sino que también se lo hubieran cargado a él. Y, de paso, los pechos de Noemi.

Jannis estaba a punto de cerrarme la puerta en las narices. Lo agarré desesperada del brazo, lo miré a los ojos y le dije tristísima:

—Me gustaría tanto que me quisieras.

Apenas lo había dicho, la expresión de su cara cambió.

—Te quiero —dijo de repente.

—¿Q...? ¿Qu...? —pregunté perpleja.

—Te quiero —repitió apasionado.

Poco antes, yo le daba miedo, y ahora me atraía hacia

él, exactamente como yo había deseado unos instantes antes. Pero ya no estaba segura de si tenía que alegrarme. Se comportaba de un modo muy extraño.

—¡Hueles tan bien! —dijo, y aspiró el olor de mis vendas como si fueran Chanel de los números 1 al 17.

—¿Te estás cachondeando de mí? —pregunté, y lo aparté de un empujón.

—No, yo te quiero —contestó sorprendido, y me miró enamoradísimo.

¿Se podía fingir algo así? Y si no se podía, ¿a qué venía aquel cambio? ¿Qué demonios ocurría allí?

—¿Y qué pasa con Noemi? —pregunté insegura.

—Sólo me interesan sus pechos.

¡Increíble!

Sus maravillosos ojos me miraban entregados, y estuve tentada de sumergirme en ellos. Ya no tenía ganas de pensar qué estaba ocurriendo y susurré:

—Me gustaría que me besaras...

Antes de que pudiera acabar la frase diciendo «pero por desgracia tengo la cabeza llena de vendas», Jannis puso sus labios sobre los míos y también intentó llegar con su lengua a mi lengua a través de la tela. Por eso no pude decir más que: «Mmm».

Cuando acabó de babosear mis vendas, dijo muy serio:

—Ha sido el mejor beso de mi vida.

Lo aparté de un empujón. Allí había algo que no cuadraba. Pensé. Yo había deseado que me quisiera y, de repente, me quería. Luego había deseado que me besara, y me había besado. Busqué con la mirada, pero no había ningún genio de la lámpara para hacer que esos deseos se cumplieran. No es que hubiera esperado encontrar realmente uno, pero en esa noche de chaladura todo parecía posible. Incluso que apareciera un genio.

Seguí pensando. Las dos veces había mirado a Jannis

profundamente a los ojos. ¿Le había impuesto mi voluntad? Siendo una momia, ¿tenía poderes de hipnosis?

Decidí comprobarlo. Miré otra vez a Jannis profundamente a los ojos y le pedí:

—Jannis, quiero que des saltos con una sola pierna.

—Me encanta saltar para ti —contestó, y se puso a dar brincos sobre una pierna.

¡Hostia!

Eso significaba que podía hipnotizar a la gente.

Por desgracia, eso también significaba que los sentimientos de Jannis hacia mí no habían sido sinceros.

—Quiero que me digas la verdad —le pedí, mirándolo de nuevo a los ojos—. ¿Me querías antes de que te lo pidiera?

—No.

Eso me afectó y me entristeció mucho. Pero, masoquista como era, continué preguntando.

—Entonces, ¿por qué has quedado conmigo hoy?

—Noemi tenía que ir con sus padres a la ópera. Además, nunca me lo había montado con una pecho plano como tú.

¡Qué cabrón!

Seguía dando saltos con una pierna. Volví a mirarlo a los ojos y le pedí:

—Quiero que saltes contra la pared.

—Con mucho gusto.

Lo hizo. Se oyó el ruido sordo de un impacto. Tuvo que hacerle un daño bestial.

¡Le estaba bien empleado!

—Sigue haciéndolo durante dos horas —añadí.

—Como tú quieras —dijo sonriendo, y saltó otra vez contra la pared.

—Y dile a Noemi que las mujeres con pechos grandes acaban con lesiones por malas posturas.

—Se alegrará de saberlo —contestó, y volvió a hacerse daño.

Tal vez aquello tendría que haberme provocado satisfacción, pero me dolía más a mí que a él. ¿Qué sacas de que se haga daño la persona que te ha hecho daño?

—Para ya de brincar —dije, liberándolo de su destino.

Luego me alejé de él lentamente. Como una momia sin amor.

MAX

Le había presentado a mamá la propuesta de ser el encargado de ir a buscar a Ada. Alguien tenía que vigilar a nuestro papá mutado. Además, me inquietaba una cualidad mitológica de los vampiros que le había silenciado a mamá de momento. No sabía qué le ocurriría si continuaba fuera buscando a Ada cuando saliera el sol: quizás pertenecía a la clase de vampiros que arden con la luz solar y se desintegran en sus componentes atómicos.

Y también había otro motivo por el que quería salir de expedición: nunca había estado en la calle tan tarde. ¡Y solo!

Gracias a mi olfato animal no me costó nada seguir el rastro de Ada, su mortaja tenía un toque muy personal, que me recordaba a mi vieja profesora de mates.

Mientras iba de caza con el morro pegado al suelo por las calles de Berlín, de repente percibí otro olor. Una mezcolanza de pizza, cerveza, tabaco y una sobredosis de desodorante Axe. ¡Sólo podía ser Jacqueline, mi torturadora! Como no podía permitirse comprar perfume, siempre se ponía tanto desodorante que los microbios morían de asfixia a su alrededor.

Una idea cruzó al instante la red neuronal de mi cerebro: si echaba a correr hacia Jacqueline, ¡podría hacer que me las pagara! Por remojarme en el váter. Por tirarme al cubo de la basura. Por obligarme a bailar charlestón (un día vio ese baile en la tele y le pareció divertidísimo).

¿Qué podía pasarle a mi hermana si no la encontraba y me iba a cantarle las cuarenta a Jacqueline? Ada volvería pronto a casa. Siendo una momia, ¿dónde podía exiliarse? ¿En el Museo Egipcio? Y si iba a parar allí, ¿qué más daba? Al menos yo descansaría de ella una temporada.

Giré sobre mis patas traseras y corrí hacia la calle lateral de donde procedía el olor a desodorante. Allí encontré a Jacqueline, sentada en el portal de un edificio, con un trozo de pizza barata, un par de latas de cerveza y colillas. Por lo visto, a sus padres les daba igual que rondara por la calle a esas horas de la noche.

En cierto modo, eso molaba.

Jacqueline parecía helada de frío. No era de extrañar, puesto que sus zapatillas de deporte eran tan porosas como su chaqueta. Debajo llevaba una camiseta delgada con el lema: «Si lees esto, te mato, ¡mirón!»

Primero le pegaría un susto descomunal. Me planté delante de ella y aullé bestialmente:

—¡GRRRAAAUUU!

—Cierra la boca, Fifi —fue su respuesta.

Ésa no era la reacción que yo había previsto.

—¡GRRRAAAUUU! —repetí, y le enseñé los dientes amenazadoramente.

—Cierra la boca, Fifi, o te ato el rabo al cuello. Y no estoy pensando en el mismo rabo que tú.

Glups, se trataba de que ella tuviera miedo de mí, ¡no yo de ella!

Jacqueline bebió otro trago de cerveza. A juzgar por las latas vacías, ya se había tomado más de un litro y medio; tal vez por eso seguía tan relajada ante mi presencia. Pero ¡habría sido ridículo que yo, un hombre lobo, no le metiera miedo! Sólo tenía que hablar. Un lobo que sabe hablar como un *homo sapiens* la haría temblar incluso a ella.

—¡Soy tu desgracia! —anuncié, un poco melodramático, lo confieso.

Entonces, al menos me prestó atención. Enarcó las cejas llenas de piercings como habría hecho el señor Spock si un alien femenino le hubiera dicho a bordo de la *Enterprise*: «Me gustaría aparearme contigo.»

De todos modos, Jacqueline seguía sin tenerme miedo.

—Qué guay, Fifi puede hablar.

—También puedo hacerte daño.

—Lo dudo —replicó, y abrió otra lata de cerveza.

—Soy un hombre lobo —intenté explicarle mi peligrosidad, cosa que a ninguna persona normal le habría hecho falta. Pero a Jacqueline, sí. Esa chica podía darte miedo de verdad.

—Ya lo veo, Fifi —contestó. Fríamente. Era fría de veras. Eso también era un poco fascinante.

—Tú... ¿no tienes miedo de un monstruo? —pregunté.

No me lo podía creer, así de simple. Si delante de mí se plantara alguien que podía destrozarme con sus dientes, no seguiría bebiendo cerveza de lata con toda tranquilidad. Llamaría a gritos a mamá. O, mejor aún, a los marines de Estados Unidos.

—Hay monstruos *amateurs*. Y monstruos profesionales —explicó Jacqueline entre dos tragos—. Tú eres un *amateur*.

—Ya, ¿y tú conoces a profesionales? —pregunté, un poco ofendido en mi recién adquirida dignidad de monstruo.

—Profesionales totales —afirmó.

—No te creo —repliqué.

¿Comparado con qué monstruo parecía *amateur* un hombre lobo?

—Pues no te lo creas, Fifi —dijo. Vació la lata, la aplastó con la mano y la tiró al otro lado de la calle.

Resistí mi estúpido instinto de ir corriendo a por la lata y traérsela.

Al cabo de unos instantes de silencio, Jacqueline me dijo:

—Puedes matarme si te apetece.

—¿Por... por qué... iba a matarte? —Yo no había pensado en algo tan radical. Sólo quería meterle miedo, y había fracasado penosamente.

—¿Tengo cara de contarle mis penas al primer chucho parlante que pase por ahí? —preguntó.

—¿Y a quién más puedes contárselas? —contraataqué.

—Cierto —se mofó con amargura—, ¿a quién?

Puso una cara muy triste. Realmente daba pena. Increíble, ¿me estaba compadeciendo de Jacqueline? Siempre había pensado que antes me compadecería de Kim Jong-il.

—¿Por qué no quieres seguir viviendo? —pregunté cauteloso.

—Por el monstruo profesional.

—¿Qué... qué monstruo?

—El que me maltrata —murmuró. Precisamente la dura de Jacqueline mostraba un aspecto frágil.

—¿Cómo te maltrata? —inquirí, esforzándome por hablar con la máxima suavidad de que eran capaces mis cuerdas vocales de animal.

Jacqueline calló.

—Va, a mí puedes decírmelo, soy un hombre lobo. ¿A quién voy a contárselo?

—¿De verdad quieres saberlo? —murmuró.

—Sí..., claro.

—Así me maltrata el monstruo —dijo con una voz apenas audible, y se levantó la camiseta. Vi su espalda desnuda. Estaba llena de verdugones. Parecía un marinero del *Bounty* al que el capitán Bligh hubiera sorprendido con una ración de agua robada.

Me impactó mucho.

—¿Quién...? —pregunté, y me vibró la voz.

—Mi madre —contestó Jacqueline, mordiéndose el labio inferior tembloroso para no echarse a llorar.

Unos minutos antes quería pegarle un susto de muerte a esa chica.

Ahora quería pegárselo a su madre.

Y estrechar a Jacqueline entre mis patas para consolarla.

EMMA

—Ésa no es Ada —señalé cuando Max llegó a casa con una chica, poco antes de la salida del sol.

La imagen me resultó chocante por varios motivos: por un lado, la chica sólo tenía un lejano parecido con una chica. Más bien parecía algo que un perro vagabundo te trae a casa y te deja a los pies, lo cual no era en cierto modo tan erróneo en ese caso. Por otro lado, la chica no parecía tener miedo de unos monstruos como nosotros. Apestaba a alcohol como la reina del vino de Renania Palatinado, pero no daba la impresión de ir borracha ni drogada. Por lo tanto, ése no podía ser el motivo de su conducta intrépida. ¿Qué habría visto en su joven vida para que los monstruos no la asustáramos? Pero lo más curioso de todo era: ¡¿¡mi hijo de doce años traía de noche a una chica a casa!?!

—Hala, cómo soba el tío feo —comentó la chica refiriéndose a Frank, que estaba tumbado en el sofá y roncaba ruidosamente con la catedral de Colonia encima de la barriga. Bueno, al menos, no tenía gases. Eso estaba bien, no quería ni imaginar qué ocurriría si el monstruo de Frankenstein tuviera problemas digestivos.

Le pregunté a Max quién era aquella tirada. Pero, cuando iba a presentármela, Ada llegó a casa y lo interrumpió:

—¡Tú tienes la culpa de toda esta mierda! —me gritó alteradísima.

Por lo visto, los momentos en que podía llamarla impunemente Snufi habían terminado, y eso me entristeció por un momento.

—La vieja no se habría fijado en nosotros —continuó echándome la bronca— si tú no hubieras montado la que montaste.

Caramba, en eso tenía razón.

—¡Eres el colmo!

Tragué saliva. Si yo era realmente la responsable de nuestro estado, tal vez mi hija tenía razón también en eso.

—Quiero que te tires contra la pared —dijo Ada mirándome a los ojos.

—Ejem, ¿cómo dices? —pregunté.

—¡Quiero que te tires contra la pared! —repitió, mirándome con más intensidad.

Evidentemente, no me tiré contra la pared.

—¡Cacarea como una gallina! —me ordenó entonces.

—¿A qué viene tanta tontería, Ada?

Su respuesta fue acercarse a mi cara hasta que casi estuvimos labios contra vendas, y me exigió:

—¡Haz marcha nórdica!

¿Se había vuelto majareta? De ser así, tampoco habría sido incomprensible.

—Oh, mierda —soltó—. Contigo no funciona.

—¿Qué es lo que no funciona? —pregunté.

Pero Ada guardó silencio, profundamente frustrada. Cada vez estaba más preocupada por ella.

En medio del silencio de Ada, Jacqueline se echó a reír.

—Qué guay, estáis más locos que mi familia.

Ada no se había dado cuenta hasta entonces de su presencia.

—Apestas a cerveza —señaló.

—Eh, ándate con ojo, Vendas —la amenazó Jacqueline— ¡o te convierto en un paquete de compresas!

—Siempre es un placer conocer a gente con nivel —contraatacó Ada.

Aquello no parecía precisamente el inicio de una maravillosa amistad.

—¿Ha venido contigo la alcohólica anónima esta? —le preguntó Ada a su hermano.

—Eh... sí... ejem... —balbuceó Max.

—En el colegio siempre le meto la cabeza en el váter —contestó Jacqueline por él.

—¿Es eso cierto? —le pregunté horrorizada a Max.

Mi hijo bajó la vista, avergonzado.

Oh, no, esa chica le hacía *bulling* en la escuela y yo no tenía ni idea. Igual que no tenía ni idea de que no se sentía especial. ¿Qué clase de madre era yo, que no se enteraba de nada?

Por primera vez en mi vida deseé de todo corazón tener una migraña que me dejara fuera de combate por un día y desconectara mi cerebro. Pero, por desgracia, no me dio ninguna migraña y tuve que seguir pensando: ¿tenía que hablar con Max de sus problemas? ¿O antes tenía que pegarle la bronca a la sumerge-cabezas? ¿Y darle un poco de su propia medicina? Aquella chica era una matona, pero yo era un vampiro. Y mientras pensaba... Frank empezó a tirarse pedos.

Olió como en una planta depuradora de aguas residuales.

Cuando Al-Qaeda ha cometido en ella un atentado con explosivos.

Y también sonó así.

Max se tapó la cara con las patas.

—Nunca he tenido tantas ganas de irme de aquí. Y mirad que he tenido ganas muchas veces —explicó Ada.

—Si enciendo un mechero, habrá una desgracia —afirmó Jacqueline.

En ese momento comprendí que sólo una cosa era prioritaria:

—Tenemos que volver a transformarnos lo antes posible.

—No me digas —comentó Ada.

Jacqueline señaló a Max:

—Bueno, yo creo que éste está mucho mejor que antes.

Entonces descubrí que los hombres lobo también se ruborizan. Dios mío, ¿estaba Max enamorado de esa chica?

No podía pensar en eso, tenía que concentrarme: ¿cómo podríamos retransformarnos? ¿Quién podía ayudarnos? El médico de cabecera seguramente lo tenía complicado, por mucho que se hubiera especializado en homeopatía en los últimos años. Los científicos quizás necesitarían décadas para lograr curarnos. La estúpida ciencia ni siquiera había conseguido inventar un café descafeinado con buen sabor. Ni un tren de alta velocidad que no fallara ni un revisor que supiera hablar inglés sin acento.

Seguíamos en las mismas: la única que podía salvarnos era la bruja. Pero ¿dónde íbamos a encontrarla? ¿Qué había dicho? ¿Que regresaba a su tierra para morir? Pero

¿cuál era su maldita tierra? ¿La casita de chocolate? ¿Mordor? ¿Pyonyang? ¿Erlangen?

Me concentré todavía más: ¿qué sabía de aquella mujer? ¿Qué indicios había? Llevaba ropa andrajosa y podía hacer cosas que llevarían a la tumba a Albus Dumbledore, y a una velocidad récord. Además, la bruja no necesitaba una varita, le bastaba con el amuleto plateado que tenía. ¿Qué ponía encima?

—Baba Yaga —murmuré para mí misma, y pensé: «Suena repugnante, a llaga con baba.»

—¿Es el nombre de la bruja? —preguntó Max, excitado.

—¿Te suena?

—Baba Yaga es un personaje mitológico de las leyendas del este de Europa. Pero si es la bruja...

—... entonces, por desgracia, las leyendas tienen un origen verdadero —completé. Y nerviosa, pero con un soplo de esperanza, pregunté de inmediato—: ¿De dónde procede Baba Yaga según la leyenda? ¿Cuál es su patria?

—Es originaria de Transilvania.

—¡Pues tenemos que ir enseguida! —anuncié.

En las películas, siempre hay un momento en el que suena una música dramática. En nuestro caso, sólo se oyó eructar a Jacqueline.

Y a Ada, que preguntó:

—¿Dónde está Transilvania?

Debería haberla reñido una vez más por su falta de conocimientos geográficos, pero yo tampoco sabía dónde estaba.

—Transilvania está en Rumanía —explicó Max—. Pero ¿cómo vamos a ir? En el coche hay ahora mucha corriente de aire.

—Haciendo *footing* —comentó Ada, muy poco constructiva.

—Habrá vuelos a Rumanía, ¿no? —dije.

—Sí, claro, somos clavaditos a las fotos del pasaporte —replicó mi hija.

—Y yo no pienso ir en un transportín para perros —puntualizó Max.

Era cierto: con nuestro aspecto, nadie nos dejaría subir a un avión. En tren o en autobús también llamaríamos la atención; necesitábamos un vehículo en el que no nos vieran. ¡Necesitábamos la furgoneta de Cheyenne!

Y la necesitábamos ya. Porque, antes de embrujarnos, la bruja también había dicho que sólo le quedaban tres días de vida. ¿Bastaría ese poco tiempo para llegar a Rumanía con la vieja carraca? ¿Y para buscar a la bruja una vez allí?

Tan pronto como comprendí el poco tiempo de que disponíamos, ocurrió otra cosa que me complicaría enormemente la vida: salió el sol.

—Ejem, mamá, podríamos esperar a que sea de noche para salir hacia Rumanía —señaló Max.

—Tonterías, no hay tiempo que perder —expliqué.

—Pero afuera brilla el sol.

—¿Y...?

—No es una vampira muy lista, ¿eh? —constató Jacqueline.

—No, entender las cosas a la primera no es su fuerte —confirmó Ada.

Normalmente, me habría enfadado por su descaro, pero poco a poco comprendí a qué se refería Max con lo del sol y, haciendo honor a las circunstancias, exclamé:

—¡Mierda!

Me imaginé ardiendo bajo la luz del sol como una antorcha viva que no duraría mucho tiempo. Pero, si esperábamos a la noche, no conseguiríamos llegar a Rumanía en tres días, no encontraríamos a la bruja antes de que muriera y seríamos monstruos para siempre. ¿Qué podía hacer? ¿Dejar que los demás se fueran solos? ¿Dejar nuestras vidas en manos de Max, Ada y Frank-Ufta? Para eso nos quedábamos en casa jugando al mikado.

Tal vez podría protegerme del sol con crema factor 40 o algo por el estilo. Y con gafas de sol. Y con todo el cuerpo envuelto. La idea de un burka me pareció de repente de lo más atractiva. Aunque, claro, ¿qué ocurriría si los rayos de sol atravesaban la ropa?

—A lo mejor perteneces a la especie de vampiros que pueden vivir al sol, igual que los que salen en una historia de Stephenie Meyer —dijo Max.

Vaya, hombre, además me vino a la mente su culo gordo.

Miré a Frank, que roncaba. Mientras se comía con los ojos a la Meyer, ¿estaba pensando en hacérselo con ella? ¿Me ponía los cuernos de pensamiento? ¿Era eso la fase previa a ponerme los cuernos de verdad? ¿Acaso ya lo había hecho? En los últimos años, de vez en cuando me había embargado esa sensación irracional. Cuando él no estaba, me pasaba la noche en vela y no podía dormirme aunque estuviera cansadísima. Lo peor fue cuando estuvo en Egipto con sus compañeros de estudios. Entonces, por las noches, incluso se me hacía un nudo en el estómago. ¿Ocurrió algo allí? ¿O yo era una paranoica? ¿No sería mejor que me concentrara en el problema de los rayos de sol? En vez de volverme loca, si es que no lo estaba ya. ¡Sí, sería mejor!

—¿Quieres decir que tengo una posibilidad de sobrevivir al sol? —le pregunté a Max.

—Bueno, yo no lo comprobaría —comentó Ada.

La miré y, en su cara vendada, reconocí que se preocupaba realmente por mí. En medio de aquella locura, era agradable notar que le importaba.

—Si salgo al balcón con cuidado y despacito, ¿qué pasará? —le pregunté a Max.

—Hay tres resultados posibles —explicó—. El primero es que te quemes levemente y pegues un salto enseguida para volver a terreno seguro.

—Eso no nos serviría de mucho —suspiré.

—El segundo: eres resistente a los rayos del sol.

—Eso nos serviría.

—Y el tercero: te desintegras en un nanosegundo a la que te toque un rayo de sol.

—Bueno, al menos es una muerte rápida —contesté valerosa, puesto que no quería que mis hijos me notaran el miedo.

—Rápida, pero muy dolorosa —replicó mi hijo—. Los vampiros gritan como condenados.

—¿Max?

—¿Sí?

—Un consejo que te irá bien en la vida: no siempre hay que decir todo lo que se sabe.

Me acerqué despacio al balcón. El sol me cegó a través de los cristales de la puerta. Y eso que todavía no estaba muy alto, justo por encima de los edificios. Aun así, me pareció deslumbrante y desagradable. Seguro que no era una buena señal. Agarré el pomo de la puerta del balcón con la mano.

—No, por favor —imploró Max—, es muy peligroso.

—El tontaina tiene razón —dijo asustada Ada.

—Bueno, a mí me parece guay —metió baza Jacqueline.

Si a Max le gustaba de verdad aquella chica, eso decía mucho de sus gustos con las mujeres. ¿Me traería más adelante una nuera como ella? En tal caso, seguro que no era tan malo arder de inmediato. Y, si realmente tenía esos gustos con las mujeres, ¿qué decía eso de la relación con su madre?

Tiré del pomo, abrí la puerta y noté enseguida el calor del sol. Y eso que, como mucho, estábamos a doce grados. Me arriesgué a salir con cuidado, dando pasitos cortos, a la parte del balcón que quedaba enteramente a la sombra.

—Esto es más guay que la tele —opinó Jacqueline, y yo me pregunté si también diría algo parecido si un día visitaba un campo de refugiados de la ONU.

Ada callaba y se retorcía los dedos vendados. Max también callaba y movía la cola. Frank roncaba y soltaba ventosidades.

Por un segundo me sentí aliviada de estar en el balcón.

Tendrían que haberlo llamado el monstruo de Frankenspedo.

—Odio mi buen olfato —oí murmurar a Max.

Luego, silencio de nuevo. Me acerqué al borde de la sombra. Los niños contuvieron la respiración. No sólo por Frankenspedo.

Respiré hondo. Aunque no me hacía falta. Pero lo necesitaba para hacer acopio de todo mi coraje, y di un paso. El paso decisivo. Hacia el sol. ¡Y me quemé! ¡Me abrasé!

No como una antorcha olímpica. Sólo en las manos y en la cara. Como un turista en Mallorca, que al anochecer constata: «Ay, no tendría que haber echado una siestecita tan larga en la playa.»

Retrocedí de un salto, entré corriendo en el piso y cerré la puerta del balcón.

—Lo... lo has conseguido —dijo Ada, que fue la primera en recuperar el habla.

—No te has oxidado —dijo Max respirando aliviado.

En ese instante, yo también me sentí feliz. Por un lado, había sobrevivido, cosa que ya era magnífica por sí misma. Pero también estaba claro que, con protector solar, guantes y gafas de sol, podría viajar. Así pues, con una amplia sonrisa, anuncié:

—¡A Transilvania!

ADA

Pues qué bien, ¡ahora teníamos que viajar a Transilvania! Aquella bruja chiflada, ¿no podría haber sido de Niza? Entonces, al menos habríamos viajado a un lugar bonito. En los últimos años, sólo había ido de vacaciones a la isla de Borsum, en el mar del Norte, donde el triste plato fuerte siempre era la excursión por las marismas con Wilhelm, el guía, que no paraba de cantar canciones tontas. Por lo demás, era una isla en la que los adolescentes de vacaciones se aburrían tanto que pensaban a menudo en suicidios rituales.

La idea de salir de viaje con mi familia era un horror, pero no había alternativa. No quería escuchar eternamente comentarios idiotas sobre vendas. Además, estaba demasiado triturada para criticar el plan de mamá, aún a medio cocer, de ir a Transilvania. En parte por la situación, pero en una parte mucho mayor por Jannis. La bruja me había transformado, pero Jannis me había destrozado. Y aunque me dijera a mí misma trescientas veces: «Olvida a ese imbécil, no lo merece», no me escuchaba y sufría terriblemente.

Cuando salimos de casa, mamá llevaba puestos unos vaqueros y un jersey, además de guantes y unas gafas de sol gigantescas. No teníamos nada adecuado para que papá y Max se cambiaran, de modo que papá iba con el disfraz de Frankenstein y Max como un perro desnudo. Yo me puse la chaqueta de cuero encima de las vendas, aunque eso sólo significó una pequeñísima mejoría en mi aspecto.

Entré por la puerta corredera a la furgoneta hippie de Cheyenne, de color amarillo chillón, y casi me volví daltónica. Las paredes eran naranjas, el techo marrón, y había una alfombra gruesa de color verde oscuro, aunque estaba bastante segura de que treinta años antes había tenido otro color.

—En esta furgona dormí con Paul McCartney en los sesenta —me reveló Cheyenne en tono de conspiración.

—Hala —dije, impresionada.

—Y con John Lennon.

—Qué guay. —Un poco más impresionada.

—Y con Yoko Ono.

—Vale...

—Me lo pasé muy bien con ellos —dijo Cheyenne sonriendo contenta, y no pude evitarlo: a pesar de todo, tuve que sonreírle yo también.

Aquella mujer vieja era bastante enrollada. Ni siquiera había parpadeado al encontrarse con nosotros, unos monstruos. A lo largo de su vida, ya había visto unas cuantas criaturas que parecían imposibles, incluso sin haber tomado LSD. Por ejemplo, una gallina en los Andes que ponía huevos cuadrados, un pigmeo con tres piernas en África, un delfín con dos patas en el mar Rojo y, en Los Ángeles, un bailarín de claqué con una sola pierna... ¡Qué vida más emocionante había tenido Cheyenne!

Mientras Cheyenne se subía al asiento del conductor, mamá se dejó caer como un plomo en un sofá gastado y papá se repanchingó en una butaca de felpa naranja. En casa, nos había costado lo nuestro despertarlo, y lo habíamos conseguido sobre todo gracias a unos petardos que habían sobrado de Fin de Año. Después, mamá había intentado explicarle cómo funcionaba un váter. Con resultados moderados. Cuando acabó, el cuarto de baño era una zona contaminada.

Papá contemplaba los dibujos de desnudos que había hecho Cheyenne y que colgaban de la pared. Observó desconcertado a una mujer gorda. Frente a ella, las mujeres que el viejo Rubens había pintado antiguamente parecían top models anoréxicas. Todavía eran más curiosos los desnudos masculinos que Cheyenne había dibujado. Yo no estaba segura de si unos menores de edad tenían que ver algo semejante.

—¡Guau! —comentó Jacqueline sobre los dibujos—. Esos tíos pueden tirar el lazo sin necesidad de lazo.

—Gracias, no me hacía falta tener esa imagen en la cabeza —dije.

¡Y que esa chica viniera con nosotros! Mamá le había preguntado si no tendría problemas con sus padres por irse así, sin más, y en vez de contestar, le dio un ataque de risa.

Empecé a acariciar la idea de hipnotizarla un poco, por ejemplo, para que pensara que era un ciervo que quería hacer de señal de paso de ganado en la autopista. Pero antes de que pudiera mirarla a los ojos, Cheyenne gritó desde el asiento del conductor:

—¡A Transilvania!

Salió pitando y los que no estábamos sentados nos caímos al suelo.

—Eh, vieja, ¿tienes carné? —preguntó Jacqueline mientras se levantaba como podía del suelo.

—No, ¿por qué? —preguntó Cheyenne.

—Guay —dijo Jacqueline, con una sonrisa de oreja a oreja.

Gateé hasta mamá, que estaba en el sofá, pero no me dedicó ni una mirada. Parecía un poco mareada. Pensé si se lo comentaba, pero decidí que no; la mitad de nuestras conversaciones acababan en pelea, y no me apetecía para nada, por no hablar de la energía que se consumía en una discusión. Así pues, saqué el móvil de la mochila y, masoquista como era, volví a mirar el sms de Jannis: «Yo también te cierro.» Y que me hubiera dejado engañar tanto por él. Me había hipnotizado sin haberme hipnotizado. Usaba su energía egoístamente y vivía bien así. Mientras que yo sufría. Y seguro que Noemi también sufriría cuando él les diera el pasaporte a sus dos pechos, que sería pronto.

Pero ¡un momento! Ahora, yo también tenía facultades hipnotizadoras, igual que él. Ahora, yo podría ser la rompecorazones. Sólo tenía que actuar con tan pocos escrúpulos como Jannis. O sea, como un verdadero monstruo. Eso no sería un problema, total, ya parecía un monstruo. Genial, nunca más volvería a tener penas de amor. ¡Sólo las causaría! Así pues, sonriendo, decidí esto: al primer chico guapo que encuentre, lo hipnotizaré y luego disfrutaré rompiéndole el corazón. Sí, vale, no era un plan adorable, pero me hacía olvidar mi estúpida autocompasión. Y además: ¿hay algún monstruo adorable?

MAX

La furgoneta VW amarilla de Cheyenne zumbaba por la autopista en dirección a Sajonia, trazando diagonales en ángulo agudo de izquierda a derecha. O bien circulando por el carril de adelantamiento, cosa que obligaba a los Porsches y a los Mercedes a frenar bruscamente, o bien transitando por el arcén. Los carriles del medio no le decían nada a Cheyenne.

Desde Sajonia, la ruta tenía que llevarnos a Rumanía pasando por Viena, Praga y Budapest. Se podía conseguir en tres días, si nada se torcía. Pero éramos los Von Kieren y «que las cosas se torcieran» formaba parte de nuestro código genético.

Me arrellané en el suelo al lado de Jacqueline, que jugaba con su elegante iPhone. Se lo había dado un compañero de colegio a cambio de que dejara de recordarle, a fuerza de estrangularlo, que el cuerpo humano necesita oxígeno para sobrevivir. Pensé que estaría jugando a algún juego de pegar tiros, donde había que eliminar a unas cuantas valquirias nazis o algo por el estilo. Pero estaba jugando a un juego en el que tenía que ayudar a Daisy a ponerse guapa para una cita amorosa con el pato Donald. ¿Albergaba Jacqueline el secreto deseo de ser una chica normal y guapa, con ropa bonita y maquillada? ¿Me quedaría alguna costilla sana si se lo preguntaba?

Mientras jugaba, su cara me pareció más femenina que nunca. Claro que eso tampoco costaba mucho, puesto que sólo significaba que parecía más femenina que John Rambo.

Se dio cuenta de que la miraba. Al sentirme pillado, desvié la mirada. Ella dejó el iPhone y me confesó:

—De pequeña quería tener un perro como tú.

¿Había querido tener un hombre lobo? ¿Ya de pequeña? ¡Brrr!

De repente me acarició el pelo.

Dios mío, eso significaba: ¡me acaricia a mí!

Nunca me había acariciado una chica.

Era agradable. Maravilloso. Incluso mejor que leer. Pero, claro, Ada destrozó de nuevo la atmósfera:

—Si sigues haciendo eso, se hará pipí de alegría.

Oh, oh, ¿podía ser?

—Sería divertido verlo —dijo Jacqueline sonriendo burlona, y me acarició todavía más.

Era taaaan agradable. Pero la posibilidad de hacerme pipí me puso nervioso. Siguió acariciándome con ternura como si se hubiera empeñado en conseguirlo. Quién entiende a las chicas. Especialmente a ésa.

Me acarició con más intensidad. Poco a poco, me fue entrando miedo y grité lo menos imponente que se puede gritar cuando te acaricia una chica:

—¡Mamá!

Pero mamá no reaccionó. Miraba apáticamente al vacío y estaba muy pálida. Más pálida que de costumbre, casi como si no tuviera sangre. Y, por desgracia, en este caso «no tener sangre» no era una simple metáfora. Mamá era un vampiro. Sólo murmuró una cosa que me dio escalofríos hasta en mis tuétanos de lobo:

—Tengo hambre.

EMMA

No me había mareado tanto desde el día que recorrimos las curvas cerradas de los Pirineos, y yo me había comido antes una sopa de pescado. Sólo que ahora era otra forma de mareo: además de arcadas, tenía una sed ardiente y un hambre voraz. Naturalmente, no era tan tonta como para no sospechar qué era lo que me consumía de aquella manera. Qué sustancia podía saciar mi sed y mi hambre. Pero todavía no había llegado tan lejos como para admitir ese terrible deseo.

—Entra en la próxima área de servicio, por favor —le pedí a Cheyenne.

—No pienso hacerlo.

—¿Por qué no? —pregunté irritada.

—Es un McDonald's.

—¿Y?

—No sacrifican a las vacas con delicadeza...

—¡Me importa una mierda si ponen a las bestias vivas encima de la barbacoa o si antes de sacrificarlas les dan un masaje ayurveda! —berreé.

—Vale, vale —cedió Cheyenne, y preguntó a los demás—: ¿Quién más tiene hambre?

Ada y Jacqueline se apuntaron; en cambio, Max sólo me observaba preocupado. Frank estaba sentado junto a los blocs de dibujo de Cheyenne y dibujaba. Sí, dibujaba. Toscamente. Tanto que incluso un hombre de la Edad de Piedra se habría tronchado de risa junto al fuego al ver su obra, pero Frank había encontrado por fin un modo de expresar lo que sentía y deseaba:

Cheyenne entró en el área de servicio. Cuando aparcó la furgoneta, Max, que por lo visto no lograba tan bien como yo relegar al olvido la historia de los vampiros chupasangres, me preguntó en voz baja:

—Mamá, ¿estás segura?

—Sólo necesito un menú ahorro —contesté.

Eso entraba en la categoría de «célebres últimas palabras». Frases que se pronuncian antes de que llegue la catástrofe, igual que:

«Sólo son turbulencias normales en un vuelo...»

«Cortaré el cable rojo...»

«Qué perrito más mono...»

O también: «Mira, sé hacer malabares con cinco mazas ardiendo...»

Los otros insistieron en entrar en el McDonald's. Debilitada, intenté argumentar que llamaríamos la atención y que sería mejor que Cheyenne fuera a buscar la comida, pero todos querían estirar las piernas después de unas horas de viaje.

—En un área de servicio como ésta, la gente ha visto cosas mucho más extrañas —argumentó Ada.

Max dio un ejemplo:

—Como esos lavabos que se limpian solos sin agua.

Yo estaba demasiado cansada para impedirlo. Me puse las gafas de sol y los guantes. Cheyenne fue la única que se quedó en la furgoneta. Prefería la comida macrobiótica que llevaba, muy similar a la que les dan a los presos en las cárceles tailandesas. Para ponerla de mortero en los muros.

Los Von Kieren y Jacqueline cruzamos el aparcamiento en dirección al McDonald's. A pesar de lo mal que me encontraba, incluso me alegré un poco de ir a comer algo en familia. Si no me hubiera alegrado, quizás me habrían dado que pensar las cincuenta motos que había aparcadas delante del local.

Pero, tambaleándome y acompañada por los demás, entré en el vestíbulo, donde ya se nos quedaron mirando los primeros clientes: unos padres de familia con barriga cervecera que salían del lavabo de hombres con sus hijos gordos. Al vernos, se les desencajó la mandíbula:

—La boca cerrada o entran en juego los puños —los saludó Jacqueline.

Ése fue un argumento convincente para que cerraran la boca a toda prisa. Sacaron a sus hijos gordos del vestíbulo y se dirigieron a toda prisa hacia sus mujeres, todavía más gordas, que los esperaban en el aparcamiento.

En el restaurante, la mayoría de las mesas estaban ocupadas por unos cincuenta roqueros seguidores de «La no violencia está brutalmente sobrevalorada». Estaban rodeados por toneladas de envoltorios de hamburguesa, fabricados con papel que seguramente había obligado a alguna que otra tribu de indios a abandonar la selva.

Al vernos, los roqueros dejaron de tragar de golpe. Se quedaron con la boca abierta y se les vio el contenido. Me mareé todavía más. Finalmente, un gigante barbudo que parecía un oso pardo americano tomó la palabra:

—¡Mirad qué frikis!

Todos los roqueros se echaron a reír, y eso no le gustó a Frank, que increpó a los tipos atronando y retumbando:

—¿Ufta pam?

Le tiré del chaleco.

—No vamos a pegarle a nadie; pediremos algo deprisa y nos iremos.

Pero antes de que pudiera llevármelo a la barra, el oso líder dijo:

—Tíos, el bebé gigante es un poco agresivo. Vamos a echarlo.

Se levantó con otros dos tipos, un calvo rechoncho que parecía una bola de billar, y un tiparraco que tenía más tatuajes que un futbolista profesional.

—Por favor, sólo queremos comer algo tranquilamente —requerí con voz queda.

—¡Ufta pam-pam! —dijo Frank, llevándome la contraria. En ese momento, no fui capaz de alegrarme de que su lenguaje mejorara.

—Soy un hombre liberado —me amenazó el oso—, también pego a las mujeres. Alice Schwarzer, la feminista, ¡estaría de mi parte!

Pensé febrilmente: «Tal vez debería ofrecerle dinero a este tipo para que nos deje en paz.» Sin embargo, no llevábamos demasiado. La tarjeta tampoco nos habría servido de mucho, puesto que los Von Kieren siempre rayábamos por principio el límite disponible. Dejé de pensar de golpe. El oso me había puesto un dedo delante de la nariz. Tenía un pequeño rasguño que seguramente se había hecho poco antes con el borde del papel de la hamburguesa. Qué más daba cómo se lo había hecho. Sólo importaba una cosa: el dedo sangraba. Ligeramente. ¡Pero sangraba!

Fue lo más excitante, lo más deseable que jamás había visto. O más bien olido. Por poca que fuera, podía oler la sangre con intensidad. Y tenía un aroma más apetecible que cualquier comida de un restaurante con estrellas. No pude evitarlo: perdí el juicio. Me venció el ansia. Me entregué totalmente a ella. Le agarré el dedo. Se lo chupé.

No fue precisamente una aportación al cese de las hostilidades.

Fue como un éxtasis. No, ¡fue el éxtasis! Como si tomaras un delicioso café expreso y al mismo tiempo tuvieras un orgasmo (no es que yo hubiera probado nunca esa combinación. Seguro que me habría atragantado). Chupé. Y chupé. Y chupé. En mi éxtasis, aunque me pareció increíblemente lejano, oí gritar al oso:

—¡Te mataré, vieja!

Y oí decir a Jacqueline:

—La vieja ya está muerta.

Y Ada explicó:

—Oiga... no queremos problemas...

Pero el oso contestó:

—No, qué va, y la chiflada no deja de chuparme el dedo.

Intentaba librarse de mí, pero no lo conseguía. Le había clavado los colmillos en el dedo y se lo habría arrancado si llega a apartarlo con toda su fuerza.

—Mi madre parará enseguida... —intentó mediar Max.

—Mierda, ¡el bicho habla! —gritó el oso.

—No... no he sido yo... —se apresuró a replicar Max—. Ejem, ¿ve a esa chica?, la de los piercings... es ventrílocua... habla por el estómago... y yo soy el muñeco... y...

—¡MATADLOS A TODOS! —gritó entonces el oso.

Y mientras los roqueros se levantaban y a mis hijos les entraba miedo, yo seguí chupando extasiada el dedo.

Los cincuenta roqueros se abalanzaron contra los Von Kieren. Frank agarró al tatuado y al tipo que parecía una bola de billar, los levantó a la vez como si fueran muñecos y los lanzó por encima del mostrador contra la freidora. Los empleados que había detrás de la barra decidieron que su sueldo por horas era demasiado bajo para quedarse, y huyeron por la puerta trasera de la cocina.

Paré de chupar. Éxtasis arriba, éxtasis abajo, algo en mi interior quiso proteger a mi familia. Vi que delante de Ada se plantaba furioso un roquero joven, una especie de aprendiz de ángel del infierno. Me sorprendió que Ada no tuviera miedo y se limitara a mirarlo fijamente a los ojos. Luego, le dijo:

—Quiero que te comas una docena de *fish-macs*. Y para beber, batido de fresa.

El agresivo aprendiz de roquero cambió de golpe de cara.

—¡Tengo unas ganas locas de comer pescado! —contestó radiante.

Saltó por encima de la barra y cogió un montón de *fish-macs* y un batido de fresa gigante. Dos cosas se me pasaron por la cabeza: 1) Esa alimentación no podía ser sana. 2) Dios mío, ¡Ada podía hipnotizar a la gente! Como la momia de las películas antiguas. Eso era lo que había intentado hacerme en casa, pero yo debía de ser inmune porque era un monstruo.

Antes de que pudiera seguir pensando en que, con esa habilidad, podría aprobar la Selectividad sin problemas, el oso pardo me inmovilizó agarrándome por la garganta. Durante un segundo temí que me estrangularía. Pero entonces recordé que no tenía pulmones y que podríamos pasarnos horas así, sin que me asfixiara. También recordé que tenía un cuerpo nuevo más fuerte. Agarré al oso por el brazo y se lo retorcí. Gritó y lo tiré al suelo. ¡Tenía la fuerza de cuatro hombres!

Lástima que en aquel momento se me acercaran cinco.

Dos me agarraron por la izquierda, dos por la derecha y uno me pasó el brazo por el cuello, y así me sujetaron. El oso se me acercó furibundo y dijo:

—Te voy a partir los dientes.

Tomó impulso y me dio mucho miedo que mis dientes no resistieran el golpe. Justo en aquel momento, un roquero que corría delante de Jacqueline gritó:

—¡AHH... La chica me ha arrancado la oreja de un mordisco...! ¡¡¡Es una puta Mike Tyson!!!

—A mí me ha pegado una patada en los huevos —gritó otro, con una voz tan aguda como la de los niños del coro de la catedral de Ratisbona.

Jacqueline estaba a punto de abalanzarse contra el siguiente, uno que acababa de arrearle una patada en el culo a Max. Mi hijo no sabía defenderse, ni siquiera siendo un hombre lobo.

Frank no podía acudir en mi ayuda. Tenía la fuerza de diez hombres, pero eso no servía de nada si se luchaba contra quince. Lo trincaron en el suelo como a Gulliver en Liliput y lo dejaron inconsciente atizándole una cantidad increíble de golpes. Lo último que le oí decir fue:

—Uff...

Las fuerzas no le alcanzaron para el «...ta».

Entretanto, Ada había hipnotizado a dos roqueros más; no cabía otra explicación para que los dos se dieran cabezazos mutuamente con alegría. Sin embargo, antes de que mi hija pudiera salvarnos a Frank o a mí, el roquero de los tatuajes y la flamante voz de pito la dejó inconsciente golpeándola por detrás con una bandeja. Ante esa imagen, olvidé por completo mi miedo. Al ver a mi hija desplomarse de ese modo, enloquecí de preocupación. Quise ir de inmediato hacia ella y luché como una loca para soltarme de los tipos que me agarraban. Pero estaba demasiado débil a causa del hambre, de la sed, de las arcadas. Vi a mi hija tendida inmóvil en el suelo. No pude correr hacia ella, estrecharla en mis brazos..., salvarla. Nunca me había sentido tan impotente.

—¡Dejad en paz a mis hijos! —grité desesperada.

—Con mucho gusto —dijo el oso sonriendo—. Al menos mientras me ocupe de ti.

Casi en ese mismo instante, uno de los roqueros le tiró una silla a la cabeza a Jacqueline, y ella también cayó k.o. al suelo. Max corrió preocupado hacia ella, pero el roquero del coro infantil de Ratisbona trinó:

—¡Esfúmate, chucho!

Max intentó hacer acopio de todo su valor, pero el

intento fracasó como de costumbre. Apesadumbrado por su cobardía, se escondió debajo de una mesa con el rabo entre las piernas.

—¿Dónde nos habíamos quedado? —preguntó el oso, que enseguida se contestó a sí mismo—: Ah, sí, iba a hacerte una limpieza de boca profesional.

Sus colegas bramaron, al menos los que no estaban inconscientes, comiendo *fish-macs* o dándose cabezazos mutuamente.

Sentí un miedo terrible. No sólo por mis dientes. ¿Qué le harían los roqueros a mi familia cuando hubieran acabado conmigo? Antes no se habían cortado a la hora de derribar a las dos chicas. Me pregunté si alguien podría salvarnos en el último momento. ¿Habrían llamado los empleados de McDonald's a la policía? ¿Podía hacer algo Cheyenne? Pero ¿qué? ¿Matar de aburrimiento a aquellos tipos con un discurso sobre la cría de animales en una época de producción en masa?

El oso levantó el puño. Pronto comprobaría si mi nueva dentadura era resistente. Cerré los ojos y esperé el impacto del puño, pero... no noté nada. Absolutamente nada. En cambio, oí decir al oso:

—¿Qué demonios...?

Entreabrí los ojos con cautela. A través de la ranura vi que el puño del oso se había detenido a medio golpe. Porque se lo habían agarrado con fuerza. Una mano de hombre elegante y delicada, adornada con un sello de oro precioso. ¿Quién llevaba hoy en día esos anillos? ¿Además de los raperos gangsta? ¿O del papa?

Sentí tanta curiosidad por saber a quién pertenecía aquella mano de aspecto aristócrata que me atreví a abrir los ojos del todo. Delante de mí había un hombre increíblemente guapo, de unos treinta y pico años, vestido con un traje elegante hecho a medida. Comparados con él, todos los actores de Hollywood eran pequeños Quasimodos. Parecía un ángel. Aunque, claro, yo sabía perfectamente que no era un ángel. Porque tenía unos excitantes ojos de color escarlata y un rostro tan pálido como el mío.

—¿Emma, supongo? —preguntó educadamente, con una voz suave, muy melodiosa, casi erótica.

—No —contestó el oso, más que desconcertado por la situación—. Me llamo Clemens.

—No nos interrumpas, mortal —exigió el extraño.

Y la forma en que utilizó la palabra «mortal» fue otro indicio de que no se trataba de una persona normal. Igual que el hecho de que lanzara al oso por la ventana con un simple movimiento de la mano. El cristal tintineó, el oso aterrizó encima de una moto, ésta volcó y tiró las demás como si fueran fichas de dominó. Los roqueros que quedaban se miraron atemorizados. Ellos también lo habían comprendido: aquel hombre elegante tenía mucha más fuerza que ellos. Por lo tanto, consideraron que era un momento excelente para salir del restaurante de comida rápida, montarse en sus motos, marcharse de allí y aspirar a hacer carrera como funcionarios.

—Discúlpame, querida Emma —me pidió el hombre cuando los roqueros huyeron; todos menos el oso, que estaba inconsciente, y los que había hipnotizado Ada.

Y me hizo una ligera reverencia. No se inclinó exageradamente, sino justo hasta formar el ángulo que demuestra un buen estilo increíble.

—No me he presentado como es debido —dijo.

Su voz erótica me vibró en el estómago, y me alegré de tener un estómago que pudiera vibrar de una forma tan agradable.

—Me llamo Vlad Tepes.

Nunca había oído ese nombre.

—Vlad Tepes Drácula.

Éste, sí.

Drácula. En circunstancias normales, no me habría creído una palabra de lo que decía aquel hombre increíble. Pero en las últimas horas habían pasado tantas cosas imposibles: una bruja nos había convertido en monstruos, yo había saltado por los tejados de Berlín y mi hija no había enviado ni un solo sms durante todo el viaje por la autopista. Y, ahora, Drácula en persona nos salvaba de los roqueros. ¿Podías estarle agradecida a una criatura tan siniestra?

Unas horas antes habría sido incapaz de imaginar que me enfrentaría a semejante dilema moral. Y todavía se me planteó otra pregunta: ¿por qué me había salvado Drácula?

—Estimada Emma, ¿me concederías el honor de comer conmigo?

¿Por eso? ¿Porque quería comer conmigo?

—Sería un placer para mí que aceptaras —dijo el atractivo hombre pálido. Y viendo cómo sonreía su boca sensual y cómo brillaban sus fascinantes ojos escarlata, incluso creí que realmente sería un placer para él.

Alucinante, el último hombre para el que había sido un placer ir a comer conmigo había sido Frank. Hacía eones. En cambio, cuando cenábamos juntos en los últimos años, solía tener problemas para no darse de cabeza contra la mesa por culpa del cansancio.

—Mamá... —imploró Max debajo de la mesa—, no... irás con Drá... Drá... Drá... —no se atrevía a pronunciar su nombre—, ¿no irás a COMER con él?

No me pasó por alto su manera de pronunciar la palabra «comer». ¡Oh, oh! Si Drácula invitaba a un vampiro a comer, seguro que no pensaba en espaguetis a la boloñesa.

Drácula miró a Max. No le extrañó lo más mínimo ver a un hombre lobo parlante. A mí tampoco me extrañó que no le extrañara; al fin y al cabo, esas criaturas seguramente formaban parte de la fauna de su mundo. Sonrió a Max. Amablemente. Pero detrás de esa sonrisa afable había algo a todas luces amenazador. Max se metió todavía más debajo de la mesa.

—¿Me acompañas, Emma? —preguntó de nuevo Drácula, mirándome fascinado.

Era agradable que un hombre... un vampiro... tanto daba... te mirara así. En aquel momento recordé lo que me había dicho la bruja: «Le gustarás al príncipe de los malditos.»

—¿Me escuchas, Emma?

Me sonrió con mucho sentimiento. Madre mía, cómo sonreía. De un modo peligrosamente seductor. Al mareo, el ansia de sangre y a las arcadas, se les añadió entonces un cosquilleo en el estómago por culpa de esa sonrisa. ¡Menuda mezcla!

Me habría lanzado a sus brazos, pero no podía pensar en algo así. Después de todo, estaba casada. Tenía familia. Y él era Drácula. ¡Drácula! Ya me figuraba cómo sería ir a comer con él: perseguiríamos a un par de personas y luego, cuando las hubiéramos acorralado en una callejuela solitaria, les clavaríamos los colmillos en el cuello...

¡Oh, Dios mío! ¡Qué idea más tentadora!

¿Eso me parecía una idea tentadora?

¡Oh, Dios mío, Dios mío, Dios mío!

Aunque, ¿acaso tenía Dios algo que ver con los vampiros? ¿O con las brujas? ¿O (y eso me devolvió a la duda que siempre tenía frente a toda la magia de Dios) con la pubertad? Si la respuesta era afirmativa, ¿qué tenía pensado el Todopoderoso? ¿El octavo día te recochinearás?

Daba igual; era evidente que Dios no me estaba ayudando. Tenía que tomar las riendas yo misma. «Contrólate», pensé.

—¡Control, control, control!

—¿Te apetece comer col? —preguntó confuso Drácula.

Mierda, había pensado demasiado alto.

—No comeremos col —anunció.

Me lo temía.

—Pero tampoco chuparemos sangre.

—¿No? —pregunté sorprendida.

—Me he modernizado —dijo Drácula cortésmente—. Chupar sangre es muy estresante y poco apetitoso. Hay que perseguir a la víctima y, cuando finalmente cae en tus garras, hay que morderle el cuello...

Desgraciadamente, a mí no me sonaba en absoluto poco apetitoso.

—La sangre salpica por todas partes y la ropa se mancha de sangre pegajosa...

Vale, eso ya no sonaba tan bien. Por lo visto, un vampiro gastaba en tintorería mucho más que la mayoría.

—Y para que no te persiga todo el pueblo tienes que deshacerte del cadáver en alguna charca, en el río o en una pocilga...

—Por favor, no sigas —le pedí—, se me revuelve el estómago.

—Pues acompáñame y enseguida te sentirás mucho mejor —se ofreció Drácula amablemente.

No podía irme con el príncipe de los malditos. Pero ¿qué excusa podía darle? ¿Que tenía que depilarme las cejas? No colaría.

Mientras pensaba desesperadamente, oí gemir a Max. Entonces supe qué tenía que decir:

—Mi familia... No puedo dejarlos solos...

—Emma, confía en mí —me pidió Drácula, y su voz sonó sincera y seductora al mismo tiempo.

Miré a Max. Sacudía la cabeza con fuerza debajo de la mesa, indicándome de la mejor manera posible: «No lo hagas.» Drácula le sonrió de nuevo. Esta vez, aún pareció más amenazador. Tanto que Max sólo vio una salida posible: se hizo el muerto. Se tumbó de espaldas y estiró las cuatro patas.

Seguro que ningún hombre lobo se había hecho el muerto de esa manera en toda la historia de nuestro planeta; probablemente, eso sólo lo hacían los escarabajos (aunque no tenía ni idea de qué pretendían con ello, aparte de dejar fuera de combate al enemigo por un ataque de risa).

La artimaña biológica de hacerse el muerto le trajo sin cuidado a Drácula, que aceptó el gesto de sometimiento de Max y volvió a dirigirse a mí, esta vez con más insistencia:

—Tendrías que venir conmigo. Será mejor para ti.

¿Me amenazaba? Si era así, funcionó.

—¿Por... por qué mejor? —murmuré casi sin despegar los labios.

—Porque de lo contrario tendrás que perseguir a alguien y matarlo para alimentarte, y supongo que no quieres.

—Supones bien... —contesté quedamente.

—Te prometo que podrás volver con los tuyos —afirmó Drácula.

Con su hermosa voz, aquello sonó de lo más creíble. Quizás no era muy astuto confiar en Drácula. Pero ¿tenía elección? Estaba a punto de desmayarme. Si no quería morir, tendría que matar a alguien, lo notaba. Hablando en plata: se trataba de morir o matar. O de ir con Drácula.

Me dio la impresión de que tenía que elegir entre la peste, el cólera y Drácula.

Volví a mirar a mi familia: Frank y Ada seguían inconscientes. Max continuaba debajo de la mesa con las patas estiradas hacia arriba, aunque empezaban a temblarle debido a la tensión muscular. Jacqueline era la única que ya intentaba levantarse jadeando; sin ser un monstruo de verdad, era la que tenía la constitución más fuerte.

Me prometí que volvería con mi marido y mis hijos. Entonces partiríamos hacia Transilvania, encontraríamos a la bruja y acabaríamos con aquella pesadilla.

Con el corazón encogido, seguí a Drácula, y de repente oí una voz que decía con asombro:

—¿Vlad?

Era la voz de Cheyenne, que estaba fuera de la furgoneta en el aparcamiento. Al parecer, había observado desde lejos la pelea con los roqueros sin saber qué hacer, puesto que no tenía ninguna posibilidad de intervenir. No habría podido enfrentarse a los roqueros y, si hubiera llamado a la policía, nos habrían metido en chirona a nosotros, unos monstruos.

—¡Vlad Tepes! —dijo más alto, y muy confusa—. No... no has envejecido nada...

—Tú tampoco, Cheyenne —contestó él, encantador.

A pesar del cumplido, que le arrancó una sonrisa por el halago, Cheyenne seguía desconcertada.

—¿Os conocéis? —pregunté, y me dio la impresión de que Cheyenne no sabía que aquel hombre era Drácula, porque lo llamaba sólo Vlad y le extrañaba que no hubiera envejecido.

—Pasamos una noche juntos —explicó Cheyenne perpleja—, pero fue... en los sesenta.

—¿Pasaste una noche con él?

No me lo podía creer, y aún menos que él no la hubiera mordido.

A Cheyenne le brillaron los ojos, y puesto que le encantaba hablar de su vida amorosa, empezó a relatar:

—Vlad tiene mucho, pero que mucho aguante. Tiene una cosita muy dura...

—¡Retiro la pregunta! —la interrumpí de inmediato.

Sabía que le gustaba entrar en detalles cuando se refería a los atributos anatómicos de sus amantes, algo que no siempre era para alegrarse, sobre todo cuando hablaba de sus ligues entraditos en años. Además, no quería imaginar cómo era Drácula en la cama ni cuánto aguante tenía. Después de todo, en ese sentido, Frank era más bien un mosquetón. No solía tener más que un disparo. Pero eso no dejaba de tener su gracia después de un día estresante en la librería.

—¿Lo llamas... cosita? —dijo Drácula dirigiéndose a Cheyenne.

—O pilila.

Fue la primera vez que Drácula ponía cara de perplejidad desde que había hecho acto de presencia. Aunque sólo por unas décimas de segundo; luego volvió a sonreír.

—Mi querida Cheyenne, me gustaría estar a solas con Emma.

Saltaba a la vista que Cheyenne estaba desbordada. Comprendía que no tenía nada que hacer con un hombre que usaba una crema anti-edad excelente. Pero no era capaz de definir qué tipo de criatura era aquella con la que había pasado una larga noche de amor. O a lo mejor no quería. Cosa comprensible. En cualquier caso, no insistió y nos dejó marchar, aunque mirándonos confusa y un poco temerosa.

Drácula me llevó hacia una vieja limusina Bentley. Delante había un chófer humano vestido con una elegante librea. Estaba para comérselo. No porque fuera guapo, que no lo era. Para ser exactos, parecía una mezcla de príncipe Carlos y Joachim Löw. Del primero tenía las orejas y del segundo, el pelo. No, el chófer estaba para comérselo porque la sangre corría por su yugular. Sangre embriagadora, fascinante. Casi podía olerla y quise probarla de inmediato.

Pero, al parecer, el hombre tenía más experiencia que yo con vampiros hambrientos. Al ver mi mirada voraz, se sacó un pequeño y discreto crucifijo del bolsillo de la librea. La sola visión tuvo un efecto nauseabundo sobre mí: me ardieron las entrañas. Retrocedí asustada y no me atreví a acercarme más a él. Noté instintivamente que, si me aproximaba a la cruz ni que fuera un metro, los órganos que aún me quedaban se desgarrarían. Y si la tocaba, me convertiría en carne a la brasa. Estaba claro que los vampiros eran alérgicos a la cruz. Por lo tanto, Dios no estaba de parte de esas criaturas. Y no cabía duda: tampoco estaba de mi parte. (De hecho, eso ya lo tuve claro —como muchas otras mujeres embarazadas— mientras tenía contracciones en la sala de partos. Me refiero a que, siendo Todopoderoso, ¿no podría haber ideado un parto un poco más agradable?)

El chófer guardó la cruz, me abrió la puerta de atrás de la limusina y me senté en el asiento trasero de piel.

Me sentía demasiado débil para sentarme como es debido y me derrumbé en el asiento.

—¿Adónde vamos? —pregunté con los ojos entrecerrados.

Antes de perder el conocimiento, oí la respuesta del príncipe de los malditos:

—Hacia un futuro juntos.

ADA

El cráneo me retumbaba bestialmente. Más que el día que, en la fiesta de Jenny, jugamos a un juego de dados llamado «Da igual lo que saques, tú priva». Si no hubiera llevado ya vendas, seguramente habría necesitado una para la cabeza. Por si fuera poco, tenía el cuello agarrotado. Con todo, estaba mejor que el McDonald's. Se notaba que allí había peleado una pandilla de roqueros contra un puñado de monstruos. Contemplé aquel paisaje desolado: papá y Jacqueline se levantaban a duras penas, y Max, que estaba debajo de una mesa con las patas estiradas hacia arriba, parecía un nadador de natación sincronizada varado en la playa. ¿Qué hacía ahí el tontaina? Tanto daba, si encima tenía que pensar en eso, nunca se me pasaría el dolor de cabeza.

Eché un vistazo alrededor: no se veía a mamá por ninguna parte. Oh, oh, ¿no se la habrían llevado los roqueros?

Mientras miraba nerviosa por todas partes, entró Cheyenne.

—¡Tenemos que largarnos enseguida, antes de que llegue la bofia!

—¿Ufta Efma? —le preguntó papá.

—Eso mismo iba a preguntar yo —dije.

—Ya hablaremos de Emma, pero ahora tenemos que procurar poner tierra de por medio.

Cheyenne nos miraba tan nerviosa que pusimos pies en polvorosa. Pasamos corriendo junto a los dos roqueros que yo había hipnotizado. Ver a aquellos tíos dándose de cabezazos aún me causó más dolor de cabeza. Como momia amable que era, les dije:

—Quiero que dejéis de chocar con la cabeza.

Los roqueros lo hicieron, pero por desgracia seguían conectados en modo lucha y nos atacaron. Papá los agarró y los arrastró hacia el servicio de hombres. Aún no habían pasado ni treinta segundos cuando salió. Sin ellos.

Una vez en la furgoneta VW de color amarillo chillón, mientras Cheyenne salía a toda velocidad del área de servicio para entrar en la autopista, le pregunté a papá:

—¿Qué les has hecho a esos tíos?

Como su capacidad de expresión no era genial, cogió lápiz y papel, garabateó algo y luego me enseñó un dibujo como respuesta:

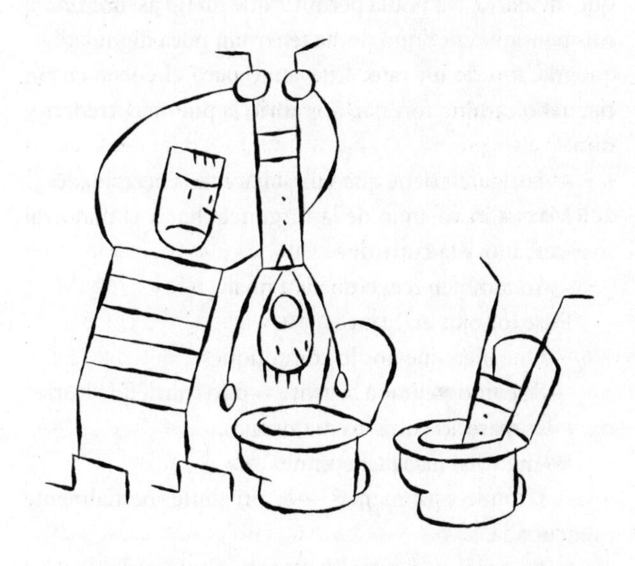

Mientras papá dibujaba, Max se encogía en silencio en un rincón de la furgoneta. La cutre estaba sentada delante y se burlaba de él a tope:

—La próxima vez te buscaremos un contrincante que esté a tu altura. Quizás una niña de cinco años. Mejor ciega. Y le ataremos el brazo derecho a la espalda...

Max se moría de vergüenza. Si alguna vez había querido algo de la tal Jacqueline, estaba claro que ella le había perdido todo el respeto y que no tenía ninguna posibilidad. Igual que yo con Jannis.

—Mejor —prosiguió la cutre, y se divertía bestialmente—, antes rociaré a la niña con un poco de insecticida...

«También podría rociar a Jannis», pensé, y me enfadé conmigo misma por malgastar mis pensamientos en ese tío a pesar de la locura que estábamos viviendo y a pesar de la ausencia de mamá. ¡Eso tenía que acabarse! Tenía que olvidarlo. No podía permitir que un tío así dominara mis pensamientos, ¡no podía tener tan poca dignidad!

Al cabo de un rato, Cheyenne paró el coche en un pequeño camino forestal, nos abrió la puerta corredera y dijo:

—Si alguien tiene que salir a hacer sus necesidades...

Max salió volando de la furgoneta hacia el matorral más cercano, y la cutre dijo:

—Yo también tengo que ir a jiñar.

Puse los ojos en blanco.

—Qué bien que nos lo comuniques...

—Sé cómo alegrar a la gente —dijo sonriendo burlona, y desapareció entre los matorrales.

Yo me volví hacia Cheyenne.

—¿Dónde está mamá? —le pregunté, bestialmente preocupada.

—No te lo vas a creer —contestó titubeando.

—¿Dónde está mamá? —pregunté más enérgicamente.

—No te lo vas a creer.

—¿¿¿Dónde está mamá???

—Está con un hombre, y empiezo a temer que es Drácula...

—No... no me lo creo —balbuceé.

—Ya te lo había dicho.

Estaba confusa: ¿tenía razón Cheyenne o iba fumada?

—Es la verdad —dijo cabizbaja—. Sólo nos queda esperar que vuelva.

Me alejé de la furgoneta hacia el bosque, preocupadísima. Si mamá estaba de verdad con Drácula (en nuestro nuevo y bonito mundo de monstruos nada parecía imposible), estaría en peligro. O peor todavía, iría de caza con Drácula, mordería a la gente en el cuello y produciría un montón de vampiros. Luego se convertiría en la líder de esas criaturas y de noche celebraría orgías salvajes con ellas...

¡Oh, oh! Si existían dos palabras que nunca, pero lo que se dice nunca, podían estar en la misma frase, eran «mamá» y «orgía».

Pasé junto a árboles gruesos, que no tenía ni idea de qué eran (la biología nunca me había interesado mucho), y respiré tan hondo como las malditas vendas me permitían. Al doblar por un recodo, me topé con un trabajador forestal de unos veinte años, vestido con camisa de leñador y que, al verme, gritó:

—¡AH!

—¡Mierda! —grité yo también—. ¡Qué susto me has dado!

Entonces observé con más detalle al tío, que se había quedado paralizado al verme: tenía ese aire perfecto de chico sencillo y dulce, que también podía gustarle a una chica como yo. Recordé lo que me había propuesto hacer si me encontraba a un chico guapo.

Dudé por un momento, no estaba segura de si debía hipnotizarlo. Pero me dio la sensación de que me volvería loca si no me distraía un poco. Por ser una momia, por mi madre desaparecida y porque seguía pensando en el idiota de Jannis. De forma lenta, pero segura, comenzaba a odiarme por ello. Tenía que olvidarlo de una vez por todas si quería volver a sentir algo parecido al respeto por uno mismo. Y quizás el leñador podría ayudarme.

—¿Quién... o qué eres? —me preguntó confundido.

Lo miré profundamente a los ojos y contesté:

—¿Quién voy a ser? Tu gran amor.

Poco después me masajeaba gozoso el cuello agarrotado.

EMMA

Me despertó el maravilloso olor dulce de la sangre. Recuperé el ánimo como si me hubieran enchufado con una cánula a una tubería de cafeína. Abrí los ojos de golpe y vi que Drácula sostenía delante de mis narices un tubo de ensayo lleno de sangre roja y luminosa. Comprendí que esa cantidad no bastaría para acallar mi sed, pero quería hacerme con ella a toda costa. Por desgracia, Drácula apartó la sangre y dijo:

—Ahora que estás despierta, ordenaré que te sirvan la comida.

—¿Comida? —grité—. ¡No quiero comida! ¿Estás chalado o qué?

—¿Cómo dices? —Drácula me miró ofendido; por lo visto, el príncipe de los malditos no estaba acostumbrado a que le dijeran que estaba chalado.

—Digo que tienes la cabeza llena de murcielaguitos... —le expliqué.

—Sé muy bien qué significaba —me interrumpió, mascullando las palabras.

Antes de que continuara mascullando, por una puerta de roble macizo entró un mayordomo. Entonces me di cuenta de que estaba en un salón palaciego. En las paredes había pinturas al óleo colgadas, eran retratos antiguos de malvados señores del castillo, a los que no me habría gustado encontrarme a oscuras siendo humana, pero sí siendo una vampira hambrienta. Yo estaba en una butaca de madera maciza que parecía un trono, sentada a una mesa de roble en la que, si alguien hubiera querido hablar con la persona que había en la otra punta, habría necesitado un megáfono. Habría preguntado cuánto gastaban en calefacción para caldear un salón tan grande y con techos tan altos, si no hubiera sido porque deseaba con tanto ardor la sangre del tubo de ensayo. O la del mayordomo. Por desgracia, en su cuello también se balanceaba una cruz. Me levanté de un salto y me aparté instintivamente de aquel hombre, aunque todavía se encontraba a unos metros de distancia.

—Todos mis empleados humanos llevan una cruz —dijo Drácula sonriendo—. Seguramente te preguntarás por qué lo permito.

No, lo que yo me preguntaba era cómo podía hincarle el diente al mayordomo.

—También tengo vampiros trabajando para mí de guardaespaldas, y digamos que no saben controlarse mucho, de modo que los empleados humanos tienen que protegerse de ellos. Esos vampiros son alérgicos a la cruz, pero yo no.

Eso despertó mi curiosidad por un momento.

—La cruz sólo afecta a los vampiros que eran cristianos cuando eran humanos. Pero yo nunca he profesado ninguna religión.

Tonta de mí, y yo que siempre había pensado en apostatar, pero nunca había llevado a la práctica el plan. Si lo hubiera hecho, no sólo me habría ahorrado pagar impuestos, sino que ahora también podría convertir al mayordomo en comida.

Con mucha calma, éste puso sobre la mesa una bandeja con un plato de porcelana y una campana de plata encima.

—Tu comida —dijo Drácula.

Me acerqué al plato y levanté la campana. Pero debajo no había carne roja ni morcilla, ni siquiera una salchicha con patatas fritas y ketchup. Allí sólo había una pastillita roja. Titubeé. ¿Qué clase de pastilla sería? ¿Éxtasis? ¿LSD? ¿Vitaminas? Me la quedé mirando, perpleja. No recuperé el habla hasta que el mayordomo salió parsimoniosamente del salón.

—¿Dónde estamos? ¿En un programa de cámara oculta? —despotriqué.

—Tómate la pastilla y tu ansia sanguinaria se disipará —contestó Drácula.

—Como no me des la sangre ahora mismo... —grité fuera de mí.

Arrojé la campana contra la pared, donde chocó estrepitosamente, y me lancé hacia el tubo de ensayo que estaba sobre la mesa. Pero Drácula fue más rápido y se lo guardó en el bolsillo del traje.

—¿Hablo en suajili o qué? —grité—. ¡Que me des la sangre, capullo!

Intenté meterle la mano en el bolsillo de la americana, pero se apartó con elegancia y estuve a punto de caerme. Drácula era flexible como Nurejev y, comparado con él, mis movimientos parecían tan elegantes como los de un hipopótamo con cólicos.

—No puedes quitarme la sangre y tampoco puedes herirme con palabras —dijo.

—¡Eso ya lo veremos! —grité, definitivamente fuera de mis casillas, y solté todos los insultos que me vinieron a la cabeza. Realmente todos—: ¡Cretino!... ¡Ameba!... ¡Pilila!

—No eres muy objetiva —comentó Drácula.

—¡Pilila pequeña!

—Muy poco objetiva y en absoluto acorde con la realidad —dijo ofendido.

Por lo visto, las palabras sí podían herirlo. ¡Bien!

—Pilila minicalifragilísticoespialido...

—¡EMMA!

Me cogió la mano, me miró profundamente a los ojos y dijo:

—Tómate la pastilla. Confía en mí.

Su maravillosa voz y, sobre todo, su mirada dulce me tranquilizaron un poco. Dejé de rabiar, pero en mi interior todo se oponía:

—Eres Drácula.

—Sí, ¿y qué?

—¿Quién se fía de Drácula en este mundo?

—Espero que la mujer que me está predestinada —dijo sonriendo.

Vaya, ¿no se estaría refiriendo a mí?

Vio la pregunta en mis ojos, pero no la contestó. Cogió la píldora en su mano delicada pero fuerte, y me la tendió. Confusa como estaba y a falta de alternativas, cogí la pastilla. Nuestros dedos se tocaron levemente, y un agradable hormigueo me recorrió todo el cuerpo. Habría continuado tocando sus dedos, pero me metí la pastilla en la boca como me había ordenado. No sabía a nada y me la tragué. Apenas había llegado a mi estómago y todo desapareció: las arcadas, el malestar, las náuseas y, sobre todo, el ansia por el pequeño tubo de ensayo. Ya no quería morder a nadie en el cuello. Volvía a ser yo misma.

Al recuperar el juicio, me entró un miedo terrible: ¿estaba en un palacio? ¿¡¿Con Drácula en persona?!?

—¿Te encuentras mejor? —me preguntó con su hermosa voz y un interés sincero.

Asentí con cautela.

—Seguramente deseas saber por qué te he traído aquí, ¿verdad?

En realidad, yo sólo deseaba saber cómo podía huir de allí. Pero preferí callármelo.

—Antes que nada —comenzó a explicar Drácula—, estamos en uno de mis palacios, a veinte kilómetros del lugar poco hospitalario donde te he recogido.

Bien, eso significaba que mis hijos y mi marido no llevaban mucho tiempo solos. Eso no quería decir que no hubieran provocado una desgracia, al fin y al cabo eran Von Kieren, pero podría reunirme con ellos rápidamente, suponiendo que Drácula me dejara. Por desgracia, no parecía estar por la labor.

—Me gustaría hablarte de la profecía —dijo muy serio Drácula.

—¿La profecía? —pregunté.

—La profecía de los *kree*.

Eso no me aclaró nada.

—Hace diez mil años —comenzó—, los *kree*, una línea colateral de los neandertales, recorrieron las vastas tierras salvajes que actualmente conocemos por Europa del Este.

No parecía muy interesante. Seguro que habría sido más divertido cruzar las vastas tierras salvajes que actualmente conocemos por Mallorca.

—Entre los *kree* había un adivino, Harboor. Tenía el don de lenguas, estaba en contacto con los antiguos dioses de la tierra y podía ver el futuro.

Seguro que le había fastidiado tener que recorrer Europa del Este en una época en que aún no se había inventado el GPS.

—Harboor vio el futuro y profetizó a sus hermanos: «Un día vendrá al mundo una criatura con una increíble sed de sangre. Sobre esa criatura caerá una maldición: ¡en su interior habitará un alma! Pero, en el futuro, toda persona a la que transforme con su mordisco en un vampiro perderá su alma y se convertirá en un ser incapaz de amar. Y el sediento de sangre con alma estará condenado a vagar mil años por el mundo sin encontrar el amor...»

La mirada de Drácula brillaba atormentada. ¿Había vivido el pobre realmente tanto tiempo sin amor? Nadie merecía ese destino. Realmente nadie. Ni siquiera el príncipe de los malditos. En ese momento sentí una lástima infinita por él. Y no me pregunté si era moralmente correcto sentir compasión por semejante ser.

—Pero el vampiro —prosiguió Drácula con la profecía— encontrará un día a una igual en cuyo pecho también habitará un alma.

Mucho me temí que ahí entraba yo en juego.

—Y él amará a esa criatura.

Drácula me dedicó una mirada llena de sentimiento. ¿Se había enamorado realmente de mí? ¿De una mujer casada, con unos kilos de más antes de la transformación y frustrada? Al menos para él, después de mil años sin amor, yo era una gran esperanza. Con tanta desesperación, esa esperanza podía confundirse con el amor. Había visto algo parecido en mi vieja amiga Taddi, que llevaba tiempo sola y, en su desesperación, siempre se enamoraba de tíos de los que yo pensaba: «Uf, chica, ¡a ti no te da asco nada!»

Drácula me cogió la mano. El contacto me provocó un agradable hormigueo, igual que antes. Unas pequeñas descargas placenteras me recorrieron la espalda. Y mi corazón inexistente comenzó a palpitar con fuerza. Aquello era lo más excitante que había sentido por un simple contacto desde hacía años.

—... y esa criatura lo amará... —continuó con la profecía, hablando en voz baja e irresistible.

Mi corazón inexistente comenzó a acelerarse.

—... y los dos vivirán amándose hasta el fin de los días...

Eso era mucho tiempo.

Sin embargo, tal como me miraba Drácula, tan lleno de esperanza... de nostalgia... con un aire de deseo... y amor... Sí, había amor en su mirada... Eso era impresionante..., realmente fascinante.

En ese momento, hasta el final de los días no me pareció tanto tiempo. Y mi cerebro volvió a hacer las maletas después de tantos años.

MAX

—A lo mejor también podemos darle unas cuantas vueltas a la niña antes de la pelea...

Desde que había salido a hacer mis necesidades, Jacqueline no paraba de ponerme verde en un pequeño claro del bosque, y se me caía la cara de vergüenza por mi falta de valor. Siempre había imaginado que, con el físico adecuado, yo tendría madera de héroe. Ahora que por fin tenía un cuerpo fuerte, seguía siendo un desertor patético. Por eso aún me herían más los comentarios de Jacqueline.

—Y cuando esté mareada, la subimos a la barra de equilibrios...

—¡Ya basta! —exclamé. No podía soportar más sus humillaciones. Sobre todo porque estaba en lo cierto.

—No creo —dijo Jacqueline sonriendo burlona—. A lo mejor prefieres pelear contra un pobre conejito...

—¡He dicho que ya basta!

—Me refiero a uno de esos conejitos que se compran en la sección de peluches...

—¡Pero yo no estoy intelectualmente tan atrofiado como tú! —bramé.

Quería devolverle los golpes, herirla. Y por eso procuré tocarle su talón de Aquiles.

—¿Qué me has dicho? —preguntó.

—Tonta —traduje.

—¡Yo no soy tonta! —dijo furiosa.

—¿Ah, no? Pues entonces explícame, por ejemplo, que es una hipotenusa —la reté.

—Muy fácil... —replicó haciéndose la chula.

—Pues explícamelo —seguí provocándola.

—Bueno... —Pensó.— Una hipotenusa... es una especie de *dragqueen*...

—Esperaba una respuesta parecida —dije; me reí con arrogancia y rematé—: Llamarte burra es ofender a las acémilas.

Eso le tocó de verdad. Y me extrañó. El comentario tampoco había sido tan ocurrente.

—Algo parecido me dijeron mis padres cuando me escolarizaron.

Se dio la vuelta muy tocada, se encendió un cigarrillo mientras se iba y me dejó solo en el bosque. Aunque por fin había dejado de incordiarme, me sentí peor que antes. Había perdido a una buena amiga antes de tenerla como amiga.

O como algo más.

Cretino de mí, me encaminé hacia otra dirección y medité sobre las desastrosas circunstancias en las que nos encontrábamos: éramos monstruos, mamá había desaparecido y yo era un cobarde; más aún, un cobarde asqueroso. Añoraba tanto un buen libro. O incluso uno mediocre. Entonces se me ocurrió pensar que, sabiendo lo cobarde que era, probablemente no podría identificarme nunca más con héroes como Harry Potter, sino sólo con cobardes asquerosos, como Mundungus Fletcher. Y entonces me pregunté angustiado si la lectura volvería a ser algún día un placer para mí.

—Así está bien —oí decir de repente a Ada.

Doblé un recodo y la vi sentada sobre un tronco caído, dejando que un leñador le masajeara el cuello.

—¡ADA! —grité indignado—. No... no puedes hipnotizar al pobre hombre...

—Hum —contestó con aires de suficiencia—. Vaya si puedo, ya lo he hecho.

—Pero no puedes pedirle que te haga un masaje en el cuello en esta situación... —No me lo podía creer.

—Tienes razón —contestó Ada sonriendo burlona—. Un masaje en los pies mola más.

Se volvió hacia el leñador y le pidió el tratamiento correspondiente. Él se arrodilló junto a ella y comenzó a masajearle los pies.

—¡Esto es inmoral! —la reprendí.

—¿Qué, no tienes que ir a buscar ningún palo por ahí? —replicó agobiada mi hermana.

Era increíble. Ada no tenía intención de parar. Yo era cobarde y malo. ¡Pero ella abusaba de los superpoderes que acababa de adquirir! ¿Qué nos pasaba a los Von Kieren? ¿Nos habíamos convertido todos en monstruos ahora que éramos monstruos?

ADA

—Te... te has dejado seducir por el lado oscuro —balbuceó el tarado de mi hermano, y se puso a rascar con las patas la tierra del bosque.

—Y tú por el melodrama —contesté.

Hacer que te masajearan los pies seguramente estaba muy lejos de construir una estrella de la muerte y de pulverizar algún planeta con siete mil millones de hombrecillos verdes.

Max rascó más fuerte el suelo con las patas y me miró

con desprecio. Y cuando un incordio de hombre lobo te mira asqueado, ya no puedes disfrutar de nada. Por eso suspiré y le pedí al leñador:

—Tráeme un bonito ramo de flores silvestres, por favor.

—¡Cómo no! —exclamó, y se adentró en el bosque.

La pequeña princesa que había en mí siempre había querido que le regalaran un ramo de flores silvestres. Pero, por desgracia, esa idea había sido muy poco realista con los chicos con que me había enrollado hasta entonces. Ni en sueños se les habría ocurrido comprarme uno o, mejor aún, hacerlo ellos mismos. Por eso siempre le había dicho a la pequeña princesa que había en mí: «Quítatelo de la cabeza.» Sin embargo, gracias a mis nuevos poderes de hipnosis, se abrían nuevas posibilidades para la princesa y para mí.

Me levanté del tronco para intentar explicarle a Max mi conducta:

—Esta situación es una mierda, ¿no? Pues al menos intento sacarle el mejor partido.

—¡Éste no es el mejor partido!

—Deja de darme lecciones de moralidad. Para variar, no está mal que alguien sea amable conmigo.

—¿Aunque no lo haga sinceramente?

Max tenía razón, claro, aquello no tenía nada que ver con la amabilidad sincera, yo también lo sabía. Aun así, objeté:

—Pero es mejor que nada.

Sin embargo, yo misma me pregunté si realmente era mejor que nada. Seguro que no era mucho mejor que nada, eso lo tenía claro. Sólo un poco mejor. Por otro lado, ¿un poco mejor que nada acaso no era también mejor que nada?

Vi al leñador cogiendo flores para mí dentro del bosque, y de repente me dio lástima. Estaba pagando por algo que había roto Jannis.

No, no era mejor que nada. De hecho, incluso era mucho peor. Me sentí culpable. Totalmente culpable.

—Mamá se ha ido —dijo Max, arrancándome de mis pensamientos—, y no sabemos dónde está.

—Cheyenne cree que está con Drácula —dije.

—¿Drácula...? —preguntó Max, y su cara de lobo se desfiguró con una mueca de asombro—. ¿El vampiro?

—No, Drácula, el maestro pastelero —contesté con los nervios de punta.

—¿El maestro pastelero? —Max estaba desconcertado.

—Pues claro que es el vampiro —dije con los nervios aún más de punta.

—¿Lo sabe papá?

Max se tragó lo de Drácula sin hacer más preguntas. Por lo visto, después de todo lo que había ocurrido, para él era del todo creíble que mamá estuviera con Drácula y que realmente existiera un vampiro jefe. Y que Max se lo creyera hizo que, por desgracia, la idea también se volviera más realista para mí.

—Ni idea de si Cheyenne se lo ha contado a papá —contesté, no muy segura.

—Drácula... —balbuceó preocupadísimo Max.

Estaba a punto de echarse a llorar. Y yo no lo soportaría, porque cada vez tenía más miedo por mi madre. Para que Max no llorara, y yo tampoco, solté:

—Mamá volverá y me pegará la bronca, ¡como siempre! Y a ti te cogerá en brazos, ¡por algo eres su preferido!

—No, tú eres su preferida —replicó mi hermano con acritud.

Se me escapó la risa.

—Pasa mucho más tiempo contigo —dijo, ahora amargamente.

—Gritándome sofocada.

—Sólo se fija en ti...

—Pues eso me hace tanta falta como tener acné... —lo interrumpí.

Pero Max estaba tan dolido que no me escuchaba, y continuó hablando:

—... y luego no le queda energía para mí. Cuando discutís, a mí sólo me pregunta: «¿Cómo estás?» Y no presta atención a lo que le contesto. —Me miró con tristeza y se ratificó—: Está clarísimo, tú eres su preferida.

Me quedé perpleja. Lo que me contaba era un disparate. Si te gritan como a mí, no puedes ser la preferida. Pero Max hablaba en serio. Su tristeza, su rabia eran totalmente sinceras.

—A mí también me gustaría poder tratarla igual de mal —dijo con amargura—. A lo mejor entonces también tendría tiempo para mí.

Luego se fue caminando a cuatro patas.

—¿A... dónde vas? —le pregunté.

—A la furgoneta. A esperar. Mientras tanto, tú puedes pedirle un tratamiento con fango a tu víctima hipnotizada.

Observé a Max mientras salía del claro del bosque caminando lentamente con el rabo entre las patas. Estaba muy confusa. Si Max tenía razón y yo era la preferida de mamá, entonces..., entonces..., eso era... estrambótico.

El leñador volvió en aquel preciso momento con un ramo de flores silvestres precioso. Pero las flores ya no nos apetecían ni a mí ni a la princesita que había en mí. Por eso le pedí:

—Regálale el ramo a quien quieras de verdad.

—Gracias —contestó—. A Peter le hará mucha ilusión.

Desapareció en el bosque, lo miré asombrada un momento y volví hacia la furgoneta absorta en mis pensamientos. Me sentía mal por haber hipnotizado al leñador y me asombraba que Jannis no tuviera mala conciencia por aprovecharse de las chicas. ¿Cómo se podía hacer algo así sin sentirse miserable como me sentía yo? Jannis era mucho peor de lo que imaginaba. Una persona con tan pocos escrúpulos no merecía que pensara en ella ni un solo segundo más. Y, en efecto, cuando lo comprendí definitivamente, dejé de pensar en él. Había dejado de tener importancia en mi vida.

La cuestión era: ¿con quién sería feliz?

¿Existiría ese alguien?

La bruja me había dicho: «Tú no tiene idea de qué va a hacer con tu vida.»

Por desgracia, la vieja tenía razón.

En mi clase, había gente que ya tenía un plan: querían ser banqueros, abogados o paisajistas, como Jenny. Pero, hasta entonces, yo sólo había pensado en cosas tan tontas como los tíos.

No soñaba con una profesión normal como los demás. Por desgracia, tampoco tenía ningún gran talento. ¿Era ésa mi idea de la vida?

Mientras cavilaba, oí gritar a papá en la furgoneta, furioso y con un ataque de celos:

—¿¿¿DRFMULA???

EMMA

Mi cerebro se negaba a entregar las llaves del cuerpo a mis sentimientos para irse al Caribe. Las maletas ya estaban hechas. ¡Pero no podía permitirme el viaje! Por mi matrimonio. Por mi familia. Y porque «princesa de los malditos» no era la respuesta que quería dar a la pregunta: «¿Cómo se imagina dentro de cinco años?»

Por eso le grité a mi cerebro:

—¡Deja las maletas!

—¿Cómo dices? —preguntó Drácula desconcertado, y me soltó la mano.

¿Qué tenía que contestarle? No podía explicarle que estaba en un tris de sentir algo por él y que incluso quería que volviera a cogerme la mano porque era muy agradable. No podía animarlo.

—Ejem... No es más que un refrán —dije.

—¿Y qué significa? —insistió Drácula, por desgracia.

—Bueno..., que..., ¿que hay que dejar las maletas? —expliqué vagamente.

Drácula me miró un instante como si yo fuera la que tenía la cabeza llena de murciélagos. Luego volvió a cogerme la mano y mi cerebro sacó las bermudas del armario.

—¡Deja las bermudas! —exclamé.

Drácula sonrió.

—Lo que dices no tiene sentido... Pero es fascinante.

Dios mío, se encontraba en la fase de enamoramiento en la que todo lo que hace la persona amada se considera fascinante, incluso que se taladre los oídos con la música de Q-Tip.

—Estamos hechos el uno para el otro —afirmó Drácula—, tal como profetizó Harboor.

Haciendo acopio de toda mi fuerza de voluntad, aparté la mano y dije:

—Tiene que ser... un malentendido... Seguro que el tal Haribo se equivocó con su profecía.

—Harboor —me corrigió Drácula.

—Da igual... ¿Qué sabría él? Vivió hace diez mil años. Por aquel entonces, la gente moría a los veinte y los que a esa edad aún conservaban tres dientes eran los reyes de la buena dentadura.

—Harboor profetizó el descubrimiento de la rueda, la caída del Imperio Romano, las Cruzadas...

Tragué saliva. Por lo visto, aquel individuo contaba con un buen porcentaje de aciertos.

—¿No te estarás cerrando en banda a nuestro destino común por tu familia? —preguntó Drácula.

No contesté.

—¿Tan maravillosa es? —continuó preguntando.

—Hum... Sí, claro... en cierto modo —respondí con evasivas.

—¿Te hacen feliz?

—A veces —contesté titubeando.

—¿Sólo a veces?

Callé, triste.

—«A veces» es muy poco para una mujer como tú —señaló, y yo luché por no darle la razón íntimamente.

Se dirigió a la mesa, se sentó en el trono de madera donde yo me había sentado antes y dijo:

—Puedo ofrecerte riquezas inconmensurables, amor y pasión infinitos. Durante una vida infinita. ¿Y tú optas seriamente por una familia que no te hace feliz?

Formulado de ese modo, parecía realmente una idiotez.

En cambio, su oferta era seductora. Igual que él como hombre. De manera muy distinta a como lo había sido Frank en otra época. Frank era un hombre con el que podías sentirte protegida y con el que podías fundar una familia, cosa que ya había hecho. También era el hombre que el día anterior me había llevado al extremo de plantearme una triste pregunta: «¿Lo he hecho todo bien a lo largo de mi vida? ¿O sólo la mitad de las cosas?»

En cambio Drácula era el chico malo fascinante por antonomasia. Con él se podía disfrutar de una vida salvaje, llena de pasión y, gracias a sus empleados, seguro que nunca había que discutir quién bajaba la basura.

Pero lo mejor era que, a diferencia de lo que hacen los chicos malos, él no me abandonaría nunca. Sabía qué significaba estar soltero durante mil años. Y carecía de alternativas, porque los demás vampiros no tenían alma como nosotros. Y las humanas estaban descartadas. Por lo tanto, Drácula nunca se fijaría en el trasero de Stephenie Meyer. No, él me ofrecía la inmortalidad. Riquezas. Pasión. Amor eterno. Con él podría dar la vuelta al mundo. Admirar países exóticos. ¡Conquistar el mundo! Vivir una vida aventurera como la que había soñado de niña. Pero que nunca había podido vivir. Por mi familia.

Había ofertas peores.

Por ejemplo, Frankenspedo.

¡Oh, no! ¿En qué estaba pensando?

No podía pensar en eso. ¡Era una locura!

Yo amaba a mi Frankenspedo. ¡Era demencial!

—Por favor, llévame con mi familia —le pedí tan decidida como pude.

Para mi sorpresa, Drácula contestó:

—Por supuesto. Te prometí que podrías regresar con ellos.

—Bien —repliqué, y procuré disimular la sorpresa que me causó que se rindiera tan pronto.

Drácula se levantó del trono de madera, se acercó a mí y me sonrió amorosamente:

—Emma, pronto reconocerás que estamos hechos el uno para el otro, y entonces abandonarás a tu familia.

—No... No lo haré —tuve el valor de contestar.

Drácula calló, no insistió. Para colmo, también parecía comprensivo. Otra ventaja respecto a Frank. Y no había soltado ni una sola ventosidad.

En vez de continuar hablando, Drácula me dio un ligero beso en la mejilla. Tierno. Con labios suaves como el terciopelo. Gratamente aturdida, retrocedí unos pasos, me di con el hueso de la música en el canto de la mesa y agradecí muchísimo el dolor, que solapó el hechizo del beso.

Mientras el dolor se calmaba, lo comprendí: para que la profecía del profeta desdentado no se hiciera nunca realidad, tenían que pasar unas cuantas cosas. Tenía que ocuparme de encontrar a la mendiga para que volviera a transformarnos. Eso estaba claro. Pero, además, tenía que hacer algo más para resistirme al inmenso atractivo de Drácula: tenía que ocuparme activamente de ser más feliz con mi familia. ¡Mucho más feliz!

Poco después, cuando el chófer arrancó, me sentí tan aliviada como afligida por no estar cerca de Drácula. Para distraerme de mis sentimientos encontrados, volví la vista hacia la magnífica propiedad, de la que salíamos cruzando una gran puerta, y me pregunté cómo podía permitirse Drácula tener tantos palacios en todo el mundo. Puesto que no era capaz de responderme a mí misma, se lo pregunté al chófer. El hombre se pasó la mano por su mata de pelo a lo Joachim Löw y me explicó:

—Cuando uno es inmortal, tiene que desarrollar un buen olfato para los negocios si quiere evitar dormir debajo de un puente durante siglos.

Parecía lógico. Así pues, la inmortalidad también comportaba retos de aúpa. Por lo visto, Drácula los superaba brillantemente. Eso no lo hacía menos atractivo como hombre. Lástima.

—El maestro —prosiguió el chófer— también posee varios grupos empresariales. Entre ellos, uno al que le puso el nombre de un paisano de su mismo pueblo natal. Un *voyeur* que se llamaba Guguel.

¿Esa empresa era de Drácula? Eso explicaba la laxitud de la compañía de Internet a la hora de tratar los derechos de los demás.

—Entonces —concluí—, ¿Drácula ha sabido de mí por sus satélites?

El chófer se frotó con nerviosismo su oreja izquierda de príncipe Carlos.

—¿Tengo razón? —pregunté.

—No me corresponde a mí comentar esas cosas —dijo, y condujo hacia la carretera.

Me dio la impresión de que quería ocultarme algo importante.

—¿Sabe que soy una vampira? —dije, intentando intimidarlo un poco para que desembuchara.

—Llevo una cruz —replicó.

Sólo con pensarlo, me dio un escalofrío. Pero sentía demasiada curiosidad para consentir que se librara de mí tan fácilmente.

—También sabe que su maestro está loco por mí. Diría que no le hará ninguna gracia si le explico que usted ha querido seducirme —lo amenacé con una sonrisa en los labios.

—¡Pero si no quiero! —protestó.

—Bueno, supongo que será su palabra contra la mía —dije sonriendo con aires de suficiencia.

A Carlos-Joachim le entró miedo. Y noté que me complacía mucho atemorizar a alguien. En ese momento comprendí por qué a tanta gente le gustaba ser el jefe.

—Fue así —se doblegó la mezcla de príncipe Carlos y Joachim Löw—: yo llevaba al maestro a su palacio natal de Transilvania y, de repente, en la calzada apareció una mujer de la nada... Frené en seco...

—¿Qué? —lo interrumpí—. ¿Una mujer de la nada?

—Si lo entendí bien, era una bruja, y le habló de usted, madame. Por desgracia, no sé nada más. Mi señor se bajó del coche y siguió hablando con la mujer en la calle.

Sólo podía ser Baba Yaga. Así pues, conocía a Drácula. Y le había hablado de mí. ¿Qué significaba eso? ¿Me había creado la bruja adrede para ser la novia de Drácula? Y, si era así, ¿con qué propósito? ¿Y por qué me había elegido precisamente a mí? Había material para novias mucho mejor que el mío, al menos si hacía caso de mi suegra, que me había endilgado el mote poco halagador de «la elección equivocada».

Todavía me pasó otra idea por la cabeza: por lo visto, Baba Yaga no había ido directamente a Transilvania. Me había imaginado que se había plantado mágicamente allí, pero, siendo una moribunda, quizás estaba demasiado débil para eso. Por lo tanto, era muy probable que pudiéramos pillarla de camino, suponiendo que hubiera optado por la misma ruta que nosotros, cosa bastante improbable. Pero, como suele decirse, la esperanza es lo último que se pierde. Una máxima que también se pronuncia después de afirmaciones como:

«Nuestras centrales nucleares son seguras.»

«Si la orquesta toca es que el barco no se hunde.»

«Si no hacemos ruido, el rinoceronte pasará de largo.»

O también: «Con el próximo será distinto.»

Gracias a los satélites de Guguel, Carlos-Joachim supo por dónde campaba Cheyenne con mi familia. Mientras avanzábamos a trompicones por el camino de tierra que nos llevaría hasta la furgoneta, aparté a Baba Yaga y a Drácula de mi mente. Porque, en el fondo, sólo importaba una cosa: tenía que volver a ser feliz con mi familia. Para conseguirlo, tenía que encontrar tres llaves que había perdido en los últimos años: las llaves que abrían los corazones de Ada, Max y Frank.

Cuando la furgoneta de color amarillo chillón estuvo al alcance de la vista, le pedí al chófer que parara. Quería recorrer a pie los últimos metros para aclarar mis pensamientos. Bajé del coche y, mientras me alejaba, oí murmurar en voz baja a Carlos-Joachim:

—Tengo que cambiar de profesión urgentemente.

Me dirigí hacia mi familia muy agitada emocionalmente. Al llegar a la furgoneta, Max corrió contento hacia mí, me saltó encima y tuve el tiempo justo de decir:

—Lametones no, por favor.

Max encogió la lengua, se puso a mi lado y lo acaricié efusivamente. Una experiencia del todo nueva en la relación interpersonal con mi hijo. Miré hacia Ada, que estaba apoyaba en un árbol, y me pareció distinguir una sonrisa de alivio por debajo de las vendas. De repente oí a mis espaldas un profundo gruñido que hizo vibrar el suelo del bosque. Me volví y vi a Frank, bastante furioso.

—¿DRFMULA? —rugió enfadado.

—Sí... Drácula —reconocí, intentando bajar la vista, avergonzada.

—¿Pffff? —preguntó enfadado.

—¿Pffff? —No lo entendí.

—Diría que si fuera un monstruo inglés —intentó aclarar Cheyenne—, estaría preguntando si «fuck».

Oh, Dios mío, ¿creía que me había ido a la cama con Drácula?

—¿Pfolfo?

—Y diría —intervino de nuevo Cheyenne— que eso significa pol...

—¡YA LO HE ENTENDIDO! —la interrumpí.

Entonces observé a Frank. Dios mío, estaba realmente celoso. Por un lado, me sentí pillada; cierto que no había habido polvo, pero sí manitas. Por otro, en cierto modo era fantástico que Frank estuviera celoso. En su forma humana, siempre estaba demasiado cansado para mostrar semejantes emociones. Su nuevo cuerpo parecía tener la ventaja de que sus sentimientos volvían a despertar. Eso también tenía algo bueno.

—No polvo —le contesté a Frank sonriendo.

—El nivel oral de esta familia degenera rápidamente —comentó Max.

Frank me escrutó con la mirada y yo se la sostuve sonriendo. Entonces decidió creerme, en su rostro de monstruo se dibujó una mueca que era una sonrisa de alivio y suspiró:

—¡Uff!

Yo también respiré aliviada. Pero Frank volvió a preguntar:

—¿Pfolfo?

En esta ocasión, lo hizo señalándome a mí y señalándose él. Dios mío, ¿quería acostarse conmigo? ¿Momentos de amor entre monstruos? De repente no estuve tan segura de que me pareciera bien que los sentimientos despertaran de nuevo en su nuevo cuerpo.

Antes de que pudiera contestarle, Ada dijo:

—Creo que los padres no deberían hablar de sexo en presencia de sus hijos. Porque luego los hijos necesitan sesiones de terapia caras, en las que tienen que cantar con otros perturbados «pajaritos por aquí, pajaritos por allá...».

—O necesitan mucho, pero que mucho alcohol —completó Jacqueline—. Y ya que estamos con el tema: me importa un rábano si los viejos practican sexo. ¡Tengo una sed y un hambre bestiales!

No había pensado en ello: los roqueros nos habían atacado antes de que pudiéramos pedir los menús ahorro.

—Y yo estoy cansada —dijo Ada, en la que el agotamiento físico seguramente se mezclaba con el psíquico.

Miré al cielo: el sol se ponía por encima del bosque, aún nos quedaban casi dos días y medio hasta que a Baba Yaga le llegara su hora. Además, tenía que disfrutar de un poco de tranquilidad con mi familia si quería acercarme de nuevo a ellos para encontrar las llaves de sus corazones. Calculé que, si no dormíamos demasiado, podíamos pasar la noche en algún sitio y llegar a tiempo a Transilvania.

—Buscaremos algo de comer y un sitio para dormir —dije.

Todos parecieron agradecerlo. Frank también me miró esperanzado.

—Aflli, ¿pfolfo?

Cheyenne sonrió burlona.

—Creo que pregunta si...

—¡YA LO SÉ!

Después de que Cheyenne comprara suficiente comida en el McAuto más cercano —no estaba la situación como para que una madre se preocupara por la alimentación equilibrada de sus hijos—, nos alojamos en uno de esos hoteles a 39 euros la noche que se encuentran cerca de las autopistas. Esos hoteles baratos tienen la ventaja de que una máquina sustituye de noche al personal de recepción, y no levantamos revuelo. Al dirigirnos a nuestras habitaciones por los pasillos iluminados con fluorescentes, Max me empujó con el hocico y me preguntó:

—¿Cómo has neutralizado la sed de sangre?

Le conté lo de la pastilla de Drácula. Cuando acabé, me preguntó:

—¿Te ha dicho Drácula cuánto dura el efecto del sucedáneo de sangre?

¡Oh, no! ¡En eso no había pensado para nada!

—¿Toda una vida inmortal? —preguntó Max—. ¿Un mes? ¿Un día? ¿Dos horas?

Naturalmente, no sabía la respuesta. Así pues, le contesté confundida:

—Otro consejo que te irá bien en la vida, hijo mío: a nadie le gusta que lo alerten de cosas desagradables.

Para escapar de las ganas de apareamiento de Frank y pasar un tiempo con Ada, distribuí las habitaciones como sigue: Frank / Max, Jacqueline / Cheyenne y Ada / una humilde servidora. Fui con mi hija momia a una habitación equipada con váter autolimpiable, dos mantas carcelarias y un caduco televisor de tubo.

No obstante, me alegraba de poder estar a solas con Ada, aunque la pobre estuviera cansada y nerviosa. Así podría encontrar la primera de las tres llaves que necesitaba para salvar a mi familia.

—Qué bien que tengamos tiempo para estar juntas —le dije para animarla.

Me miró como si hubiera dicho: «Qué bien que las dos tengamos gastroenteritis.»

—Quiero decir... que por fin podemos charlar un rato tranquilamente.

Casi se pudo oír a Ada pensando crispada: «Súuuuper.»

—Una verdadera conversación madre-hija—proseguí de todos modos, contenta. No podía esperar que se abriera a mí enseguida.

—Si vuelves a hablarme de educación, me tiro por la ventana —contestó.

Ese tema me apetecía tan poco como a ella. Las conversaciones sobre educación que le había impuesto a Ada en los últimos años seguramente no se contaban entre los momentos estelares de la historia de la comunicación.

—No —la tranquilicé—, iba a preguntarte si querías alguna cosa.

—¿Además de dejar de ser una momia? —contestó.

—Me refería a alguna cosa de mí... como madre —le aclaré con dulzura.

Me escrutó con la mirada y, cuando le sonreí, me preguntó esperanzada:

—¿Va en serio?

—Sí. Totalmente en serio.

—Bueno —titubeó al principio—, antes que nada, estaría bien que no me gritaras tanto.

Me habría gustado contestarle «Gracias, igualmente», pero repliqué:

—A mí tampoco me divierte pasarme el día vociferando. Dejaré de hacerlo.

—¿Prometido? —preguntó, no muy convencida.

—Prometido. —Incluso lo corroboré levantando los dedos en señal de juramento.

Ada sonrió. Le encantaba lo que le había prometido. Por primera vez en mucho tiempo vi una sonrisa en su cara, y eso me hizo feliz.

—¿Eres feliz con tu trabajo en la librería? —me preguntó entonces de sopetón.

—¿Qué?

—¿Que si eres feliz de verdad con tu trabajo?

—¿Por... por qué lo preguntas?

—Bueno —se sinceró—, yo... estoy reflexionando sobre mi vida y sobre qué hacer con ella..., si algún día salimos de este rollo de los monstruos, claro.

Me sorprendió. Me había formulado una verdadera pregunta de hija a madre. Al parecer, funcionaba, estaba restableciendo el contacto con ella, y esta vez era mejor. Quizás recuperaría la llave de su corazón.

Pero ¿qué podía contestarle? Decidí probar con la sinceridad:

—No me siento muy feliz con la librería.

—Hum —contestó; al parecer, mi respuesta no le había servido de mucha ayuda.

—¿Y en qué piensas? —le pregunté con cautela.

—En esto y en aquello —contestó Ada.

—¿Todavía es poco preciso?

—Bueno, me gustaría encontrar algo que me llenara totalmente, pero...

—... no sabes qué.

Ada asintió con la cabeza.

—Todavía eres muy joven. Concéntrate en los estudios, y luego ya verás.

Las dos nos callamos un momento. Luego, Ada preguntó:

—¿Eso es todo?

—¿Cómo dices?

—Te pido un consejo para saber qué hacer con mi vida, ¿y me dices que me concentre en los estudios? ¿Nada más?

Tenía razón, eso quizás era demasiado pragmático.

—Bueno, cuando acabes el instituto —proseguí—, ya tratarás de encontrar alguna cosa que te guste...

En su cara de momia se veía que eso tampoco la ayudaba. Ella quería respuestas. Ahora. Ya. Pero yo no podía dárselas.

—Ten paciencia —le dije, sonriendo levemente.

—Estaba cantado —suspiró decepcionada.

—¿Qué estaba cantado? —pregunté.

—Da igual.

—Dímelo... —insistí.

—Estaba cantado que alguien que no ha encontrado

nada que valga la pena en toda su vida no podía ayudarme.

No tendría que haber insistido.

Su comentario me hirió. Sobre todo porque yo había encontrado el trabajo de mis sueños, pero luego me había quedado embarazada de ella y había dejado el puesto por ella.

—A mí no me hables así —refunfuñé.

—Hablo como me da la gana —replicó Ada tranquilamente.

—¡NO LO HAGAS!

—Has dicho que no volverías a gritarme —dijo con acritud.

En eso tenía razón.

—Estaba cantado que no mantendrías tu promesa ni un minuto.

—Lo siento —dije, intentando suavizar la situación.

—Vale —replicó, pero me miró con aquella mirada despectiva que tanto me hería y al mismo tiempo me enfurecía. Siempre me transmitía la sensación de que era una madre penosa.

—¿En serio no hay nada que te parezca bien de mí? —le pregunté dolida.

Calló.

—Bueno, seguro que se te ocurren cuatro o cinco cosas, ¿no?

Sin respuesta.

—¿Dos y media? —intenté bromear a duras penas.

—Sabes llevar a la gente a situaciones de mierda.

Eso me tocó, porque era cierto en el caso de los monstruos. Pero no quería reaccionar con rabia y me dije en pensamientos: «No conseguirá hacerte rabiar.»

—Y también eres bastante buena poniendo a la gente de los nervios.

«No conseguirá hacerte rabiar», me repetí como si fuera un mantra.

—Incluso eres muy buena estropeando mi vida como has estropeado la tuya.

Vale, lo consiguió.

—¡A mí también me gustaría tener una hija diferente! —refunfuñé a voz en grito—. Una hija que no lo suspenda todo, que no me grite, que colabore en las tareas de casa y que no me haga sentir que soy un auténtico monstruo.

—Si quieres una hija modélica, te la pintas —replicó Ada muy dolida.

Miré en los ojos negros que asomaban por detrás de las vendas y vi que en ellos brotaban las lágrimas. ¡Idiota de mí! En una situación tan crítica como aquélla, le había hecho aún más daño a mi hija. Ella a mí también, pero yo era la adulta y tendría que haberme controlado. Me habría abofeteado allí mismo, a ser posible con una máquina de abofetear inventada por Ungenio Tarconi y funcionando a la máxima potencia.

—Lo... lo siento, Snufi —dije con voz queda.

Ada calló, triste y herida. Luego encendió el pequeño televisor de tubo, sólo apto para la chatarra, y adoptó su postura patentada de «No le quitaré la vista de encima ni diré nada hasta que desaparezcas».

Me levanté de la cama y salí de la habitación. Triste. Ni siquiera ahora, cuando se trataba de preservar mi familia, encontraba la llave del corazón de mi hija.

Salí de la habitación sintiéndome una fracasada total en cuestiones educativas, y me topé con Max.

—¿Por qué no estás en tu habitación? —le pregunté perpleja.

Aunque fuera un hombre lobo, me preocupaba que rondara a esas horas por un hotel tan siniestro. A saber lo que podía encontrarse.

—Tenía que salir a hacer pipí —dijo.

—¿No hay lavabo en la habitación? —pregunté sorprendida.

—Soy un lobo —replicó Max—. Para mí, los lavabos son un problema logístico complicado.

No había caído en la cuenta.

—Lo he intentado en el que hay en el cuarto —continuó explicando—, pero he resbalado de la taza y he colisionado con el portarrollos de metal.

Me enseñó un pequeño rasguño que le sangraba por encima de uno de sus ojos marrones de lobo. La sangre no me atrajo lo más mínimo. Así pues, la pastilla seguía funcionando. Eso me alivió, y también me alegré de encontrar a Max justo después de la debacle con Ada: seguramente me costaría menos encontrar la llave de su corazón. Al fin y al cabo, nunca había discutido con él. Era más bien una persona silenciosa, demasiado tranquila.

—¿Y qué haces tú en el pasillo? —preguntó.

—He discutido con Ada —confesé.

—Estaba cantado —dijo molesto, ofendido de verdad, como si me hubiera enfadado con él y no con su hermana. Su conducta era un tanto extraña.

—¿Cómo estás? —intenté desviar la conversación hacia él.

—Eso a ti no te importa, a ti sólo te importa Ada —me espetó, y me dejó totalmente perpleja.

—Ejem, ¿de dónde sacas eso?

—¡Te gusta discutir con ella! —refunfuñó.

—Sí, claro —me eché a reír—, me gusta tanto como hacerme un empaste.

—Yo también sé —dijo—, ¿lo pruebo?

—No, gracias —contesté. A esas alturas, ya estaba del todo estupefacta.

¿Qué ejército de moscas le había picado?

—Tú... eres... eres un residuo de ectoplasma —intentó ofenderme. Con bastante poca gracia, pues su intelecto le ponía trabas. En tanto que Ada sabía maldecir como un marinero con gonorrea, Max parecía una ricura cuando ponía el grito en el cielo. Tuve que reprimirme para no sonreír, porque si le daba la sensación de que no me lo tomaba en serio, seguramente lo heriría.

—Eres... ¡eres un cromañón! —continuó intentándolo.

Me costaba de verdad no sonreír.

—Eres... eres... una vil... una vil... —balbuceó.

—¿Qué? —pregunté divertida, puesto que no se le ocurría nada y respiraba nervioso.

—... ¡vileza!

No pude evitarlo, se me escapó la risa.

—¡Yo no le veo la gracia! —me increpó furioso, y su voz de lobo casi se volvió chillona.

—Te quiero tantísimo —dije—, que no puedes molestarme con nada.

—¡Vaya si puedo! —contestó.

Cinco segundos después, tenía una pernera empapada de líquido caliente.

La última vez que Max se me había orinado encima había sido hacía diez años, cuando le cambiaba los pañales. Entonces aún fui capaz de reírme y amenacé al bebé en broma: «Cuando me presentes a tu primera novia, se lo contaré.»

Pero mi hijo era ahora un hombre lobo, y aquello no

había tenido tanta gracia. Max me miró triunfal y salió corriendo. Era evidente que tampoco había encontrado la llave de su corazón. ¿Qué había hecho mal para que mis hijos me odiaran tanto? A lo mejor era realmente una mala madre. A lo mejor, pensé con tristeza, a lo mejor estarían mejor si me hubiera ido con Drácula.

Y yo también.

En medio de mis tristes pensamientos, oí decir:

—¿Efma?

Me volví y ahí estaba Frank, en la puerta de su habitación. Sonreía afablemente. Bueno, tan afablemente como puede sonreír el monstruo de Frankenstein. Me acarició la mejilla cariñosamente. Bueno, tan cariñosamente como puede acariciar el monstruo de Frankenstein: pareció un cachete. Luego hizo un gesto torpe con la mano pidiéndome que entrara en su habitación. Dudé un poco, pero repitió mis palabras de antes, con voz de carraca:

—No pfolfo.

Sonreí con satisfacción y entré con él. Quizás podría encontrar al menos la tercera llave, la de su corazón. Nos sentamos sobre la cama, que se encorvó tanto con el peso de Frank que casi tocamos al suelo. Después de un breve silencio, le pregunté si recordaba la vida antes de la transformación.

Frank se concentró en la búsqueda de una respuesta. Casi podía verse cómo se movían lentamente las ruedas dentadas del engranaje mal engrasado de su cerebro. Al final de un proceso mental muy, pero que muy lento, contestó:

—Un pfofco.

Bueno, eso era mejor que nada.

Estuvimos callados un rato más, luego hice acopio de valor y le pregunté:

—¿Todavía sientes algo por mí?

En vez de gruñir algo, cogió el bloc de dibujo que se había llevado de la furgoneta, y dibujó. Cuando acabó el primer dibujo, me lo enseñó:

Me conmovió. Era una monada. Y Frank también lo era en aquel momento.

—¿Qué habrías hecho si Drácula y yo realmente...? —No completé la pregunta, pero estaba claro a qué me refería.

Frank volvió a coger el bloc y se puso a garabatear alterado:

Al ver el dibujo, me eché a reír a carcajadas. Me sentó bien. Era la primera vez que me reía desde que nos habían transformado en monstruos.

—¿Y qué me habrías hecho a mí? —pregunté.

La respuesta llegó en el acto:

Me eché a reír de nuevo. Fue fantástico reír tanto. Liberador. Y estuvo bien que quien lo provocara fuera mi propio esposo.

Agradecida, le di un beso en el tornillo de la mejilla. Sabía a metal oxidado. Su rostro gris enrojeció con el beso. Fue maravilloso, pues eso significaba que no tenía que encontrar la llave de su corazón, ya la tenía. Así pues, no había perdido del todo a mi familia.

ADA

Puesto que el televisor de tubo que había en la habitación sólo se veía con interferencias, subí a la azotea del hotel para despejar el coco. Estaba bastante destrozada: hay cosas mejores que oír decir a tu propia madre que querría tener una hija diferente. Yo no era su preferida, como pensaba el tarado de mi hermano, sino su diana preferida. Además, no había avanzado un solo paso en la cuestión, que no me había planteado nunca hasta el día anterior, de «qué quiero hacer con mi vida».

Al llegar arriba, vi algo que me arrancó de mis tristes pensamientos. La vieja bruja estaba en el extremo más apartado del tejado plano del hotel y parecía hecha papilla: estaba empapada en sudor, pálida y temblorosa. Normal, se iba a morir dentro de cuarenta y ocho horas.

—¿Qué tú hace aquí? —me preguntó, tan sorprendida como yo. Por lo visto, la vieja no tenía ni idea de que nosotros también habíamos parado a hacer noche en ese hotel.

—¡Vas a transformarnos de nuevo ahora mismo! —grité sin pensarlo.

—No pienso hacer —contestó, y trató de levantarse.

—Pues yo atizo a ti en tarro —la amenacé.

—Yo no tiene tarro —contestó desconcertada la bruja.

—Pero a ti salir buen chichón.

—Tu habla raro —comentó, ya de pie y tambaleándose.

La vieja tenía razón, no podía seguir hablando como un indio.

Corrí a toda prisa hacia ella y, cuando ya casi la había alcanzado, recordé mis poderes de hipnosis. Frené, me planté delante de la vieja y la miré profundamente a sus ojos verdes, que brillaban como un lago donde habían vertido cantidad de residuos radioactivos.

—Quiero que vuelvas a transformarnos —dije.

La vieja se echó a reír a carcajadas, que parecían balidos repugnantes. La bruja también era inmune a mi hipnosis; por lo visto, sólo funcionaba con la gente normal.

—Yo maga —dijo con aires de superioridad.

—No, ¡tú pronto envío yo a hospital! —grité.

—Tú habla otra vez raro —dijo, y sonrió tan ampliamente que se le vieron todos los dientes podridos.

—¡ARGGGG! —grité furiosa y levantando el puño.

—¡Y ahora grita raro! —Sonrió más ampliamente todavía.

Se divertía cachondeándose de mí. Igual que yo me divertiría liberando a su boca de los dientes que le quedaban. Cuando estaba a punto de atizarle, sacó el amuleto de plata con su mano temblorosa y masculló:

—*Re invoc a terici...*

El amuleto comenzó a brillar y me entró el canguelo: ¿quería matarme la vieja con un hechizo?

—¡NO! —grité despavorida, y detuve el golpe.

Pero ella continuó mascullando como si nada:

—*Enver ti terici...*

El amuleto brillaba con tanta intensidad que me cegó. No podía ver nada, pero golpeé de todos modos, puesto que sabía dónde estaba la bruja... Mi puño no la alcanzó. Y no porque hubiera apuntado mal, no. La bruja había desaparecido. ¡La muy idiota se había esfumado! El golpe dio en el aire, mi propio impulso me arrastró, perdí el equilibrio y tropecé. Mi pie derecho chocó contra el borde del tejado. Luego le siguió el izquierdo. Y me precipité en el vacío.

Descendí cabeza abajo a toda pastilla, el viento me silbaba en los oídos. Por extraño que parezca, no tenía miedo. Sólo estaba infinitamente triste: mi vida aún no había empezado de verdad.

Me habría echado a llorar, pero no me venían las lágrimas. Todavía me entraron más ganas de llorar porque no podía llorar.

De repente se me pasó por la cabeza que quizás mi cuerpo intentaba decirme alguna cosa, algo así como: «¡No lloriquees, idiota! Has desperdiciado tu vida compadeciéndote de ti misma y por eso no has hecho nada. Deja de lloriquear al menos en el último momento.»

Si ése era el mensaje, ¡mi cuerpo tenía razón! No había hecho más que quejarme. ¡También podría mover el culo y cambiar mi vida! Abandonar los estudios, viajar como había hecho Cheyenne, que era mucho más feliz con su vida que mamá, todo hay que decirlo.

Exacto, ¡eso sí que era un plan! Hacer lo mismo que Cheyenne: irme de casa, ver mundo ¡y descubrir qué me llenaba y me hacía feliz!

«No hay nada bueno hasta que uno mismo lo hace», decía un autor que habíamos estudiado en clase de literatura alemana. ¿Quién había sido? ¿Goethe? ¿Schiller? ¿Me importa un pepino?

Lástima que una llegue a sabias conclusiones de ese tipo cuando sólo le quedan siete segundos de vida. En semejante situación, lo de «mejor tarde que nunca» no servía de consuelo.

Pero no pensaba quejarme ni ser una llorona en los últimos instantes de mi vida. Quería enfrentarme a la muerte con valor. De repente, noté que me agarraban por el tobillo y frenaban bruscamente la caída. Abrí los ojos y vi que mi cara se acercaba a la pared del hotel.

—¡AHHH! —grité, pero no sirvió de nada, claro. Choqué de cabeza contra el muro. Me dolió horrores.

Acto seguido, oí a Jacqueline decir desde arriba:

—Suerte que no es una persona de verdad, o ahora tendría cara de pizza margarita sin queso.

Levanté la vista y me di cuenta de que me balanceaba cabeza abajo y papá, que estaba en una ventana abierta con el resto del grupo, me sujetaba por el tobillo. Por lo visto, me habían oído discutir con la bruja y papá me había agarrado en plena caída libre, ¡y me había salvado la vida!

Después de que me aupara por la ventana, me eché en sus brazos. Papá soltó una carcajada estruendosa y me estrechó con tanta fuerza que casi me ahoga. Hasta que mamá dijo:

—Creo que deberías soltarla.

Compartí su opinión.

Papá me soltó. Sin darme tiempo a examinarme el tórax en busca de posibles contusiones, mamá me abrazó e incluso vertió unas cuantas lágrimas de alivio.

—Mi Snufi..., mi pobre peluchito...

Estuve a punto de llorar con ella, pero recordé la conclusión a la que había llegado durante la caída: ¡mis días de llorona tenían que acabar de una vez por todas! Me liberé del abrazo y aparté un poco a mamá, cosa que la desconcertó. La miré y recordé de nuevo la discusión que habíamos tenido antes. Todavía me dolía que prefiriera tener una hija diferente. Gracias a la caída, se me había despejado la cabeza y vi muy claro de qué manera podría irnos mejor a las dos, de qué manera tenía que hacerme con las riendas de mi vida: tenía que alejarme de ella. Mucho. De todo. Descubrir el mundo. Como Cheyenne.

—¿Dónde está Baba Yaga? —dijo Max, interrumpiendo mis pensamientos.

—Ha hecho un numerito de magia y ha desaparecido —contesté, y les conté rápidamente nuestro encuentro.

—¿Qué hacía aquí la bruja si no sabía que estábamos en el hotel? —preguntó mamá, que se secó las lágrimas con la manga.

—Se le estarán acabando los poderes mágicos —dedujo Max—. Y sólo puede trasladarse unos cientos de kilómetros en dirección a Transilvania con su magia.

—Pues tendríamos que saber adónde ha ido—opinó mamá—, y tenderle una emboscada.

—Por desgracia, la pitufa Baba Yaga no me ha dicho adónde pensaba dar el salto —dije compungida.

—Si encontramos su habitación, a lo mejor descubrimos alguna pista —propuso Max, y echó a correr por el pasillo del hotel con el morro pegado al suelo—. ¡Su olor es cada vez más intenso!

Mientras los demás corríamos tras él tan deprisa como podíamos, me alegré de no ser un hombre lobo. Para un olfato normal, la bruja ya olía peor que un vestuario de chicos.

—Aquí, ¡es esta habitación! —gritó de repente Max, lleno de júbilo.

Entramos corriendo.

—Ni ropa ni nada —constaté decepcionada.

—Por lo visto, las brujas viajan ligeras de equipaje —añadió mamá.

—¡Ahí hay un *flyer*! —dijo Jacqueline, señalando un folleto que había encima de la cama.

Mamá lo cogió.

—Es de Madame Tussauds. ¿En Viena? ¿También tienen un museo de cera?

—Como nosotros en Berlín —dijo Max—, son franquicias.

—¿Qué mierda es eso? —preguntó Jacqueline.

—Una franquicia es...

—... eso ahora da igual —lo interrumpí, y pregunté—: ¿Por qué querría la bruja ir allí? ¿Aprovecha sus últimas horas para hacer turismo?

—Si hay que creer en la cábala judía —Max volvía a estar conectado en modo conjetura—, en el mundo hay lugares donde los efectos de la magia son más fuertes y donde se cruzan líneas de fuerza mágicas formando nudos de comunicaciones.

—¿Y también son nudos de comunicación para seres que viajan por arte de magia? —lo interrumpió mamá.

—Menuda tontería —comentó Jacqueline y, excepcionalmente, compartí su opinión.

—Los cabalistas que crearon el Golem creían en esos nudos de comunicación —se ratificó Max.

—El Golem es un personaje mitológico inventado —lo contradijo mamá.

—Lo mismo pensábamos de Drácula y Baba Yaga.

—*Touché* —dijo mamá, asintiendo con la cabeza.

—Entonces, ¿el Museo de Cera Madame Tussauds es uno de esos nudos de comunicación mágicos? —pregunté dubitativa.

—Y también debe de serlo este hotel —contestó Max.

—Pero nosotros no podemos viajar por arte de magia —señaló mamá—. Sólo tenemos una furgoneta. Tardaremos unas horas en llegar a Viena. Y, para entonces, Baba Yaga ya estará cruzando los Cárpatos.

—No creo —repliqué esperanzada—. La vieja estaba hecha polvo, reunió sus últimas fuerzas para desaparecer. A lo mejor está tan acabada que tiene que descansar en Viena y podemos atraparla.

Mamá meditó un momento y luego dijo decidida:

—¡Saldremos ahora mismo! Y obligaremos a la bruja a que nos transforme de nuevo y nos devuelva a Berlín por arte de magia.

«O a cualquier otro sitio», pensé. De repente, lo vi más claro que el agua: si pillábamos a la bruja, no la obligaría a que me transformara otra vez. La obligaría a llevarme muy lejos, a un lugar donde pudiera encontrar la felicidad.

EMMA

Viajamos de noche por la autopista hacia Viena. Yo iba sentada al lado de Cheyenne, en el asiento del copiloto, y cada vez que levantaba el pie ni que fuera un poco del acelerador, la obligaba a volver a pisarlo a fondo. En la parte de atrás de la furgoneta, Frank roncaba en el suelo, y Jacqueline jugaba con su iPhone sin dignarse a mirar a Max. En cambio, Ada parecía de buen humor, totalmente cambiada. ¿La había animado la adrenalina que corría por sus venas a causa de la caída? ¿O tal vez la perspectiva de que, con un poco de suerte, pronto dejaría de ser una momia? No quise preguntárselo, notaba que aún no me había perdonado por la discusión y me avergonzaba de haberla atacado tan duramente.

Dejé de observar a Ada y volví a mirar a Cheyenne: ella no tenía hijos con los que tuviera que pelearse. En contrapartida, tampoco había sentido nunca la felicidad que da tenerlos.

—¿No te has arrepentido nunca de no haber tenido hijos? —le pregunté.

Cheyenne se quedó sorprendida un momento, y luego contestó:

—Bueno, un día leí que la gente que tiene hijos vive más años.

—¿De verdad? —pregunté.

—Sí, pero también envejece antes.

Me eché a reír, y ella rió conmigo. Sin embargo, noté que sólo había querido disimular su melancolía.

—¿Nunca quisiste tenerlos? —insistí.

—Sólo con un hombre. Pero no pudo ser —me contó, esforzándose por que la voz le sonara lo más neutral posible.

—¿No sería con Drácula? —pregunté espantada.

Cheyenne negó moviendo con vehemencia la cabeza, pero no me reveló de qué hombre se trataba si no era el príncipe de los malditos. Callamos un rato y luego dijo:

—Me gustaría ser tú.

Eso me desconcertó.

—¿Porque tengo familia?

Cheyenne soltó una carcajada.

—¿Por tu fa...? ¡No deberías hacer reír a una vieja con problemas de incontinencia!

—Pues, entonces, ¿por qué? —pregunté estupefacta.

—Eres un vampiro. Eres inmortal...

Parecía muy melancólica. No me extraña, al fin y al cabo, ya era mayor y no le quedaban demasiados años de vida. Cuando yo tuviera su edad, ¿acaso no me maldeciría a mí misma por haber rechazado la oferta de juventud eterna que me había hecho Drácula? ¿Cuando fuera en silla de ruedas, tuviera incontinencia urinaria, reuma y verrugas, y tuviera que discutirme con los del seguro médico por la financiación de mi dentadura postiza?

—Y puedes tener relaciones sexuales con Drácula.

Los ojos le brillaron con el recuerdo de las que ella había mantenido antaño con él.

—¿De verdad es tan bueno? —le pregunté, y al instante me arrepentí de haber sido tan curiosa. Esas preguntas no debían hacerse cuando buscabas las llaves de los corazones de tu familia.

—Antes de conocer a Vlad —contestó Cheyenne—, no había oído nunca hablar de «múltiple».

Yo sólo conocía la palabra por las revistas femeninas. No pude evitarlo: por un momento me imaginé en la cama con Drácula. Si un simple roce de su mano podía excitarme tanto, ¿qué ocurriría si nos acostábamos juntos? En mi mente apareció un videoclip de erupciones volcánicas, fuegos artificiales y anguilas en movimiento.

—Y tiene una cosita enorme —prosiguió Cheyenne—, como una criatura marina.

—¿Una criatura marina?

—De una novela de Julio Verne.

—Brrr —Fue mi primera reacción ante semejante metáfora.

—No, nada de «brrr» —dijo con una amplia sonrisa—, más bien ¡yupiiii!

—¿Yupiiii? —pregunté.

—O yabba-dabba-doo.

—Mejor yupiii.

—Eso mismo dijo Drácula.

Para echar de mi cama mental a un Drácula desnudo y a su criatura marina, miré de soslayo a Frank. Roncaba y, por desgracia, no tenía un aspecto muy seductor. En su forma actual, era rudo, y en su formato original nunca me había tocado como el príncipe de los malditos.

Dios mío, sólo me quedaba la llave del corazón de Frank, ¿y una parte de mí quería tirarla por Drácula? ¡Inadmisible! Tenía que controlarme. Fijo que me sentiría orgullosa cuando, siendo una vieja decrépita, le explicara al empleado del seguro médico que había renunciado a todo lo «múltiple» por mi matrimonio. Y fijo que no me importaría que él me hiciera un corte de mangas.

Sí, seguro. Tan seguro como que encontraría las llaves del corazón de mis hijos. Y tan seguro como que venceríamos a la bruja, y tan seguro como que... el Sol gira alrededor de la Tierra.

Suspiré.

Cheyenne suspiró conmigo.

Y entramos en Viena suspirando a dúo.

Madame Tussauds se encontraba en el Prater, justo al lado de la noria gigante, cuyas cabinas se balanceaban a un lado y a otro en el aire matutino. Al contrario que la noria, el museo de cera todavía estaba cerrado. Delante del edificio sólo patrullaba un vigilante cachas. Llevaba uniforme negro, gorra, barba de chivo y una porra; resumiendo, era un individuo del tipo «No hay problema en el mundo que no se pueda resolver con la violencia».

Al acercarnos, nos gritó agresivo:

—Eh, frikis, ¿qué hacéis aquí? ¡Esfumaos!

—¿Nosotros somos unos frikis? —preguntó Ada—. ¿Quién es el que lleva una barba de chivo?

El vigilante agarró instintivamente la porra, pero antes de que se convirtiera en un peligro para nosotros, Ada lo miró profundamente a los ojos:

—Quiero que nos dejes entrar en el museo de cera.

El hombre sacó contentísimo la llave, dijo: «Pues claro» y abrió la puerta maciza. Pensé que aquellos poderes de hipnosis tenían que ser de lo más práctico en la vida cotidiana: en los servicios de asistencia al cliente, en los controles policiales y, sobre todo, en la educación de los hijos.

—Y ahora quiero —le pidió Ada al vigilante— que dediques el resto de tu vida a salvar crías de foca.

El hombre asintió moviendo enérgicamente la cabeza y se marchó a toda prisa, y yo me lo imaginé atizando golpes de porra en el futuro a los que mataban crías de foca a porrazos.

Entramos. Dentro se exponía el típico surtido de figuras de cera: Madonna, Michael Jackson, George Bush, el más tonto de los dos... Y también austríacos célebres: Sigmund Freud, Niki Lauda, Arnold Schwarzenegger, vestido de Terminator, y Adolf Hitler.

Pasamos por delante de Brad Pitt y Angelina Jolie. Observé a aquella mujer fuerte: ¿cómo lo conseguía la Jolie? Tenía como diecisiete hijos, y más casas todavía, rodaba películas a docenas y, además, según la prensa rosa, había encontrado tiempo para engañar a su pareja con Bill Clinton en la cumbre del Foro Económico Mundial celebrada en Davos. Aunque yo tuviera tantas niñeras y asistentas como ella, estaría destrozada al cabo de una semana de llevar esa vida, y seguramente me habría dormido encima de Bill Clinton.

—Ni rastro de nuestra hada desdentada —constató Ada.

—A lo mejor te has equivocado con lo de los nudos de comunicación mágicos, Max —apunté.

—No, estoy casi seguro de que Baba Yaga está aquí —contestó mi hijo, y la voz le temblaba.

—¿Por qué lo dices? —pregunté.

—Bueno, Michael Jackson se está moviendo.

Me volví y era cierto: la figura de cera de Michael Jackson venía lenta y torpemente hacia nosotros.

—De acuerdo, ése podría ser un buen argumento —dije tragando saliva.

No sólo se había puesto en marcha Michael Jackson, sino también Sigmund Freud, Arnold Schwarzenegger, Angelina Jolie y Mozart. No, espera, no era Mozart, era Falco disfrazado de Mozart como en el videoclip de *Rock Me Amadeus.*

Las figuras de cera avanzaban con andares siniestros, con movimientos sincopados, igual que Michael Jackson en el videoclip de *Thriller,* pero la coreografía era un tanto peor. No destacaban por su rapidez, pero nos cerraban el paso hacia la salida, y daba la impresión de que no nos dejarían salir nunca de allí.

—Vaya —gimió Ada—, estaba cantado que encima nos encontraríamos con unos zombis.

—Zombis contra monstruos —dijo Jacqueline, intentando que no se le notara el miedo—, sería un título guay para una película.

Las figuras de cera estaban a punto de atacarnos, y la expresión atontada de sus caras me dio miedo: seguro que aquellas criaturas no se lo pensarían dos veces antes de matarnos, porque eran incapaces de pensar.

Gracias a Dios, Frank estaba con nosotros. Se acercó decidido a Sigmund Freud, gritó «Ufta» y le arrancó la cabeza de cera de un puñetazo. La cabeza voló por medio gabinete y Max lo celebró exclamando:

—¡Analiza eso, Sigmund!

Por desgracia, Sigmund continuó avanzando como si nada, con los brazos estirados y sin cabeza.

—Fmiefda —maldijo Frank.

—Fmiefda total —corroboró Ada, hacia la que se dirigía Terminator-Schwarzenegger tambaleándose.

Cada figura de cera se había concentrado en uno de nosotros. A por mí venía Angelina Jolie. Antes de que pudiera reaccionar, la Jolie me dio un puñetazo en la cara y retrocedí trastabillando. El golpe fue tan fuerte que, si hubiera tenido mi cuerpo normal, seguramente me habría dejado medio muerta. Me retumbaba la cabeza y Angelina se preparaba para seguir arreándome. Presa del pánico, busqué con la mirada a mi alrededor y vi la figura del príncipe Carlos, vestido con uniforme de gala y que no había despertado a la vida. Corrí hacia ella y le robé el sable. Angelina me siguió tambaleándose al estilo zombi. Empuñé el sable, corrí hacia ella y grité:

—¡Apechuga con esto, superwoman!

Y le clave la hoja en la barriga. Sin embargo, la esperanza de eliminarla sólo duró un momento: el acero atravesó la cera como..., bueno, como se atraviesa la cera. La estocada no sólo no detuvo a la Jolie, sino que no le hizo absolutamente nada.

—Oh, no —balbuceé.

—Me sumo a tu «oh, no» —resolló Cheyenne, a la que Falco-Mozart había arrinconado contra la pared. Ese Amadeus moderno la rockanrolearía en unos segundos.

—Ya sé porque los museos son una mierda —refunfuñó Jacqueline, que se las tenía con Michael Jackson.

El músico de cera intentó derribarla, pero ella lo esquivó y, demostrando un fantástico espíritu de lucha, le arreó una patada en la entrepierna al rey del pop. Sin embargo, el golpe no tuvo efecto, ni siquiera se oyó el célebre gritito de Michael Jackson: «¡Iiiihi!»

—Odio a los tíos que no tienen huevos —dijo Jacqueline.

Luego miró a Max, que era el único al que los zombis de cera habían dejado en paz, o bien porque sólo se abalanzaban contra las personas o bien porque él no suponía una amenaza: estaba agazapado en medio de todo el jaleo, asustadísimo.

—Y ya que estamos con tíos sin huevos —le gritó Jacqueline—, un poco de ayuda sería genial, ¡listillo!

En vez de ayudarla, Max salió corriendo. Despavorido. Atemorizado. Gimiendo.

Como madre, no es que te llene de orgullo que tu hijo sea un perro —o un hombre lobo— cobarde, pero te alivia enormemente: al menos él sobreviviría. Sin nosotros, probablemente acabaría en un centro de acogida de animales, pero ese destino era mejor que la muerte en el Museo de Cera Madame Tussauds. Yo tampoco podía ayudar a Jacqueline porque Angelina Jolie se acercaba cada vez más a mí, empujando centímetro a centímetro su cuerpo de cera intacto por el sable. Entretanto, Frank intentaba atrapar a Sigmund Freud, que caminaba como una gallina decapitada; Falco estrangulaba brutalmente a Cheyenne y Terminator-Schwarzenegger había tirado al suelo a Ada. Mi hija se levantó a toda prisa, pero él volvió a derribarla, de manera que Ada no se atrevió a volver a ponerse en pie y huyó de él arrastrándose de espaldas.

—¡Estaría bien que alguien tuviera una idea, o pronto me tocará un «Sayonara, Baby»! —gritó asustada.

Pero a nadie se le ocurrió nada. Estaba claro: *Zombis*

contra monstruos era una historia muy poco imparcial. Aquellas bestias mágicas eran invencibles. No teníamos la más mínima posibilidad de salir de allí con vida.

MAX

Al llegar al exterior, lo primero que hice fue pipí en la farola más próxima. Sentía una tristeza mortal: yo no era un héroe, era una criatura sin coraje, indigna del amor de Jacqueline.

Ay, ay, ay, pero ¿qué estaba procesando mi mente? ¿Quería que Jacqueline me quisiera? ¿Una chica que me despreciaba y me había metido de cabeza en el váter? Mejor no saber cómo lo habría analizado un psiquiatra como Sigmund Freud.

Daba igual: nunca tendría posibilidades con ella. Incluso en el caso improbable de que Jacqueline sobreviviera a la matanza, me consideraría un listillo cobarde, y con razón.

¡Un momento! Al recordar cómo me había llamado, se me ocurrió una idea: el valor no era mi especialidad, pero en cuestión de inteligencia tenía unas cuantas cosas que ofrecer. Y quién ha dicho que un héroe sólo puede pelear empleando la fuerza física, ¡también existe la fuerza mental!

Pensé febrilmente: ¿cómo se podía detener a los zombis? ¿Qué podía destruir el componente básico que les daba vida, la cera? Al cabo de pocos segundos, llegué a una conclusión muy simple.

Corrí hacia la furgoneta, cogí con el hocico el desodorante barato de Jacqueline y regresé tan deprisa como pude al museo de cera. Al ver el pandemonio que allí se había montado, mejor dicho, panzombio, el terror volvió a atenazarme. Me quedé paralizado un momento. Pero luego vi el rostro de Jacqueline. Y noté que tenía miedo. Un pánico cerval. Mi gran amor —sí, ya bastaba de mentiras, quería a Jacqueline— estaba a punto de ser asesinada por Michael Jackson. No podía permitirlo. Mi preocupación por ella era superior a mi miedo. Corrí a su lado, dejé caer el bote y grité:

—¡Toma!

—¿Desodorante? ¿Estás majara? ¿Me estás diciendo que apesto, en plena pelea...? —gimió Jacqueline.

—¡Saca el mechero! —le grité.

Entonces lo comprendió. Cuando se trataba de machacar a alguien, su cerebro era capaz de procesar los datos a toda velocidad.

Para ganar tiempo, le pegué un mordisco a Michael Jackson en la pierna. Fue como roer un cirio, pero sirvió: la figura de cera soltó a Jacqueline para intentar sacudirme. Jacqueline se dio prisa en coger el bote, se sacó el mechero del bolsillo de la chaqueta y se plantó delante del zombi. Luego roció desodorante en el aire y encendió el mechero justo delante del chorro de espray. Se produjo una llamarada y le flambeó la cara a Michael Jackson. Se le derritió. La figura de cera retrocedió envuelta en llamas, se tambaleó por la sala como una antorcha viviente y, finalmente, se desplomó.

—¡Qué guay! —exclamó Jacqueline, y la emprendió contra las demás figuras con el lanzallamas improvisado.

Les prendió fuego a una tras otra, hasta que todos estuvimos a salvo y la sala entera olía a cera quemada y a desodorante. Al final, se detuvo resollando en medio de las figuras derretidas y me dijo:

—¡No eres tan cobarde!

Oír eso de su boca me puso eufórico. A mi modo, quizás sí que tenía madera de héroe.

—Y tampoco eres tonto —añadió Jacqueline sonriendo.

Fue maravilloso que dijera eso. Y aún fue más maravilloso el modo en que me sonrió. Pensé que sería realmente fantástico que algún día llegáramos a ser pareja, a pesar de la gran diferencia de edad —más de dos años— y del hecho de que, de momento, yo era un hombre lobo. ¡Porque eso era definitivamente lo que yo quería!

EMMA

Max y Jacqueline nos habían salvado; los dos formaban un equipo bastante bueno. Y, tal como Jacqueline miraba a mi hijo, tal vez podrían llegar a ser algo más que un equipo. Se la veía realmente impresionada con su manera de actuar.

Ya sólo nos faltaba encontrar a la bruja. Sin embargo, antes de que pudiéramos emprender la búsqueda, Ada gimió de repente:

—¡Oh, mierda!

—Oh, mierda, ¿qué?

—Oh, mierda, ¡Adolf Hitler!

Nos volvimos y vimos que la figura de cera de Adolf Hitler venía hacia nosotros.

—¡Oh, mierda! —maldije.

—¡Lo que yo decía!

Así pues, aquello no había acabado. Y no sólo no había acabado, ¡sino que acababa de empezar! Detrás de Hitler, todas las figuras del museo se habían puesto en marcha: desde el príncipe Carlos hasta Spiderman, desde los Rolling Stones hasta Franz Beckenbauer, desde Muhammad Ali hasta el Dalai Lama... Aquello era un nuevo reemplazo de zombis de cera.

—¡Fmieda, Fjitler! —renegó Frank.

Y se dispuso a ir a arrancarle la cabeza a Hitler. Aunque lo comprendía, lo detuve cogiéndolo del brazo: él tampoco tenía ninguna posibilidad contra cientos de zombis de cera.

—¿Cuánto desodorante queda? —le pregunté a Jacqueline.

—Lo he tirado casi todo.

—Me lo temía.

Me habría encantado flambear a Hitler con el resto del desodorante, pero me pareció mucho mejor otra idea:

—¿Quién está a favor de huir?

El resultado de la votación fue inequívoco.

Le pedí a Frank que cargara con Cheyenne, que empezaba a recuperar el sentido, y corrimos hacia la salida. Los zombis nos siguieron, y de repente oímos gritar a Baba Yaga a nuestra espalda:

—¡Vosotros no escapa de mí!

Al salir corriendo del museo, espantamos a los pocos turistas matutinos que había en el Prater, que huyeron despavoridos en todas las direcciones cuando luego vieron a los zombis de cera que nos perseguían.

—Tenemos que ir a algún sitio donde esos bichos no puedan atraparnos —grité.

—¿No podrías ser un poco más concreta? —dijo Max jadeando.

Busqué con la mirada, vi la noria gigante y dije:

—¡A la noria! Cuando estemos en el aire, no nos seguirán.

Corrimos hacia la noria gigante. Al llegar, le pedí a Ada que hipnotizara al encargado antes de que él también huyera. Lo miró a los ojos y, tal como yo le había propuesto, le pidió que hiciera subir la noria lo más rápidamente posible. Luego nos montamos en una cabina, ascendimos a toda velocidad y nos pusimos a salvo de la horda por el momento.

Desde arriba pudimos ver que Baba Yaga también salía del museo y seguía a sus criaturas hechizadas. Tal como Ada nos había contado en el hotel, la bruja parecía bastante enferma y débil. Sólo le quedaba un día y medio de vida. Pero, por desgracia, no estaba lo bastante debilitada para darse por vencida. Levantó su amuleto brillante, masculló algo y las figuras de cera interrumpieron la persecución. Luego, avanzaron tambaleándose para reunirse.

—¿A qué juegan? —preguntó insegura Ada, que tenía la nariz vendada pegada a la ventana de la cabina—. ¿Al corro de la patata?

La figura de Adolf Hitler tocó la del Dalai Lama, y las dos se fundieron en un montón de cera. Luego, Franz Beckenbauer tocó el montón y también se fundió con él. Así una figura tras otra, hasta que se formó una enorme bola de cera de más de un metro de altura delante de Baba Yaga. Con sus conjuros, la bola creció a lo alto y luego, cuando ya casi era tan alta como la noria gigante, la cera comenzó a formar una nueva criatura, un monstruo parecido a un lagarto, un...

—Godfzillfa —dijo Frank tragando saliva.

El lagarto monstruoso se acercó lentamente a la noria. ¿Cómo se le había ocurrido a la bruja pensar en Godzilla? Pegaba más con Tokio que con Viena. Claro que un monstruo de tarta de chocolate seguramente habría sido menos terrorífico.

—Esa vieja ya me está cargando —se lamentó Ada.

—Ghidorah nunca aparece cuando lo necesitas —dijo espantadísimo Max.

—¿Y ése quién es? —preguntó Jacqueline.

—Un monstruo de tres cabezas que le da leña a Godzilla.

—Joder, sí que sabes cosas —dijo ella, impresionada—: los enemigos de Godzilla, lo de la calva y los nudos de comunicación mágicos...

—Cábala —la corrigió Max.

—Eso ahora entra en la categoría de «me la suda», ¿no? —comentó Ada.

—En eso tienes razón —dijo Cheyenne, que seguía en brazos de Frank, pero volvía a estar totalmente consciente—. Da la impresión de que ese monstruo quiere hacerse un hula-hop con la noria.

—Me gustaban más los zombis —afirmó Max, y se escondió debajo de un asiento. Que tuviera miedo desconcertó un poco a Jacqueline.

Godzilla no sólo venía directo hacia nosotros, también demostró qué se proponía al lanzar fuego por la boca con gran estruendo y reducir a cenizas una de las casetas del Prater.

—Vaya —se lamentó asustada Ada—, no quiero saber qué habrá comido para eructar tan asquerosamente.

Nuestra cabina casi había alcanzado la parte más alta de la noria, y pudimos mirar directamente a los ojos amarillos del lagarto, ambos casi tan grandes como la cabina. Pronto nos llegaría la hora. Miré hacia abajo, a Baba Yaga, que se reía como una loca. Frank siguió mi mirada, vio a la bruja y dijo en voz baja:

—Fmafla pféfcora.

Asentí y me agaché debajo del banco para decirle a Max:

—¿No se te ocurre una buena idea, como antes con el desodorante? Si la tienes, es el momento adecuado para contárnosla.

Pero Max estaba paralizado de miedo y no era capaz de pensar con claridad. Me volví hacia Ada y le dije:

—Hipnotízalo para que se le pase el miedo.

—No funciona con los monstruos. No salió bien con Baba Yaga ni contigo —replicó mi hija.

En ese momento, Godzilla destrozaba la taquilla de la noria con un chorro de fuego ensordecedor.

—¡Inténtalo! —grité despavorida.

Ada se agachó al momento hacia Max, que no paraba de gimotear.

—Quiero que pierdas el miedo y pienses un plan para vencer a Godzilla.

Max dejó de gemir. La hipnosis de Ada había funcionado, o sea que sus fracasos con Baba Yaga y conmigo no se debían a que los monstruos fueran inmunes, sino que tenían otra causa. Pero, claro, no había tiempo para pensar en cuál podía ser.

Max salió de debajo del asiento, caviló un momento y dijo:

—¡Papá tiene que romper la ventana de la cabina!

—¿Y eso por qué? —preguntó Ada—. ¿Para que podamos oler mejor el mal aliento de Godzilla?

—¡Hacedlo!

Frank me miró dudando. Yo no tenía ni idea de qué se proponía Max, pero le pedí a mi marido:

—Haz lo que te dice.

Frank dejó a Cheyenne en el suelo, se preparó, cerró sus potentes puños y golpeó la ventana para hacerla añicos. El cristal se rompió, los añicos cayeron desde una altura de treinta metros y Godzilla se quedó perplejo un momento.

—Ahora, aúpa a mamá —le dijo Max a su padre.

—¿Qué? —pregunté sorprendida.

—... y tírala por la ventana.

—¿QUÉ? —pregunté más alto.

—Bueno, yo también tiraría a veces a mamá por la ventana —comentó Ada insegura—, pero más bien metafóricamente.

—Qué encanto —le dije en tono agridulce.

—Mamá es la que tiene un físico más resistente, después de papá —explicó Max—. Soportará el batacazo si cae en blando.

—¿Y dónde quieres que caiga en blando? —No entendía nada.

—¡Encima de la bruja! Si se queda k.o., el encantamiento desaparecerá, Godzilla se detendrá y estaremos salvados.

—Hostia, ¡bien pensado, Fifi! —comentó Jacqueline.

En ese preciso instante, Godzilla tocó ligeramente la noria con su poderosa pata de lagarto, y el artefacto empezó a oscilar de forma amenazadora. Además, crujía y chirriaba de un modo infernal.

—¡DEPRISA! —exclamó Max.

Dudé, precipitarse treinta metros en el vacío seguramente no era cosa de broma. Pero recordé la caída desde el tejado en Berlín; tendría una posibilidad de sobrevivir, suponiendo que aterrizara realmente encima de Baba Yaga.

Godzilla volvió a tocar la noria, esta vez con más energía, y la hizo oscilar y crujir todavía más.

—¡No sé a qué estáis esperando! —apremió Ada.

—¿Conseguirás darle a la bruja? —le pregunté a Frank, que asintió lentamente con la cabeza.

—Bien, entonces, ¡adelante! —lo animé.

Frank me aupó y me llevó hasta la ventana rota, por donde entraba la calurosa peste que habían provocado los chorros de fuego de Godzilla.

Baba Yaga se encontraba a unos diez metros de los enormes pies del monstruo, que se disponía a golpear por primera vez con sus dos patas. La noria gigante no lo resistiría, eso estaba claro.

Frank me dio un beso en la mejilla, que habría podido ser romántico ante la posibilidad de una muerte cercana, pero sus labios eran duros como dos parachoques.

Luego me lanzó con toda su fuerza fuera de la cabina. Volé por los aires como un hombre bala de circo. Pasé junto a la cabeza de lagarto de Godzilla. El monstruo se volvió, desconcertado, y soltó uno de sus chorros de fuego ensordecedores. Falló por los pelos y achicharró la caseta del martillo de la feria.

Mi vuelo apuntó directo a Baba Yaga. Cuando me descubrió, ya era demasiado tarde para saltar a un lado.

—¡Pifia menuda! —exclamó.

—Se dice menuda pifia, so disléxica —exclamé, y me estampé encima de ella.

Fue increíblemente doloroso, seguramente más para la bruja que para mí. Se quedó k.o. y empezaron a llover figuras de cera sin vida. El hechizo se rompió y Gozdilla se desintegró, tal como había previsto Max. Qué niño más astuto había traído al mundo.

Sin embargo, la lluvia de figuras de cera también supuso un peligro, sobre todo cuando Helmut Kohl estuvo a punto de caerme encima. No respiré tranquila hasta que acabó la tromba. Habíamos superado el peligro y atrapado a Baba Yaga, y lo habíamos conseguido juntos, los Von Kieren trabajando como un verdadero equipo: Ada había hipnotizado a Max, que había tenido la idea del lanzamiento; Frank me había catapultado desde la cabina y yo había abatido a la bruja. ¡Aquélla era una victoria de toda la familia Monster!

Cuando Baba Yaga despertó sobre el suelo adoquinado delante de la noria, los monstruos la rodeábamos. Excepto Frank, que la sujetaba por los hombros con sus manos fuertes para que no pudiera huir. ¡Nadie podía contra nosotros, la familia Monster!

La bruja buscó inquieta algo con la mirada.

—¿Buscas esto? —le pregunté con voz triunfal, mientras le enseñaba el amuleto que, según suponía, necesitaba para sus hechizos.

En los ojos de Baba Yaga brilló una mirada asesina. Por lo visto, mis suposiciones eran correctas.

—¡Tú das a mí eso! —exclamó furiosa.

—Y qué más.

La bruja intentó soltarse de Frank, pero no tenía ninguna posibilidad frente a tanta fuerza.

—Cuando se crean monstruos, no es tan fácil deshacerse de ellos —comenté con aires de suficiencia.

La expresión de su rostro se suavizó de repente, se volvió casi afable.

—Yo no enemiga tuya. Yo, tu amiga —susurró.

—Sí, claro. Has embrujado a mi familia y querías matarnos. Es lo que suelen hacer los amigos.

—Nosotros tiene enemigo común —prosiguió impasible.

—Ya —repliqué—, ¿y quién es?

—¡Drácula!

Me quedé sorprendida un momento. Hasta entonces había visto a Drácula como la tentación más delicada desde que el hombre es hombre, pero no como a un enemigo. Si hasta me había dado una pastilla roja para librarme de cometer una matanza.

—Él echó a mí de patria nuestra, Transilvania.

—¿Cómo es eso? —preguntó Max, que mantenía cierta distancia de seguridad—. Tú eras una bruja poderosa.

—Tampoco bruja poderosa puede luchar contra guardia suya personal de vampiros —explicó acongojada, y añadió—: Yo hace a ti para Drácula. Una vampira con alma era muy gran deseo para él. A cambio, él deja mí morir en patria.

—Pues ahora volverás a transformarnos, ¡o destrozaré tu amuleto! —le contesté.

A la bruja le entró miedo. Sin amuleto no había magia, sin magia no había viaje a la patria y, sin viaje a la patria, había una muerte en las calles de Viena. Quizás era mejor que morir en las calles de Bagdad, Kabul o Wuppertal, pero no era lo que ella deseaba.

—Suelta a Baba Yaga —le pedí a Frank.

Lo hizo y la bruja se levantó a duras penas.

—Tú da a mí amuleto para transformación —pidió.

Iba a dárselo, pero Max gritó:

—No lo hagas. ¡No te fíes de ella!

Me hizo dudar y eso hizo que Baba Yaga esbozara una sonrisa socarrona.

—Si tú no fía de mí, vosotros siempre monstruos.

Ups, dilema al canto.

—Jura que nos transformarás en lo que éramos —le exigí.

—Juro por vida de hijo mío —dijo, y sus palabras sonaron sinceras.

¿Tenía un hijo? Qué sorpresa. No quería ni imaginar cómo saldría un hijo teniendo semejante madre. En cualquier caso, seguro que los maestros no insistirían en que había que asistir a las reuniones de padres. Con todo, una cosa estaba clara: ninguna madre del mundo, fuera o no bruja, juraría nada por la vida de su hijo sin hablar en serio.

—De acuerdo —dije.

—Tú toma sabia decisión —opinó Baba, sonriendo muy tranquila.

Daba la impresión de que ya no era un peligro, incluso Max comenzaba a fiarse de ella. Cuando me disponía a darle el amuleto, Ada me lo quitó de repente.

—¿A qué viene eso? —le pregunté.

—Yo quiero pedirle otra cosa.

Se acercó a Baba Yaga y le susurró algo al oído.

—Tú tendrá nueva vida que desea —le dijo muy cariñosamente la vieja bruja.

—¿Qué nueva vida? —le pregunté perpleja a Ada.

—Una vida mejor para nosotras dos —contestó sonriendo—, una vida en la que no discutiremos más.

¿Significaba eso que mi hija quería que hubiera más harmonía entre nosotras? Si la magia de Baba Yaga lo hacía posible, ¿por qué no? Daba igual de qué manera encontrara la llave del corazón de Ada, la cuestión era encontrarla.

Ada le entregó el amuleto a Baba Yaga, que comenzó a mascullar:

—*Envir nici, bar nici...*

Aparecieron rayos en el cielo, igual que cuando nos transformó en Berlín.

—*Bar mort, bar nici mort...*

Con cada frase que pronunciaba, los ojos de la bruja adquirían un brillo verde esmeralda más intenso, mientras los rayos se juntaban en el cielo formando una bola de fuego. Esta vez tuve una sensación diferente a la que había experimentado en Berlín; en vez de sentir pánico, estaba llena de esperanza: la pesadilla acabaría enseguida y los Von Kieren volveríamos a ser personas.

—*Bargaci, veni, vidi...*

—Una cree que ya lo ha visto todo en la vida... —dijo Cheyenne asustada.

—... y resulta que siempre hay algo que te jiña—completó Jacqueline.

Cheyenne cogió instintivamente a la chica y se la llevó corriendo de allí para ponerse a salvo detrás de la taquilla en ruinas de la noria.

Por el contrario, Max se quedó mirando esperanzado

hacia el cielo; por lo visto, ya no quería ser un hombre lobo. Frank también esperaba contento los rayos. Pero Ada parecía la más feliz. Realmente la ilusionaba que las dos viviéramos pronto en harmonía. Al menos tanto como yo lo deseaba.

—¡*VICI!* —gritó la bruja, y sus ojos despidieron rayos de color verde esmeralda en dirección al cielo, hacia la bola de fuego.

Estábamos juntos.

Sin abrazarnos.

Sin siquiera tocarnos.

Todos esperando la transformación.

Impacientes y cada uno a solas.

Entonces, los rayos descargaron sobre nosotros, los Von Kieren.

Al despertar, noté un calor espantoso. Me quemaba todo el cuerpo. ¿Se debía al rayo? La primera vez no había sido así, me había sentido de otra manera.

Abrí los ojos y levanté la vista: el aire parecía empañado y brillaba un sol implacable. Me di cuenta de que estaba tumbada sobre la arena, y a mi lado yacía el resto de la familia. Sin transformar. Max seguía siendo un hombre lobo, Frank un monstruo y Ada una momia. Ni rastro de Jacqueline y Cheyenne. Me levanté como pude, pero me costó horrores. Estaba claro que continuaba siendo un vampiro. Presa del pánico, miré a mi alrededor y, a través del aire empañado, a lo lejos divisé... unas pirámides.

Ada, que también se había levantado, dijo:

—Diría que la vieja nos ha tomado el pelo.

—Y de qué manera —balbuceé, y estuve a punto de

echarme a llorar porque el juramento de la bruja no había tenido ningún valor.

Frank dejaba caer con incredulidad la arena egipcia entre sus dedos. Miraba los granitos como una vaca miraría un acelerador de protones.

—Me he quedado sin palabras —balbuceó Max.

—Yo incluso sin letras —comentó Ada.

—¿Querías decir fltras?

—Fma o fmeno —contestó Ada.

—Fyo tamfbién.

Contemplé las caras de abatimiento de mis hijos. Miré a Frank, que seguía dejando caer la arena entre sus dedos, sin entender qué había pasado, y comprendí que tenía que ser fuerte. ¿Quién, si no yo? Yo era la que nos había puesto en aquella situación, yo me había dejado engañar por la bruja y ahora también me tocaba conseguir que nos salváramos. Tenía que ser la madre y esposa combativa que nunca había sido en la vida normal. Olvidé el dolor ardiente que me causaba el sol abrasador del desierto. Ya sabía que podía herirme, pero no matarme.

—No tengáis miedo, ¡os sacaré de este desierto! —anuncié con fervor.

—¿Y cómo vas a hacerlo, Moisés? —preguntó Ada.

Max también me miraba dubitativo, en tanto que Frank continuaba jugando con la arena. Esperaba que reaccionaran a mi anuncio con un poco más de entusiasmo. Por otro lado, ¿cómo podía esperar que de pronto confiaran en mí como madre y esposa fuerte? Y, encima, en una situación tan desesperada.

—Conseguiré que nos salvemos —dije, esta vez con voz firme, con una fuerza que incluso a mí me sorprendió.

Frank dejó de jugar con la arena. Todos me miraron poco convencidos, pero también con una ligera esperanza.

—Si confiáis en mí —añadí—, podemos conseguir

cualquier cosa. ¡Somos monstruos con enormes poderes!

La esperanza aumentó.

—Y bien, ¿qué decís? ¿Nos rendimos o luchamos?

—¡Ufta! —contestó Frank con determinación.

—Cualquier cosa es mejor que llorar —dijo Ada.

—O que hacérselo en los pantalones, sobre todo si no llevas —concluyó valeroso Max.

Y así fue como los Von Kieren emprendimos el camino por el desierto.

DRÁCULA

Al venerable Egipto, allí había ido a parar mi adorable Emma, por lo que podía verse en las imágenes que los satélites de mi consorcio proyectaban en la pantalla de mi palacio en Transilvania. La pérfida Baba Yaga no había querido arriesgarse a que nuestro trato quedara anulado: paso franco a Transilvania para que pudiera morir junto a su abominable hijo a cambio de una vampira con alma.

Pulsé el botón del intercomunicador y llamé a mi criado Renfield o, como se decía en aquel siglo, a mi asistente personal. Evidentemente, Renfield no se llamaba Renfield. Pero yo llamaba así a todos mis criados porque iban y venían tan deprisa a lo largo de los años que habría sido una pérdida de tiempo aprenderse sus verdaderos nombres. Renfield era un joven ambicioso, vestido con traje negro y camisa blanca, al que todavía no había transformado de una dentellada en una criatura de los malditos. En los cargos más altos de mis consorcios, igual que en todas las empresas del planeta, trabajaban muchos no-vampiros desalmados.

Oh, cuánto despreciaba a los humanos.

¡El mundo sin ellos sería maravilloso!
¡Un auténtico paraíso!

—Su baño de Lázaro está preparado —dijo Renfield con devoción.

Ese baño diario era vital para mí, pero lo rechacé. Ya lo tomaría luego. Miré la pantalla y observé a la familia de Emma. Había subestimado lo fuertes que eran los lazos de sangre; había confiado en que Emma vendría conmigo enseguida, haciendo ondear las banderas por mi formidable encanto. Pero no lo había hecho. Eso significaba que si quería conquistar a Emma, tenía que actuar.

—Renfield —le dije a mi criado—, tenemos que liquidar a la familia de Emma von Kieren.

—¿Envío a nuestros hombres de la CIA? —preguntó.

—No, me interesa una solución más competente.

—¿A las milicias chechenas?

—No, no son lo bastante crueles.

—¿No querrá a la guardia? —preguntó espantado. Incluso la gente desalmada sentía un terror inmenso ante mi guardia de vampiros.

—No, tampoco —dije—. Habla con nuestro amigo, el faraón Imhotep. Dile que han llegado unos seres a su tierra. Y que uno de ellos ha adoptado la figura de la momia de Anck-Su-Namun, su difunto gran amor, para mofarse de su muerte.

Renfield sintió escalofríos por todo el cuerpo. Sabía de qué terrible venganza era capaz Imhotep.

—Pero que no moleste a la mujer vampiro —ordené por último—. A los demás puede torturarlos hasta la muerte siguiendo su acreditado estilo.

EMMA

¡Calor, calor, calor! Y cualquier cosa que rime con eso. Siempre había querido ver mundo, pero no necesariamente el desierto egipcio a 237 grados centígrados de temperatura relativa. Me ardía la piel, y al fin comprendí por qué los vampiros sentían debilidad por los ataúdes llenos de tierra de su país natal. Yo también me habría metido en uno, a oscuras y con un frío húmedo.

Max brincaba a mi lado, aunque no de alegría. Daba saltitos sobre la arena tórrida del desierto como un gato encima de un tejado de hojalata ardiente. Frank lo tenía muy complicado para avanzar porque, con su peso, se hundía en la arena a cada paso que daba. No paraba de maldecir en voz baja:

—¡Fmiefda de pfrena!

La única que no tenía muchos problemas era Ada: siendo una momia egipcia estaba más preparada para esas temperaturas que nosotros, digamos que casi jugaba en campo propio. Sin embargo, su estado de ánimo no era ni de lejos sensacional, claro, y pensé en cómo podía animar a mis Von Kieren a pesar de mi propio tormento. Entonces recordé lo que hacía mi profesor de octavo cuando íbamos de excursión y los niños gordos estaban al borde del colapso después de andar siete kilómetros: cantaba en voz alta con ellos. Pero ¿qué canción podía cantar con mi familia en aquellas circunstancias? *Vamos a la playa,* seguro que no. Ni *It never rains in California.* Ni aquella que decía «tus huellas en la arena». Si Frank cantaba esta última, seguramente sonaría como «Pfueyas en la pfrena».

En aquel calor infernal, de pronto recordé una canción y, aunque la ocurrencia era algo disparatada, anuncié:

—¡Vamos a cantar!

—¿Qué? —preguntó Max.

—¿Ufta? —preguntó Frank.

—Se te ha fundido el cerebro definitivamente —afirmó Ada.

—Vamos a cantar *Caminar como un egipcio* —dije.

Era tan tonto que mis hijos se echaron a reír. Frank se alegró de que los chicos se pusieran de buen humor, aunque no entendió de qué se reían, y se le contagió. Así pues, durante un rato caminamos de mejor humor por el desierto, hacia las pirámides, y los niños cantaron conmigo: «Estuve en Guiza, vi las tres pirámides puntiagudas y la esfinge me pareció magnífica. Pero una cosa me pareció complicada: caminar como un egipcio...»

Frank marcaba el ritmo con sus «ufta». Eso nos redobló el ánimo y cantamos más canciones. A Frank le encantó la de *Anton el Tirolés,* cosa que llevó a Ada a comentar:

—Fijo que papá es la única persona en este mundo a quien le gusta esa canción sin estar borracho.

Pero, claro, al cabo de cuatro canciones bajo aquel sol abrasador, perdimos el ánimo. Yo seguí intentando mantener a mi familia de buen humor y fui la única que cantó a medias la letra de *Life is Life,* mientras mis hijos sólo la tatareaban crispados y las pausas de Frank entre los «uftas» que marcaban el ritmo se alargaban.

A media canción, divisé un oasis a la sombra de unas palmeras, un estanque y muchos frutos y flores. Al principio no di crédito a mis ojos. Aquello era un milagro. De repente, la salvación se encontraba cerca. Si hubiera tenido corazón, me habría dado un vuelco de alegría.

—No hace falta que cantemos más —les grité; ellos todavía no habían avistado el oasis.

—Uf —suspiraron aliviados mis hijos.

—Ta —completó Frank, que por lo visto era incapaz de dejar que sonara un «uf» a palo seco.

Sonriendo en silencio, señalé hacia el oasis. Max y

Frank gritaron de contento al verlo y echaron a correr. Max se olvidó de sus patas sensibles y a Frank no le importó hundirse en la arena, sólo querían llegar lo antes posible al agua ansiada. Y yo quería llegar a la ansiada sombra. Pero, justo cuando echaba a correr, Ada me sujetó, me retuvo y balbuceó desconcertada:

—Ahí... no hay nada.

—Sí, ¡un oasis! —contesté riendo.

—No, sólo hay arena —replicó Ada, y hablaba en serio.

¿Por qué ella no podía verlo? ¿Acaso le fallaba la vista porque era una momia vieja? En aquel momento me dio igual, no tenía ganas de pararme a pensar si necesitaba lentes de contacto ni si se podían comprar sin receta en las farmacias de Egipto; tenía que escapar de una vez del sol infernal. Así pues, me solté y corrí hacia el oasis. Muy deprisa. Cada vez más deprisa. Frank y Max frenaron repentinamente la carrera. Les di alcance y, cuando iba a preguntar «¿Qué pasa?», lo vi yo misma: el oasis comenzó a difuminarse y, al acercarme a él unos pasos, desapareció por completo. ¡Había sido un maldito espejismo!

Vi las caras de decepción de los dos, y si hubiera tenido un espejo y hubiera podido mirarme en él aun siendo un vampiro, seguramente me habría visto una cara igual de deprimente.

Sin embargo, recordé que quería ser una madre y esposa diferente, fuerte y capaz de ofrecer esperanza. Esbocé una sonrisa radiante, reemprendí la travesía por el desierto y canté aún más alto *Life is Life: «When we all give the power, we all give the best...»*

Los otros me siguieron con mucho menos entusiasmo. No era de extrañar; hay cosas mejores para levantar la moral que una esperanza truncada.

Al principio nos llevamos unos cuantos chascos con otros espejismos: una caravana, un complejo turístico y una heladería. Después, nos acostumbramos a que los espejismos nos la jugaran y pasamos de piscinas, oasis con spa y manadas de osos polares. Los demás ya no cantaban conmigo, y yo estaba también tan acabada que sólo se me ocurrían canciones como *This is the end, my friend.*

—Me estoy deshidratando —se quejó Max, que estaba empapado en sudor y ya no tenía fuerzas para saltar aunque se le quemaran las patas.

—La palmaremos —afirmó Ada con voz rota.

De todos nosotros, ella era la que conservaba más fuerzas, pero ni siquiera una momia podía sobrevivir allí a la larga. Yo me notaba la piel como si fuera de papel de pergamino, los ojos me ardían a pesar de las gafas de sol y apenas podía pensar con claridad. No obstante, intenté emular a Obama y a los que presentan programas de bricolaje, y exclamé:

—¡Podemos!

—Danos algún argumento para esa hipótesis —dijo Max, con una mirada triste de perro.

Al verlo, comprendí que las consignas de ánimo no bastarían. Miré desesperada alrededor, apenas nos habíamos acercado a las pirámides, y las pirámides no nos hacían el favor de aproximarse a nosotros. Pero descubrí algo que me levantó el ánimo, ya casi desinflado. Esta vez no era un espejismo en el horizonte, sino algo muy concreto, a pocos metros de distancia y en el suelo.

—¡Mirad! —exclamé.

—¡Huellas de pisadas! —gritó de alegría Ada.

—Sólo tenemos que seguirlas, ¡y estaremos a salvo! —exclamé contenta.

Esta vez fue Max quien encontró algo que objetar antes de que Ada y yo tuviéramos tiempo de abrazarnos aliviadas:

—Son pisadas de dos mujeres, un hombre muy grande y unas patas. ¿Os suena?

—¡Oh, no! —exclamó Ada con desesperación.

—Hemos estado caminando en círculo —constaté, y me desmoroné literalmente en el suelo.

—Habéis acertado —confirmó Max con tristeza—. Seguiré con la deshidratación.

—Me apunto —añadió Ada.

Yo me quedé sentada en la arena, no podía más. Sin embargo, no podía dejar que mi familia muriera en el desierto. Así pues, me levanté a duras penas y dije:

—Bueno, entonces...

—Como sigas cantando —me interrumpió Ada—, me entierro aquí mismo.

—Y yo la ayudaré con mis cuatro patas —añadió Max.

—Para una vez que os ponéis de acuerdo, no le veo la gracia —contesté débilmente.

Me volví hacia Frank en busca de ayuda, y mi marido dibujó en la arena lo que pensaba hacerme si continuaba cantando:

—Para variar, podemos contarnos historias —propuse tímidamente.

—No queremos cantar —dijo Ada en voz baja, pero decidida—, ni contar historias ni jugar ni hacer gimnasia...

—Sólo queremos deshidratarnos para nuestros adentros —añadió Max.

Lo dicho: para una vez que se ponían de acuerdo, no le veía la gracia.

—También podemos callarnos —propuse entonces tímidamente.

La propuesta tuvo muy buena acogida.

Continuamos avanzando, cada vez más despacio, más cansados, más acabados. Yo sufría una lipotimia tras otra y, a la cuarta ronda, lo tuve claro: no resistiría aquella marcha ni media hora más.

Al cabo de unos pasos, vi otro espejismo; en esta ocasión se trataba de una caravana de turistas en pleno tour fotográfico. Lo ignoré hasta que oí decir:

—*Do you need help?*

—¿No os basta con incordiar, espejismos de las narices? ¿También tenéis que hablarnos? —grité desesperada.

—Mamá, los espejismos carecen de acústica —exclamó Max.

Y Ada reaccionó al instante:

—*Yes, we need help!*

Tardé un poco en comprenderlo, pero cuando vi que la caravana se nos acercaba empecé a entender qué ocurría. Estaba demasiado débil para celebrarlo, pero me quedé de pie y empleé mis últimas fuerzas en sonreír: ¡mi familia estaba salvada! Por un golpe de suerte y por casualidad. Pero también porque yo no había dejado de animarlos, porque había sido la madre y esposa que tenía que ser en aquella situación. Así pues, en mi infinito alivio se mezcló también la correspondiente porción de orgullo.

La caravana estaba formada por turistas alemanes que tenían pinta de llamarse todos Klaus y Barbara, y de ser de pueblo, suabos de Böblingen para ser más exactos. Cuando les veías las pantorrillas quemadas por el sol, comprendías por qué algunos musulmanes querían prohibir que los turistas fueran por ahí con poca ropa. (El argumento religioso probablemente sólo era una excusa para no tener que decir con toda sinceridad «no queremos ver vuestras pantorrillas fofas».) A pesar de todo, aquellos Klaus y aquellas Barbaras eran la imagen más bonita que podía imaginar en aquel momento. Con todo, aún era más bonita la imagen de la guía, una belleza árabe que parecía salida de las *Mil y una noches*. Normalmente, una mujer como aquélla me habría provocado complejo de inferioridad, pero allí me pareció una santa. Al menos, hasta que Frank la miró hechizado y preguntó:

—¿Fsuleifka?

Casi parecía que la conociera de algún sitio y por eso me pregunté desconcertada: «¿Fsuleifka, cómo que Fsuleifka?»

La caravana siguió avanzando hacia la civilización con nosotros de paquete. Al principio, viajé como si estuviera en trance. Iba montada en un camello, sufriendo en aquel calor agobiante detrás de un turista gordo llamado Klaus. La higiene corporal no ocupaba un lugar preferente en su lista de prioridades. Para ser exactos, con su olor se podían ahuyentar jabalíes. Pero, al menos, no despedía olor a ajo.

A los turistas suabos les parecimos siniestros. Al principio, algunos no quisieron llevarnos con ellos, pero no se atrevieron a decirlo claramente y usaron excusas como: «Quita, quita, que si los llevamos al hospital, llegaremos tarde al bufé.»

Pero Fsuleifka, que seguramente se llamaba Suleika, les explicó con palabras muy claras que no pensaba dejar a nadie tirado en el desierto. Durante su discurso, hizo gala de la autoridad de una reina árabe, de manera que ninguno de los turistas se atrevió a contradecirla.

A Max lo ataron solo a un camello. Como estaba callado, los turistas no se enteraron de que era capaz de hablar y no les dio tanto miedo como el resto de los Von Kieren. («Quita, quita, que nuestro perro se cargaría a ese bicho como si nada.»)

Para hacerle sitio a Max, hubo que colocar a una Barbara con un Klaus, y a él no le hizo ninguna gracia. («Quita, quita, que yo he pagado por un camello para mí solo. ¡Tendré que hablar con el organizador!»)

Ada se montó con Suleika, y Frank tuvo que cambiar de camello constantemente, porque los pobres casi se desplomaban después de recorrer unos pocos centenares de metros con él a cuestas. Ante esto, una Barbara comentó mosqueada:

—Tendríamos que llamar a Animal Internacional.

—Cariño, se dice Amnistía Internacional —la corrigió Klaus, quisquilloso.

—No me refería a eso, Klaus —contestó enfadada Barbara.

—Pues ya me dirás a qué te referías.

—A Animal Internacional.

—Pero es que Animal Internacional no existe, sólo Amnistía Internacional.

—Klaus, podrías apuntarte a Listillos Internacional —contestó Barbara con acritud.

—Y tú a Analfabetos Internacional —replicó Klaus, ahora también furioso.

—Y tú a Creídos Internacional.

—Y tú a Celulitis Internacional.

—¡Y tú a Vete a la Mierda Internacional!

En cierto modo, fue tranquilizador escuchar a alguien a quien el matrimonio le iba peor que a mí. Y ya que estábamos, entre el vaivén provocado por el paso de camello me fijé en que Frank no le quitaba el ojo de encima a Suleika. También lo hacían la mayoría de los Klaus, cosa nada extraña con aquellas Barbaras. Y eso ponía de mala uva a las Barbaras, que miraban a sus Klaus como si estuvieran a punto de telefonear a su pueblo para hablar con un abogado experto en divorcios, que seguramente se llamaría Pastagansen, y averiguar cómo se podía armar una guerra de los Rose lo más sangrienta posible. Hubo una que incluso masculló:

—Como vuelvas a mirar a esa guarra, te hago papilla.

Frank conocía a Suleika de algo, eso era seguro. Aunque ella no lo había reconocido con su aspecto actual. Probablemente del viaje a Egipto con sus amigos. La pregunta que me pasó por la cabeza fue la siguiente: ¿había habido algo entre ellos o sólo había sido su guía turística? Mientras él estaba en Egipto, yo pasé en Berlín aquellas noches en vela con un nudo en el estómago, en las que creí notar que me ponía los cuernos.

Pero, no, ¡eso era absurdo! No porque Frank fuera incapaz de hacerlo —de eso no estaba tan segura—, sino porque Suleika era una belleza llena de encanto y Frank... Bueno, Frank era sólo Frank. Al menos aún lo era cuando estuvo de vacaciones en Egipto.

Así pues, decidí no preocuparme, me aferré al apestoso Klaus y recé por salir pronto del desierto y no morir con el olor de Klaus en la nariz. El camello al que habían atado a Max se acercó al nuestro y cabalgamos juntos. Estuvimos un rato callados, hasta que Max dijo con tristeza:

—Tengo miedo de que nos quedemos así para siempre.

Mi reflejo maternal fue decirle:

—No hay nada que temer.

—Si analizamos los hechos, esa afirmación podría calificarse de absurdidad.

Era evidente que las consabidas respuestas de madre no servirían de ayuda. Si quería encontrar la llave del corazón de Max, tenía que ayudarlo a superar el miedo.

—Yo también tengo mucho miedo... —comencé.

—Eso tampoco me tranquiliza —replicó.

—Sólo quería decir que es normal tener miedo...

—En los libros, los héroes siempre vencen el miedo, igual que yo con los zombis, pero no vuelven a las andadas a las primeras de cambio.

—Eso se debe a que los héroes de los libros no viven cosas nuevas cuando termina la historia —contesté—. Pero tú sigues viviendo. Siempre tendrás nuevos miedos, igual que todo el mundo. ¡Pero los superarás!

—¿Y cómo has llegado a esa conclusión?

—Superarás tus miedos porque ahora sabes que puedes superarlos.

Max me miró no muy convencido.

—¿Lo dices en serio?

—Quien ha vencido una vez a los zombis, los vencerá siempre.

—Y, en este caso, los zombis son una metáfora de los miedos, ¿no? —preguntó.

—Exacto —dije sonriendo—. Y a las chicas les parecen geniales los chicos que se enfrentan a sus zombis —concluí.

Max se ruborizó.

—No soy la única mujer que piensa que eres fantástico —dije.

—¿Te refieres a Jacqueline...? —preguntó.

Asentí con la cabeza.

—¿Tú crees que ella y yo...? —continuó preguntando.

Volví a asentir con la cabeza.

—¡Hala! —dijo.

Otra vez volví a asentir con la cabeza.

Max estaba radiante de optimismo. Por lo visto, también había encontrado la llave de su corazón.

Cuando no faltaba mucho para llegar a las pirámides, Suleika, que dominaba perfectamente tanto el alemán como el inglés, dijo:

—Enseguida estaréis a salvo.

Por un instante, pareció que todo había mejorado un poquito para nosotros, los Von Kieren. Pero sólo por un breve instante, porque entonces el cielo se oscureció. Se levantó una tormenta de arena. Y no era una tormenta de arena normal.

La arena, que se arremolinaba en el aire como un huracán y ennegrecía el cielo, no era clara, sino oscura, negra. El ruido de las ráfagas de viento era ensordecedor. La arena negra nos azotaba la cara y nos corroía las entrañas al respirar. Pero eso no era lo más aterrador. Ni de lejos.

Con la arena negra que se arremolinaba, la tormenta formó en el cielo un rostro oscuro, terrorífico. Aquel rostro tenía unas profundas cavidades negras donde deberían estar la boca, la nariz y los ojos. Y con una voz aterradora, atronadora y poco natural, gritó:

—**¡Soy Imhotep!**

A los Klaus y a las Barbaras les entró miedo, y uno de los Klaus comentó:

—Éste es un caso para Me lo Hago Encima Internacional.

Hasta yo me habría apuntado a esa organización.

El rostro que formaba la tormenta de arena continuó gritando:

—**¡Imhotep es el amo de Egipto!**

—Ese nombre suena a «impotente» —dijo Ada en voz baja.

—**¿Te burlas de Imhotep?** —gritó Imhotep.

—Me temo que te ha oído —balbuceó Max.

—Yo también me lo temo —dijo Ada tragando saliva.

—**¡La venganza de Imhotep será terrible!** —gritó el terrorífico rostro en el cielo.

Entonces, una parte de la tormenta se transformó en una enorme mano negra que descendió velozmente hacia la caravana, cogió a Ada y la encerró en el puño. Pude ver a mi hija gritando, pero el viento huracanado era demasiado fuerte para oírla. Por un momento tuve miedo de que aquel puño aplastara a Ada. ¡Pero la mano negra ascendió por los aires sujetándola con firmeza! Luego lanzó a mi hija en el negro abismo que formaba la boca de Imhotep. Y la boca se cerró. Ada desapareció en el interior de los oscuros nubarrones. Y no la vimos más.

El rostro de la enorme nube de arena negra también se disipó y la tormenta se alejó a la velocidad de un huracán.

Al cabo de menos de medio minuto, volvía a reinar una calma chicha. El sol brillaba más claro que antes. La pesadilla había terminado. Y había comenzado una pesadilla todavía peor: mi hija había desaparecido.

—¡ADAAAAAAAAA! —grité desesperada.

La única respuesta que obtuve fue de una Barbara que comentó:

—El año que viene me quedaré en casa.

CHEYENNE

Con el encantamiento, los Von Kieren habían desaparecido del Prater como si se los hubiera tragado la tierra. La bruja también, y yo procuré poner tierra de por medio con Jacqueline. No tenía ganas de que la bofia me pidiera la documentación porque, si comprobaban mis datos en los ordenadores de la policía, averiguarían enseguida que tenía pendiente alguna que otra orden de detención. Por ejemplo, una por haberme esposado en Gorleben al ministro de Medio Ambiente alemán, y luego haberme encadenado con él a las vías del tren para detener el transporte de residuos radioactivos. Había estado todo el rato encima del ministro y, según sus propias palabras, aquéllas habían sido las cuatro horas más largas de su vida. Pues no haberle dado tanto a la cerveza antes.

Paré la furgoneta, a la que yo llamaba *Charly* (por Charles de Gaulle, que en mayo del 68 se había escondido dentro conmigo), en las afueras de Viena. Me senté con Jacqueline, que todavía estaba bastante afectada por los sucesos, en la parte de atrás de *Charly*, en el suelo, y encendí una pipa de agua. Me la había regalado Yasser Arafat después de aconsejarle que se tapara la calva con un elegante pañuelo palestino cuando se dejara ver en público.

—¿Le has puesto hierba? —preguntó Jacqueline señalando la pipa de agua.

—No, col y patata.

Jacqueline se sorprendió.

—Pues claro que tiene maría —dije sonriendo.

—Pero tú eres adulta, ¿no te la juegas ofreciéndome? —preguntó desconfiada.

—¿Tengo cara de que eso me importe?

—No, la verdad es que no —dijo Jacqueline, que también sonrió.

—Nos hemos ganado una buena pipa —dije.

Di una calada y se la pasé a Jacqueline. Ella también fumó y me preguntó intranquila:

—¿Tú crees que la bruja ha matado a los Von Kieren?

—No, habríamos visto los restos —contesté casi convencida.

Jacqueline dio otra calada.

—Me gustan los Von Kieren —dijo.

—Tienes gustos raros.

—Sobre todo Max.

—Lo dicho, tienes gustos raros.

—¿Tú crees que volveré a verlo? —preguntó Jacqueline con una mezcla de esperanza y miedo.

De eso no estaba segura, no teníamos ni idea de dónde había enviado la bruja a los Von Kieren con el encantamiento. A lo mejor los había convertido en hormigas y por eso no los habíamos visto. ¿Quién podía saberlo? Pero si una cosa había aprendido en la vida era que una mentira agradable suele ser mejor que una verdad desagradable. Por eso contesté:

—¡Pues claro que volverás a verlo!

La miré esbozando una sonrisa lo más relajada posible, a lo que me ayudaron los efectos de la pipa. Jacqueline me sonrió también más relajada, a ella también empezaba a hacerle efecto la hierba. Después de un rato en silencio y de dar una buena calada, suspiró.

—Me gustaría tener una abuela como tú.

—¿Abuela? —pregunté haciéndome la ofendida.

—¿Tía? —corrigió.

—Suena mucho mejor.

Dio otra calada, se estiró relajadísima sobre los cojines de felpa y sonrió.

—Madre también molaría.

Eso me llegó al alma. Por mucho que le hubiera dicho a Emma, me arrepentía de dos cosas en la vida: de no haber estado con Jim Morrison la noche en que murió y de no haber tenido hijos con él. Jim sí quería, pero yo siempre le contestaba: «Tenemos toda la vida por delante.»

Seguía yendo una vez al año al cementerio Père Lachaise de París, y pintaba grafitis en su tumba, igual que hacían los fans de The Doors. Cada año escribía las mismas palabras: «Te amaré siempre.»

Me asaltaron las lágrimas.

El arrepentimiento es lo peor de la vejez.

A su lado, la incontinencia es una auténtica fiesta.

Miré a Jacqueline, que se había acurrucado sobre los cojines. Tenía toda la vida por delante. Ojalá sin arrepentimientos.

—¿Estás llorando? —preguntó.

—No —mentí—. Me ha entrado humo en los ojos.

Me sequé las lágrimas y dije:

—Sería un honor para mí ser tu madre.

—¿Te estás cachondeando? —preguntó perpleja Jacqueline.

Negué con la cabeza.

—Eres la primera persona que conozco a la que le gustaría ser mi madre —dijo quedamente, y de pronto pareció muy frágil.

Era lo más triste que había oído jamás.

Y había oído muchas cosas tristes en mi vida.

Le cogí la mano, se la acaricié con cariño y sonreí.

—Pero pobre de ti como me llames mami.

Las dos comenzamos a troncharnos de risa, fumadas.

EMMA

Ada.

Había desaparecido.

Arrastrada a la nada por un torbellino. Muerta, seguramente.

No, ¡no podía pensar eso!

Quien piensa así, ¡abandona! ¡Y yo no podía abandonar! ¡Ni hablar!

Era poco probable que Ada estuviera muerta. Imhotep había jurado que su venganza sería terrible. Y una muerte rápida no es una venganza terrible. Al menos a los ojos de semejantes monstruos. Una venganza terrible que se precie requiere tiempo.

Claro que saberlo no tranquilizaba demasiado. Al contrario.

—¿Qué sabes de Imhotep? —le pregunté a Suleika.

El gordo apestoso de Klaus, que se había quedado sin habla, lógicamente, y yo cabalgábamos en nuestro camello junto a ella.

—Yo... pensaba que sólo era una leyenda —contestó, volviéndose hacia mí.

—¡Pues está claro que no lo es! —repliqué con demasiada acritud, fruto de mi temor por Ada—. ¿Dónde vive Imhotep según la leyenda?

—En la pirámide del faraón Seti.

—¿Está lejos de aquí?

Antes de que Suleika pudiera contestar, una de las Barbaras se quejó:

—Quita, quita, necesito una ducha urgente, tengo arena hasta en la raja del culo.

Suleika me miró y afirmó decidida:

—Ahora llevaremos a los turistas al hotel. Esta noche van todos al circo que se ha instalado cerca del complejo hotelero. Entonces tendré tiempo para acompañaros a la pirámide.

Aquella mujer no sólo era preciosa, también era valiente. Quería ayudarnos, a nosotros, unos monstruos. En su lugar, la mayoría habría procurado librarse de nosotros lo antes posible, aunque fuera cruzando el Egeo en una patera abarrotada. Pero ella no.

Titubeé antes de aceptar su propuesta, porque yo quería ir directamente a buscar a Ada. Suleika se dio cuenta y argumentó:

—En el hotel también hay una enfermería y os podré curar las heridas.

Contemplé los pies lastimados de Max, miré hacia el cielo y constaté que el sol no tardaría en ponerse y que, hasta que fuera de noche, yo no recuperaría las fuerzas necesarias para tener una posibilidad frente a Imhotep. Eso si era posible vencer a una tormenta de arena sin contar con un aspirador gigantesco. Así pues, acepté la propuesta de Suleika y seguimos cabalgando hacia el hotel. Frank se me acercó a lomos de un camello que resollaba y, con una mirada que te rompía el corazón, me preguntó:

—¿Affda?

—¡La encontraremos! —proclamé audaz.

Mi audacia se le contagió, y asintió con determinación.

Entretanto, Suleika lo había estado observando y, finalmente, comentó titubeando:

—Yo... te conozco de algo...

—Fsoy fyo, ¡Pffrank! —contestó él.

—¿Cómo? —preguntó ella.

Eso mismo estuve a punto de preguntar yo. ¿Volvía a acordarse por fin de su nombre?

—¡Pffrank! —repitió, esforzándose inútilmente por pronunciar mejor su nombre.

Suleika lo miró entonces a los ojos y vio algo en ellos: seguramente, su alma.

—¿¡¿Frank von Kieren?!? —exclamó sorprendida.

Frank asintió moviendo enérgicamente la cabeza. Por lo visto, también se acordaba de su apellido. Eso debería haberme alegrado, pero no me gustó nada que lo hubiera recordado gracias a Suleika. Aunque mis temores por Ada solapaban los demás sentimientos, noté algo parecido a una chispa de celos.

—¿Qué... te ha pasado? —le preguntó Suleika.

—Fbrufja, fmafgia, fprayos...

Suleika no entendió ni fpafpa.

Le conté lo que nos había ocurrido y eso me distrajo un poco de mi preocupación por Ada. Al terminar, Suleika estaba asombradísima. Sin embargo, en vez de preguntar «¿Cómo es posible que ocurra algo tan fantástico?», «¿Sois peligrosos para la gente normal?» o simplemente «¿El perro lobo no lo pone todo perdido en casa?», se interesó por una única cosa:

—Entonces... ¿Tú eres la mujer de Frank?

Asentí.

—Tienes que ser una mujer muy feliz —contestó.

Yo no me recordaba muy feliz.

—Frank es un hombre valiente y noble —dijo.

¿Hablábamos del mismo Frank?

—Sacó a mi hermano Mohamed de la cárcel.

Suleika contó entonces que habían acusado de robo a su hermano pequeño, que era menor de edad y trabajaba de botones en el Pyramid. Lo habían arrestado sin pruebas y únicamente lo habían soltado porque Frank, en vez de hacer vacaciones, se había empleado a fondo, día y noche, con sus conocimientos jurídicos y no se había dejado amedrentar por la brutal policía egipcia.

—¡Luchó como un jabato! —comentó Suleika llena de admiración.

Frank siempre había querido ayudar a los pobres y había hecho realidad ese sueño durante unos días, precisamente durante unas vacaciones. Además, incluso se había ganado la admiración de una mujer como Suleika. Pero ¿por qué no me había explicado nada? ¿Tal vez porque, en el día a día, yo no lo admiraba tanto? ¿O porque se había ganado algo más que la simple admiración de Suleika?

Llegamos al complejo turístico, construido en la década de los ochenta y que probablemente no habían renovado desde entonces. A unos cincuenta metros de distancia, un circo ambulante había instalado su carpa. Para los turistas, seguro que sería una buena alternativa al programa de animación típico, con representaciones de pacotilla del musical *El rey león.*

Los suabos desaparecieron hacia sus habitaciones. Todavía oí decir a uno de los Klaus:

—Quita, quita, que la próxima vez me voy de vacaciones directo a Quito.

Nosotros fuimos a la enfermería del hotel y Suleika nos curó las heridas. Le vendó los pies a Max y a mí me puso pomada en las quemaduras de la piel. Entretanto, no paró de lanzar miradas furtivas a Frank. A pesar de su aspecto monstruoso, ella parecía seguir viendo algo en él que yo no veía desde hacía años: un hombre admirable. Un héroe brillante.

Si Frank hubiera sucumbido a esas miradas de una mujer tan hermosa, valiente y joven..., lo habría comprendido. Perdonado, no. Pero sí comprendido.

Estuve a punto de pedirles cuentas, de preguntarles si había habido algo entre ellos. Pero la respuesta me dio miedo. Y necesitaba toda mi energía mental para salvarle la vida a Ada.

ADA

Nunca me habían devorado. Y puedo asegurar que fue más asqueroso de lo que pueda parecer. Como mínimo, tan asqueroso como toda la arena que me entró por la boca, los ojos y la nariz. Volé por el cielo dentro del remolino negro, dando vueltas sobre mi propio eje. A veces cabeza abajo. A veces de lado. Y todo el rato volando arriba y abajo. Mi último pensamiento antes de quedarme k.o. fue: «Suerte que no he desayunado.»

Me desperté tumbada sobre un suelo frío de piedra, en una gran sala con paredes de piedra decoradas con mogollón de jeroglíficos egipcios. Delante de las paredes había estatuas de hombres con cabeza de animal: chacales, halcones, gatos, ratas, incluso una vaca. Los cuerpos estaban desnudos, pero gracias a Dios llevaban taparrabos. No me hizo falta ser egiptóloga para darme cuenta de que me encontraba en el interior de una pirámide y de que ése debía de ser el cuarto del bueno de Imhotep.

Así pues, yo también recorría el mundo como Cheyenne, tal como había deseado desde que me había caído del tejado del hotel. Sin embargo, ese plan de vida de repente no me pareció tan atractivo.

—¡Ahora conocerás la venganza de Imhotep! —oí decir a una voz detrás de mí.

No era tan atronadora como en la tormenta de arena y sonaba mucho más humana. Aun así, me volví con miedo y vi a un egipcio alto y cachas, con calva y una musculatura increíble, que una persona normal sólo conseguiría con muchas horas de entrenamiento y muchísimas sustancias cancerígenas.

Era bastante viejo, fijo que pasaba de los treinta. Iba desnudo como las estatuas, pero él también tenía el detalle de llevar taparrabos. Me habría gustado preguntarle si no le tiraba a lo bestia por debajo, pero seguro que no era buena idea mencionárselo si quería salir con vida de aquella pirámide.

—¡Soy Imhotep! —proclamó.

No pude evitarlo, se me escapó una risita.

—¿De qué te ríes? —preguntó.

No quise contestarle: «Es que suena a "impotente".»

—¡Soy Imhotep! —repitió.

Estuve a punto de replicar: «Dicen que el Viagra hace milagros.»

Se me acercó enfurecido.

—¡Hace tres mil años que vago por el mundo!

—No es extraño que a esa edad seas Imhotep —dije entonces con una risita.

—¡Te burlas de mí! —atronó.

No podía negarlo. Seguramente, tendría que haberme jiñado delante de un viejo de 3.000 años, con taparrabos y capaz de transformarse en tormenta de arena, pero me costaba creer que quisiera hacerme daño, tal vez porque, a pesar de su rabia, me miraba fascinado todo el rato.

—Te pareces tanto a ella —dijo, entre melancólico y furioso.

—Pues sea quien sea «ella», no debe de ser muy guapa —repliqué.

—**¡No te burles de ella!** —gritó Imhotep, y su cara se transformó de nuevo en una enorme mueca de arena negra.

—Vale, vale, lo que tú digas... —lo calmé. El numerito de la arena era bastante intimidador y, además, de repente me dio la impresión de que sí me haría daño.

Su rostro volvió a la normalidad y, temblando de ira, preguntó:

—¿Por qué la mancillas?

—Pero si no sé quién es.

—¡No mientas! —gritó, me cogió de la barbilla y me miró a los ojos con ansia asesina.

Aquel tío estaba tan desequilibrado como la mayoría de los profesores después de diez años dedicándose a la enseñanza.

—No miento —contesté aterrorizada.

—¿Insinúas que no has oído hablar nunca de mi gran amor, Anck-Su-Namun?

—De verdad, ¡palabra de momia! —contesté.

Immo examinó mi mirada durante una eternidad y luego me soltó, confundido. Se hizo un minuto de silencio. Finalmente, comenzó a hablar con voz triste, melancólica. Sus ojos miraban en mi dirección, pero no parecían verme a mí, sino los acontecimientos del pasado.

—Anck-Su-Namun era la mujer del faraón Seti, y yo era el mago de la corte. Pero Anck-Su-Namun me amaba a mí, y yo la amaba a ella. Nuestro amor era más grande que el de Isis y Osiris.

No conocía a ninguno de los dos, pero, tal como lo dijo, debió de ser un amor mogollón de grande.

—Pensábamos huir de la corte del faraón la noche en que Seti se proponía engendrar un sucesor con Anck-Su-Namun. Anck tenía un corazón tan puro y tanto entusiasmo que quería tramar una revolución para derrocar después al faraón y ofrecer a la gente una vida justa y pacífica. Incluso había convocado ya clandestinamente a algunos aliados y hombres justos.

Al parecer, era una mujer realmente valiente. Una mujer que sabía qué quería de la vida y que estaba dispuesta a darlo todo. ¿Por qué nos fastidiaban en clase con medusas, logaritmos y la edificación de castillos en la Edad Media, en vez de hablarnos de las mujeres extraordinarias que había habido en el mundo? Así me habrían transmitido alguna que otra idea brillante y, para variar, habría aprendido algo útil para la vida.

—Pero aquella noche —prosiguió Imhotep con su historia—, la doncella de Anck nos traicionó. Los guardias nos apresaron cuando aún estábamos en los aposentos de mi amada. El faraón dictó su terrible sentencia allí mismo. Ordenó que nos arrastraran a esta cámara, que nos momificaran vivos y que nos enterraran vivos en esos sarcófagos.

Señaló dos sarcófagos. Uno estaba abierto y vacío. El otro, cerrado. Seguramente, Anck aún yacía dentro. Era espeluznante.

Tragué saliva.

—Ese faraón no tenía muy buen carácter... —solté.

Imhotep rió con amargura.

—Ni que lo digas.

Su risa por mi comentario estaba llena de dolor. Por lo visto, no era divertido ser el héroe de una gran historia de amor tan dramática.

—Poco antes de que los guardias de Seti cerraran los sarcófagos, nos protegí con un hechizo que haría que viviéramos hasta que alguien nos liberara. Yacimos aquí durante tres mil años, hasta que hace unas décadas unos ladrones de tumbas abrieron el sepulcro...

No prosiguió. Las lágrimas le anegaron los ojos y no me hizo falta una imaginación desbordante para figurarme que el hechizo sólo había funcionado con él. Y que se sentía culpable de la muerte de Anck.

—Maté a los ladrones aquí mismo. —Señaló un montón de huesos en un rincón de la cámara funeraria, y un escalofrío me recorrió la espalda—. Desde entonces —prosiguió—, custodio el sarcófago de Anck.

Lleno de tristeza y amor, acarició la tapa del sarcófago. Aquello no era una muestra de buena salud mental.

Al notar mi mirada de escepticismo, se controló. Volvió a cogerme de la barbilla y atronó:

—La mancillas, ¡y morirás por ello!

Me miró profundamente a los ojos y susurró con voz profunda:

—¡Quiero que te ejecutes tú misma!

Imhotep quería hipnotizarme, claro. Pero aguanté la mirada, se la devolví y susurré:

—¡Y yo quiero que bailes breakdance!

—No tengo ni idea de qué significa eso —replicó, poco impresionado por mi hipnosis, pero muy impresionado porque yo fuera inmune a la suya.

—Eso significa que no podemos hipnotizarnos mutuamente —le expliqué.

Me soltó y preguntó:

—¿Tienes... los mismos poderes que yo?

—Bueno, yo no puedo transformarme en tormenta de arena.

Imhotep me miró con curiosidad, su ira comenzó a transformarse en un gran interés.

—¿Lo has intentado alguna vez?

—No —contesté insegura.

De pronto, sonrió cordialmente y me propuso:

—¡Pues tienes que probarlo!

Lo miré, luego desvié la mirada hacia el sarcófago de Anck-Su-Namun, y de pronto sentí algo instintivamente: yo podía ser muchísimo más que una simple trotamundos como Cheyenne.

MAX

Habían secuestrado a mi hermana, tenía quemaduras de grado infinito en las patas y, aun así, sólo podía pensar en una cosa: en Jacqueline. La echaba tanto de menos. Un sentimiento que antes, en la época en que me remojaba en el váter, jamás habría pensado que me embargaría.

Quería saber a toda costa cómo estaba Jacqueline, si todavía seguía en Viena. Pero, sobre todo, quería estar con ella, y sufría de un modo desorbitado porque no lo estaba. Si eso era amor, ¿quién necesita algo tan insuperable en cuanto a absurdidad? ¿Qué pretendía la evolución? ¿Todo eso con el único fin de la procreación? Seguro que para todos los implicados sería más relajado procrear por división celular.

Quería oír a toda costa la voz de Jacqueline, con ese tono ronco que tenía algo de lobo de mar, aunque de uno menos cariñoso que el oso marinero sonámbulo de los cuentos de Petzi. (Mi cuento preferido de la serie fue *El osito Petzi conoce a mamá mero* hasta que Ada, que tenía cuatro años más que yo, me aconsejó que tachara la erre. Y como en aquel entonces yo ya sabía leer y escribir, no pude volver a mirar nunca más con la misma inocencia a la afable mamá mero.)

—¿Tienes teléfono? —le pregunté a Suleika, que me estaba extendiendo pomada en las patas.

—Sí, pero ¿tienes tú dedos para usarlo?

—Buena objeción —suspiré.

—Puedo marcar el número por ti —dijo sonriendo.

Ser superinteligente tenía muchas ventajas, gracias a eso fui capaz de recordar todos los detalles del iPhone robado de Jacqueline, aunque sólo le hubiera echado un vistazo a la interfaz una vez, cuando la ayudé a configurar el aparato de manera óptima. Le dicté el número a Suleika. Lo marcó. Y me dio un vuelco el corazón.

Mientras se establecía la comunicación, me pasó por la cabeza confesarle sin más mi amor a Jacqueline. Eso es lo que hacen los héroes de verdad. ¡No le tienen miedo a nada! O mejor dicho, superan su miedo en aras del amor. Y mi amor era más grande que cualquier amor que hubiera sentido nunca un crío o un lobo, incluidos los ridículos hombres lobo de las novelas.

Suleika me acompañó a una salita contigua a la enfermería para que pudiera hablar sin interrupciones, y dejó el teléfono en el suelo con la función de manos libres activada, puesto que no podía ponérmelo en la oreja. Luego cerró el cuarto, se estableció la comunicación y se oyeron los tonos de llamada. Me moría de ganas de que Jacqueline lo cogiera. Y me daba miedo que lo cogiera.

Siguieron sonando tonos. Hasta entonces no supe que los intervalos entre dos tonos eran tan largos. Finalmente, oí su voz entre risitas.

—¿Sí?

En ese momento, quizás tendría que haberme molestado que se riera, pero estaba demasiado emocionado.

—¡Soy yo! —exclamé—. ¡Max!

—¡Estás vivo! —gritó de júbilo.

—Sí, y tú, ¿qué haces? ¿Cómo estás?

—¡Estoy fumando hierba con Cheyenne! —dijo riendo aún más.

Eso quizás también tendría que haberme molestado. O tendría que haberle explicado que yo estaba en Egipto, que el resto de la familia Von Kieren también seguía existiendo, pero sentí la necesidad de confesarle mi amor. Me daba un miedo increíble, pero qué había dicho mamá: ¡yo era capaz de superar todos los miedos!

Sabiéndolo, me dejé llevar por el delirio de los héroes y exclamé:

—¡Te quiero!

Jacqueline dejó de reír de golpe.

—¿Qué? —preguntó.

—¡Te quiero! —repetí. Ni siquiera su «¿qué?» podía rasguñar mi heroísmo.

—¿Qué? —preguntó otra vez.

En cierto modo, ese «¿qué?» ya sobraba.

—¡Te quiero! —reiteré, esta vez con un ligero temblor en la voz, que ya no sonó tan heroica.

—¿Qué quiere? —oí preguntar a Cheyenne al otro extremo de la conexión intercontinental.

—El pequeñajo me quiere —dijo estupefacta Jacqueline.

Cheyenne se echó a reír a carcajadas. Eso habría sido soportable. Justo hasta ahí.

—Para de reír —le gritó Jacqueline.

Pero Cheyenne no paró. Y le contagió la risa a Jacqueline. Y sus carcajadas no fueron soportables. Me partió el corazón.

Sacudí con la pata la tecla de «fin de llamada». Varias veces, hasta que la llamada terminó y las carcajadas de Jacqueline se apagaron.

No obstante, continué oyéndolas en mi cabeza.

Fuertes.

Estentóreas.

Miré a mamá lleno de rabia; en vez de decirme que podía superar mis miedos, tendría que haberme dicho otra cosa: que el miedo también tiene una finalidad biológica: protegerte para no resultar herido.

EMMA

Las estrellas y la luna alumbraban la pirámide del faraón Seti, sin olvidar los focos que las autoridades de turismo egipcias habían puesto para iluminar las pirámides incluso en una noche como aquélla, en la que nadie rondaba por allí, salvo unos cuantos monstruos y una tal Suleika. Cabalgamos por el desierto con el fresco agradable de aquellas horas. Frank montaba un camello muy fuerte llamado *Hulk*, y Max trotaba a nuestro lado con las patas vendadas y de mal humor. Aunque, considerando la situación, ¿quién podía estar de buen humor o disfrutar de la impresionante imagen de las pirámides iluminadas?

Habíamos cabalgado todo el rato en silencio, pero Suleika preguntó de repente:

—¿Qué pensáis hacer si Imhotep se encuentra realmente en la pirámide?

Al preguntar, su voz no reveló ni rastro de miedo, y eso hizo que la joven me pareciera aún más impresionante. Aunque, en realidad, me gustaba menos a cada minuto que pasaba, porque cada vez comprendía mejor que Frank hubiera querido hacer «ufta» con aquella mujer fantástica.

—Entraremos en la pirámide —dije contestando a su pregunta—, y le daremos una patada a ese idiota.

—Un plan de lo más complejo —señaló corrosivo Max.

Al decirlo, me miró con una mezcla de dolor y rabia, como si yo le hubiera hecho algo malo. Por lo visto, Max había elegido precisamente esa noche para entrar en la pubertad. Pues qué bien.

—Y ya no hablamos de volver a transformarnos —refunfuñó.

Por desgracia, eso era cierto. Ya habían pasado cuarenta y ocho horas desde que Baba Yaga nos había transformado en atracciones de Halloween, y sólo nos quedaban veinticuatro horas para salvar a Ada y llegar de algún modo a Transilvania. Una tierra que estaba lejísimos. Además, recordé de pronto, según las leyendas era también la tierra natal de un hombre que aceleraba los latidos de mi corazón inexistente.

—Drácula —murmuré suspirando.

—¿Qué? —preguntó desconcertada Suleika.

—¿Grr? —preguntó celoso Frank.

—Nada, nada —contesté, quitándole importancia.

Me embargó la mala conciencia, pero también estaba enfadada con Frank: ¿qué derecho tenía a sentirse celoso? Si alguien podía sentirse celoso, ese alguien probablemente era yo, por culpa de su Burraleika. Pero, teniendo en cuenta el variado ramillete de problemas gigantescos que había que resolver, en aquel momento incluso esos celos estaban fuera de lugar. Dios mío, ¿qué le habría hecho Imhotep a Ada en todo ese tiempo?

—¿Cómo vamos a ir a Transilvania sin una máquina teletransportadora? —preguntó Max antes de yo pudiera imaginar un montón de cosas terribles.

—Una cosa después de la otra —repliqué.

—Tus planes son cada vez más complejos —señaló hiriente.

Sí, había entrado definitivamente en la pubertad. ¡Yupi, yupi, *yeah*!

—Ya hemos llegado —dijo Suleika cuando estuvimos delante de la pirámide.

—¿Ah, sí? No nos habíamos fijado —replicó Max.

A Suleika le molestó la impertinencia y Frank gruñó al pequeño por haber sido tan descarado. Y a mí eso me mosqueó porque me dio la sensación de que Frank sólo quería defender a su Ñuleika.

—¡No le gruñas al crío! —mascullé.

Max, el flamante adolescente, no abroncó a su padre, sino a mí:

—Mamá, ¡sé defenderme solo!

—Puede que haga falta para enfrentarse a Imhotep —contesté seria, y con ello reconduje la conversación a lo esencial: la salvación de mi hija.

—¿De verdad creéis que tenéis alguna posibilidad

frente a Imhotep? —preguntó Suleika mientras bajábamos de los camellos.

—Ya hemos sobrevivido a zombis y a Godzilla. No podrá sorprendernos con tanta facilidad.

—Salvo con ranas —dijo Max.

—¿Por qué con ranas? —pregunté asombrada.

Entonces me cayó una rana en la cabeza.

Desde mi cabeza cayó al suelo y se fue dando saltitos y croando por la arena del desierto.

—Por eso —dijo Max.

—Pero si sólo era una... —repliqué estupefacta.

Llegaron volando más bichos croadores. Levanté la vista al cielo: ¡llovían ranas! Y aquella lluvia, que sorprendía a los batracios tanto como a nosotros, hacía mucho daño.

—¡Aquí! —gritó Suleika, y se refugió del chubasco de ranas debajo del tejadillo de una pequeña tienda de recuerdos cerrada.

La seguimos a toda prisa. Los camellos, también. Así pues, debajo del tejadillo acabamos apelotonados tres monstruos, tres camellos y una Ñuleika. Contemplamos aquel espectáculo de ranas, que habría hecho que los climatólogos se cuestionaran todos sus modelos si también lo hubieran presenciado.

—Al parecer, Imhotep puede desatar plagas bíblicas —comentó Max meneando la cola de miedo (una imagen a la que no lograba acostumbrarme ni siquiera en aquella situación).

Puesto que yo conocía la Biblia tanto como la mayoría de los alemanes, o sea nada, le pregunté a Max:

—¿Y qué otras plagas bíblicas hay?

En aquel preciso instante, se acercaba zumbando un enorme enjambre de mosquitos.

—¡No he preguntado nada! —grité—. ¡No he preguntado nada!

Frank arrancó con sus tremendas zarpas la puerta cerrada de la tienda de recuerdos, entramos corriendo en el local, pasamos junto a pirámides y esfinges de plástico, vimos la puerta de una trastienda, la cruzamos corriendo y la cerramos a toda prisa. Los mosquitos se abalanzaron zumbando furiosos contra la puerta, pero ni siquiera entraron por el ojo de la cerradura porque había una mosquitera.

Habíamos encontrado un refugio, aunque bastante estrecho. Los camellos nos habían seguido y casi nos pisaban los pies en la pequeña trastienda. A nuestro alrededor, estaba todo atestado de baratijas; sorprendentemente, incluso había platos de la boda de Carlos y Diana. (¿Comprarían los Klaus y las Barbaras esos remanentes para recordar que había matrimonios peores que los suyos?)

Al cabo de un rato oímos que el enjambre de mosquitos se alejaba. Frank suspiró aliviado:

—Ufta.

—Eso mismo iba a decir yo —añadió Max.

Incluso los camellos respiraron hondo.

Miré a través de la ventana cerrada de la trastienda y vi que fuera ya sólo lloviznaban algunas ranas. No obstante, volvía a formarse una tormenta de arena, un enorme nubarrón negro como el de por la tarde. Estaba más que claro: ¡Imhotep en pleno vuelo de aproximación!

Aunque sus plagas me provocaban un pánico terrible, abrí la puerta de la trastienda, crucé corriendo la tienda, salí al exterior y grité:

—Como no me devuelvas a mi hija ahora mismo, te voy a meter las ranas en un sitio donde no brilla el sol.

Max, que me había seguido cauteloso, comentó mis palabras temblando de miedo:

—Tus planes han alcanzado realmente un grado máximo de complejidad.

La tormenta de arena formó otra vez un rostro. Acompañado por un ruido atronador. Enseguida oiríamos la respuesta a mi amenaza, y seguro que no sería muy cordial.

—Tal vez habría sido mejor un enfoque más diplomático —dijo Max.

Vi que Frank y Suleika, que también habían salido, asentían. Y, mirando hacia atrás por encima del hombro, creí ver que los camellos también asentían en la trastienda.

—¿Las picadas de mosquito son lo peor que puede ocurrir en las plagas bíblicas? —le pregunté a Max dubitativa.

—Bueno, también están las úlceras.

—Qué bien.

—Y la peste del ganado.

—Quizás sí que tendría que haber sido más diplomática.

Entonces estuve incluso bastante segura de ver asentir a los camellos en la trastienda.

—Mucho me temo que es demasiado tarde para la diplomacia —comentó Max.

Los mosquitos se habían esfumado y también habían dejado de lloviznar ranas, pero en el cielo se había formado por completo el rostro de arena negra, y oscurecía el firmamento estrellado. No tenía el mismo aspecto que la otra vez, ahora parecía tener cabellos de arena negra, como si Imhotep se hubiera comprado un bisoñé.

El agujero que hacía las veces de boca comenzó a hablar. Y las palabras que oímos fueron mucho más sorprendentes que la lluvia de ranas. Porque el rostro dijo:

—Eh, ¿qué tal?

La voz sonó atronadora, pero más dulce que por la tarde. Fijo que no era la misma. Se parecía lejanamente a... a...

—¿Ada...? ¿Eres tú...? —pregunté asombradísima.

—¡Sí! ¿A que mola todo lo que sé hacer? —contestó el rostro en el cielo, que era mi hija.

—Molaría mucho más que nos explicaras qué significa todo esto. ¿Qué te ha hecho?

—No me ha hecho nada.

Lo que yo estaba viendo en el cielo no era precisamente «nada».

—Immo se ha portado muy bien conmigo —dijo Ada.

—¿Lo llamas... «Immo»?

—Es que «Impotente» no le hacía gracia.

—Comprensible —comentó Max.

—¿Qué te ha hecho? —repetí la pregunta, muy preocupada.

—¡Me ha enseñado de lo que soy capaz! —exclamó con júbilo.

—¿Convertirte en una tormenta de arena...? —pregunté.

—¡Y mucho más!

—¿Una tormenta de arena que consigue que lluevan ranas y convoca mosquitos?

Se desean otras habilidades para una hija.

—Sí —exclamó ilusionada Ada—. ¡También puedo desatar las demás plagas bíblicas!

—¡Déjalo correr! —se apresuró a gritar Max hacia el cielo.

—No te preocupes —dijo Ada, burlona—, el de la muerte de los primogénitos no pienso practicarlo nunca.

—Me alegra oírlo —repliqué temerosa, y no me entusiasmó precisamente que mi hija se ocupara de semejante tema. Cautelosa, le pregunté—: ¿Puedes volver a transformarte en ti misma? Ésa sí sería una buena habilidad.

—Claro que puede —contestó en su lugar una voz profunda de hombre.

A mi lado apareció de repente un calvo musculoso

con taparrabos y, sin querer, pensé: «Si yo me vistiera así, acabaría con cistitis.»

—¡Soy Imhotep! —anunció teatralmente el hombre del taparrabos.

A Ada se le escapó una risita en el cielo.

—¿No te cansarás nunca de reírte de mi nombre? —gritó él hacia lo alto, pero sin rastro de enfado, sino más bien cordial y divertido.

—Hasta ahora, no. —En el rostro de arena de Ada se perfiló una sonrisa, y el calvo se la devolvió cariñosamente mirando al cielo.

¿Qué demonios ocurría allí?

—¿Has hipnotizado a mi hija? —le pregunté enfurecida a Míster Proper.

En vez de contestar, sonrió.

—Habla, o te ceñiré tanto el taparrabos que te quedará voz de pito.

—Igualita que la hija —dijo Imhotep entre sonoras carcajadas.

—¡De eso nada! —exclamó Ada arriba. Ni siquiera siendo un monstruo de arena le gustaba que la compararan conmigo.

—¡Transfórmate en ti misma de una vez! —le chillé. No podía continuar hablando con ella de esa manera.

—¿Cómo se piden las cosas? —gritó ella.

—Obedece o te vas a enterar.

—La respuesta correcta era «por favor» —se burló Ada.

El rostro de la tormenta se disolvió y la arena comenzó a caer al suelo. Cuando cayó el último grano, la arena se transformó en Ada ante mis ojos. Mejor dicho, en la versión momia de mi hija.

—¿No es maravillosa? —Imhotep la contemplaba enamoradísimo.

Es terrible que los chicos mayores miren babeando a

tu hija. Todavía es peor cuando lo hacen los viejos. Pero ese individuo tenía tres mil años y prestaba una nueva dimensión al concepto de «viejo verde».

—¿Has hipnotizado a mi hija? —volví a preguntarle al del taparrabos.

—No, no se puede hipnotizar a las personas que tienen mucha voluntad —dijo.

Así pues, ése era el secreto. Eso significaba que Ada no había podido hipnotizar a Baba Yaga porque tenía mucha voluntad, ni tampoco a mí. Y, por lo visto, mi hija también tenía una voluntad inquebrantable. Podría haberme sentido realmente orgullosa, de no ser porque su voluntad siempre estaba al servicio de su cabezonería.

—Entonces, yo no soy fuerte de espíritu —dijo Max con tristeza, al deducir por qué Ada había podido hipnotizarlo en la noria gigante.

En ese momento, sentí lástima por él y procuré animarlo:

—Tú también acabarás teniendo una voluntad de hierro...

—Ah, déjate de mentiras retóricas —me espetó Max—. Por culpa de tus peroratas, ¡mi vida es muchísimo más desastrosa que antes!

¿Por culpa de mis peroratas? ¿Qué le había dicho? ¿Y cuándo? No tenía ni idea de a qué se refería ni sabía por qué su vida era peor que una hora antes. Por un breve instante pensé si no debería preguntárselo. Pero decidí que primero tenía que encarrilar a Ada. La cogí del brazo y le dije:

—¡Ahora mismo te vienes con nosotros!

—¿Adónde pretendes llevártela? —preguntó Imhotep, visiblemente disgustado porque la hubiera agarrado.

—A Transilvania.

—¿Y cómo pretendes llegar, necia? —preguntó sarcástico.

—¿Sabes qué? —lo increpé—. ¡Lo último que me faltaba era un viejo sabelotodo de tres mil años con taparrabos!

La risa desapareció de su rostro de golpe.

—¡Nos vamos! —le ordené a Ada, y tiré con fuerza de ella. Pero no se movió del sitio.

—Me quedo con Immo —contestó tranquilísima.

—¿Qué?

—Me quedo con Immo.

—¡Sólo he entendido «Me quedo con Immo»! —dije perpleja.

—Pues has entendido bien.

—¡Pero a ti no te entiendo!

—¿Qué es lo que no se entiende? —preguntó Ada.

—¡Nada!

—¿Por qué no quiero volver a transformarme en persona?

—Creía que odiabas ese cuerpo de momia.

—Entonces no sabía todo lo que puedo hacer con él. Puedo hipnotizar a la gente. Puedo transformarme en tormentas, incluso puedo desatar plagas bíblicas...

—Y no hay que olvidar —completó el del taparrabos— que dominas la terrible maldición de la momia.

—El último recurso —asintió Ada—. Porque esa arma puede ser letal.

—No quiero saber en qué consiste esa maldición que dominas —la interrumpí—. No puedes quedarte.

—¿Por qué no? No quiero volver al cole. Piensa en todo lo que puedo conseguir con mis poderes. Alentar revoluciones. Derrocar dictadores. Ayudar a la gente. A los pobres. A los oprimidos.

Me dejó asombrada. Por sus ideas. Pero también porque las expuso radiante. La chica aletargada por fin tenía un proyecto. Un plan por el que incluso pensaba renunciar a su cuerpo adolescente y seguir siendo una momia eternamente.

Eso podría parecer fascinante, porque era idealista, valiente y altruista. Y seguro que me habría impresionado en cualquier otra persona. Si esa persona no hubiera sido casualmente mi hija. Pero no podía permitir que arrojara por la ventana su vida humana y siguiera siendo una momia para siempre.

—¿Por qué pones esa cara? —me preguntó—. Tú siempre has querido que pensara en mi futuro. Y ahora he encontrado algo con lo que realmente puedo cambiar el mundo.

—¿No es maravillosa? —dijo Imhotep radiante—. Como mi Anck. Quiere salvar a la gente.

Aquel tío empezaba a crisparme los nervios.

—Ada, no puedes ser siempre una momia... —intenté apelar a su conciencia.

—Claro que puedo.

—Puede que Ada —intervino Max a favor de su hermana, dando rienda suelta a la imaginación— sea una especie de elegida, como en las grandes historias, como Luke Skywalker o Frodo Bolsón... Puede que incluso tenga que salvar a...

—¿Max? —dije.

—¿Sí?

—¡Siéntate!

Se sentó y se calló.

Observé a Ada y vi una mirada decidida en sus ojos, no supe qué decir, me volví indefensa hacia Frank y le pedí:

—¡Haz el favor de decirle algo!

—Ufta —rugió con fuerza y determinación.

—Vaya —dije suspirando—. Eres de gran ayuda.

—¡UFTA, UFTA, UFTA!

Eso tampoco sirvió de mucho.

Así pues, volví a dirigirme a Ada:

—Por favor..., ven con nosotros..., sé razonable...

—Soy más razonable que nunca.

—Déjame que te diga...

—Tú no puedes decirme nada —replicó Ada—. Siempre has querido tener una hija diferente; ahora ya la tienes.

—No quería decir eso.

—Oh, sí, lo dijiste —replicó, y sus ojos brillaron de tristeza y furia.

Eso me dolió terriblemente porque no era justo. Y me enfureció.

—Deja de hablarme así o... —la amenacé desvalida.

—Deja ya de darme órdenes sólo porque eres una frustrada —objetó, plantándome cara.

—¿Qué has dicho que soy?

—Una frustrada total, porque no has logrado nada en la vida.

Cuando acabó de pronunciar esas palabras, levanté instintivamente la mano. No quería pegarle. Claro que no. Sólo amenazarla. Tenía que dejar de hablarme así de una vez por todas.

—¿Vas a pegarme? —me preguntó sobrecogida.

—No... Sólo quiero hacerte entrar en razón —balbuceé.

—Desaparece de mi vida —dijo en voz baja.

—Pero...

—No quiero volver a verte nunca más —murmuró, y el desprecio que vi en sus ojos me resultó insoportable.

Me aparté. Me faltaron las fuerzas para objetar nada. Y me sentía muy avergonzada por haberle levantado la mano.

Miré a los demás, triste y desesperada. A Max, que clavaba turbado la vista en el suelo. A los camellos, que seguían sin atreverse a salir de la trastienda. A Frank y a Suleika, de los que pensaba que quizás había habido algo entre ellos. Una sospecha que me dolía tanto como el desprecio de Ada.

No podía seguir viviendo con esa sospecha, me corroía. Necesitaba certezas. ¡En una o en otra dirección!

Alterada y sin pensarlo demasiado, me dirigí hacia Frank y le pregunté:

—Vosotros dos, alguna vez...

—¿Ufta?

No había entendido mi pregunta cargada de insinuaciones.

Suleika, sí; desvió la mirada y dijo:

—Voy... a echar un vistazo a los camellos.

Eso fue tanto como una respuesta.

Suleika desapareció en el interior de la tienda y yo volví a preguntarle a Frank, esta vez con más claridad:

—¿Os acostasteis juntos alguna vez?

Frank negó meneando la cabeza.

Unas piedras enormes de alivio se desprendieron estrepitosamente de mi corazón inexistente. Mi sospecha había resultado ser una simple tontería de celos. ¡Gracias a Dios!

Quise abrazar a Frank, pero él se agachó y escribió algo en la arena con su enorme y macizo dedo índice:

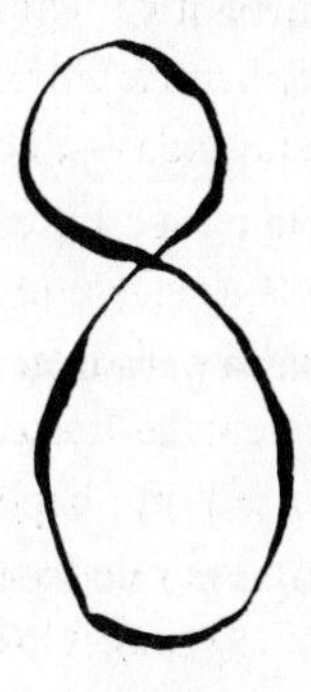

Al principio no entendí nada. Pero luego me sentí terriblemente mal.

—¿Ocho?

Frank asintió avergonzado.

—¡¿¡OCHO!?!

Frank asintió aún más avergonzado.

—¿No te acostaste con ella una vez, sino ocho?

Frank dejó de asentir de tanto que se avergonzaba.

Oh, Dios mío, aquello era peor, mucho peor de lo que había pensado.

No me había engañado sólo una vez en un arrebato. Lo había hecho continua y gustosamente. Eso no se hace cuando se ama a alguien.

Por lo tanto, no me amaba.

Quizás desde hacía mucho tiempo.

Todavía me sentí peor. Como si alguien me arrancara las entrañas. Miré alrededor. Había sido totalmente absurdo buscar las llaves de los corazones de mi familia. Sus corazones estaban cerrados a cal y canto.

—Ya sé que no soy perfecta. No soy una madre fantástica y no soy una esposa fantástica... —dije con la voz rota.

Me interrumpí un momento y proseguí:

—Soy como soy... no hay más...

Todos callaron, turbados.

Incluso Imhotep.

Y los camellos.

—Y si eso no basta para estar conmigo...

Miré a Ada.

—... y si eso no basta para hacer que vuestra vida sea mejor...

Miré a Max.

—... y, sobre todo, si eso no basta para serme fiel...

Miré a Frank.

—... será mejor que me vaya.

Llena de tristeza, me dirigí a la tienda y le cogí a Suleika las riendas de un camello de la mano. Saqué fuera el animal, pasé por delante de mi familia y monté. Luego le di al camello la orden de marcha.

Y mientras abandonaba a mi familia, comprobé que los vampiros también lloran.

ADA

—¡¿¡No te da vergüenza engañar a mamá!?! —increpé a papá cuando mamá ya se había ido.

—Uff —contestó, y lo hizo realmente avergonzado.

Pero en aquel momento me dio igual. Por eso seguí recriminándolo:

—¡Y encima lo haces con una pobre conejita del Tercer Mundo!

—¡Un momento! —protestó la conejita del Tercer Mundo.

—Nada de momentos. Te fuiste a la cama con un hombre casado. Si quieres conseguir la carta verde para Alemania, búscate un turista soltero.

—En Alemania no hay carta verde —me corrigió.

—¡Me importa una mierda el proceso que siguen los inmigrantes en la República Federal de Alemania!

Suleika cerró el pico.

—Mira que irte a la cama con un viejo decrépito por una cosa así —dije con desprecio—. Con esa carne fofa.

—¡Ufta! —protestó entonces papá.

—¡Deja ya de decir siempre «ufta»!

—¿Iffta? —contestó desvalido.

—Esa versión no es mejor, ¡viejo verde!

—¡Ufta! —volvió a protestar al estilo normal.

—Yo... amo a tu padre —dijo Suleika. Y tal como lo miraba, incluso podías creértelo. Aunque no pudieras comprenderlo.

—Si eso es verdad, ¿no hay que ser muy tonta para enamorarse de un tío tan repugnante que incluso engaña a su mujer? —pregunté.

Suleika miró al suelo.

—¿Y tú? —le pregunté a papá—. ¿No hay que ser muy tonto para engañar a tu mujer si tienes hijos?

Él también miró al suelo.

—En el suelo no encontraréis ninguna respuesta.

Desviaron la mirada a un lado.

—Ahí tampoco.

Los dos siguieron callados. Y, sinceramente, no pude soportar verlos por más tiempo. Por eso dije:

—Venga, Immo, nos vamos.

—¡Nadie le dice a Imhotep lo que tiene que hacer! —protestó Immo.

—No te alteres —contesté, y comencé a transformarme en tormenta de arena.

Primero se me descompuso el brazo izquierdo en un remolino de arena. Eso picaba bestialmente. Como cuando un brazo se te empieza a despertar y te da la impresión de que miles de hormigas se arrastran por él.

—¿Qué haces? —preguntó Max, inseguro.

—¿A ti qué te parece? —contesté mientras el otro brazo también se transformaba en un remolino de arena.

—Que huyes —constató Max con tristeza.

Por un momento, eso me afectó. Pero luego me enfureció aún más: si estaba permitido huir de alguna situación, seguramente era de aquélla. Además, por fin tenía un plan, sabía qué quería hacer con mi vida y ardía en deseos de llevarlo a la práctica de una vez.

El resto de mi cuerpo se convirtió en un remolino de arena, me picaba por todas partes, sólo dejé que la boca mantuviera su forma real. Flotaba en el aire como única parte existente del cuerpo, sostenida por el impulso ascendente del remolino de arena, y pregunté:

—¿Qué, Immo? ¿Vienes?

—Nadie le da órdenes a...

—Ah, ¡no me llores! —dije, cortándole la palabra.

Luego, mi boca también se transformó en arena y ascendí por el cielo como un remolino. ¡Qué sensación más guay! Arremolinarse así. Volar así. Subir por el cielo. ¡Ser una fuerza de la naturaleza!

Miré hacia abajo: todos se iban haciendo pequeños, salvo Immo, que por fin se había puesto las pilas y también se transformaba en tormenta de arena. Vaya, vaya: nadie le dice a Imhotep lo que tiene que hacer.

A través del aire que yo misma levantaba, oí gritar abajo a papá:

—¡Affda!

Formé una boca enorme de arena (cosa que, dicho sea de paso, era como bostezar, pero picaba más) y le grité con mi voz de torbellino:

—¡Nada de «Affda»! Ya no soy vuestra pequeña Ada, ¡ahora soy para siempre Felicitas!

Me alejé de allí soplando como el viento y pensando a qué dictador idiota iba a demostrarle lo bien que la nueva Felicitas podía darle una patada en el culo.

MAX

La situación era deplorable. Y «deplorable» era una manera suave de formularlo. En cierto modo era tan deplorable como las habilidades náuticas del capitán del *Titanic*. O que la situación de los soldados alemanes en Stalingrado. O la moralidad de Silvio Berlusconi. O lo que yo sabía de chicas.

Mamá se había ido. Ada también. Y estaba a punto de convertirse en una versión exaltada de Nelson Mandela.

Para colmo de males, papá había engañado a mamá. Y ahora yo los odiaba a los tres.

Cuánto deseaba estar con Jacqueline. En todo caso, con una Jacqueline que no se riera de mí cuando le confesaba mi amor. Pero, por desgracia, esa Jacqueline no existía. Por lo tanto, no deseaba estar con Jacqueline.

Ante todo, deseaba no haberle dicho nunca que la quería. ¿Qué me había creído? ¿Cómo iba ella a querer a un hombre lobo? Por no hablar de un tal Max.

No obstante, la cuestión de cómo iba a querer a un tal Max resultaba irrelevante, puesto que yo nunca volvería a serlo. Los Von Kieren ya no teníamos ninguna posibilidad de volver a transformarnos en personas normales y menos aún en la familia normal que, bien pensado, era evidente que nunca habíamos sido.

¿Qué tenía que hacer con mi vida? ¿Quedarme con papá? ¿Con un hombre que de momento tenía dificultades para hacer sumas de una cifra y al que ahora despreciaba profundamente? ¿Con un hombre al que me encantaría acercarme para mearme en su pierna y luego mordérsela? (Desde el punto de vista del paladar, la sucesión inversa de las acciones seguramente sería mejor.)

No, ¡no podía quedarme con ese hombre! Por lo tanto, tenía que intentar arreglármelas solo siendo un hombre lobo. Pero ¿cómo lograrlo? ¿Ganándome la vida actuando en televisión? ¿Durante cuánto tiempo funcionaría? ¿Cuánto duraría como espectáculo en los medios de comunicación antes de que me enviaran a «La isla de los famosos»?

En ese preciso instante volví a recordar los peligros a los me expondría si me daba a conocer como hombre lobo parlante. Fijo que caería en el punto de mira de los científicos, que se encargarían de que en los juzgados no me clasificaran como *homo sapiens*, sino como animal. Y luego desaparecería durante los siguientes cincuenta años en un laboratorio. Eso si sobrevivía allí dentro durante tanto tiempo.

¡No podía permitirlo! La cosa estaba clara: tenía que seguir de incógnito. Pero ¿cómo? ¿Me unía a una manada de lobos? En la fauna de Egipto no había lobos. Y los zorros del desierto no picarían el anzuelo si hacía ver que era uno de ellos. Y si no descubrían el engaño, los zorros del desierto estarían intelectualmente tan por debajo de mi categoría que yo nunca querría unirme a su manada.

Siendo un hombre lobo, sólo existía una posibilidad de ganar dinero para comida y alojamiento y, al mismo tiempo, permanecer fuera del alcance del radar de los científicos: tenía que unirme a un pequeño circo. Por ejemplo, al que actuaba en el complejo turístico. ¡Por fin tenía una estrategia! No era una estrategia para echar cohetes. Pero era factible.

Me acerqué a papá y meé en su pierna. Luego le pegué un mordisco. Y me enfadé al instante porque, con el enfado, no me había acordado del orden correcto. Luego me largué, con mal sabor de boca. ¡Al circo!

EMMA

Cuando en las grandes películas épicas ves en la pantalla a alguien llorando por un paisaje maravilloso —en el Tíbet, en la jungla o, como yo, en el desierto—, te sientes muy conmovido en la sala y piensas: «Oh, ¡qué sentimientos más profundos!»

Sin embargo, en aquellos momentos comprendí una cosa: los sentimientos profundos son una mierda.

Qué no habría dado yo por estar aburriéndome delante de la caja tonta, viendo algo tedioso, como un debate parlamentario sobre los peajes, mientras comía patatas chips.

Y qué no habría dado por poder acallar el hambre con una bolsa de patatas fritas. Y es que el estómago había empezado a ladrar durante mi épica cabalgada emocional a través del desierto. Al principio, lo ignoré; todavía estaba demasiado ocupada llorando. Pero luego se puso a pedir la palabra cada vez más alto, hasta que ya no pude ignorar su llamada, que decía: «Eh, ¡tengo un hambre canina! Y con "canina" me refiero a "darle a los caninos y chupar sangre".»

El efecto de la pastilla de Drácula disminuía. A una velocidad de vértigo. Tan deprisa que durante el resto de la cabalgada dejó de importarme si Frank se lo había montado con Suleika ocho veces en la cama o siete veces en el trapecio.

No tenía ni idea de hacia dónde me dirigía, pero el hambre hacía que no me importara. Por lo visto, el camello quería regresar al complejo turístico, cosa que tampoco se le podía tomar a mal teniendo en cuenta el rumbo que la noche había tomado hasta entonces. Antes de que pudiera sopesar si quería ir al hotel, pasamos junto al circo, donde la función había acabado hacía rato, y llegamos a la puerta principal de las instalaciones. En la entrada vi a un Klaus y a una Barbara discutiendo:

—Quita, quita, que tú podrías apuntarte a Mal Aliento Internacional —criticó Barbara.

—Y tú podrías apuntarte a Huevos Pasados por Agua Internacional —replicó Klaus.

Con esos dos me apañaría. Para mí ya no eran turistas, eran comida.

Bajé del camello, que cruzó sin mí la puerta arqueada del complejo. Las dos comidas no se dieron cuenta de mi presencia y continuaron discutiendo.

—¡Y tú podrías apuntarte a Narcotizar Animales con Sudor de Pies Internacional! —insultó Barbara.

—Hola —saludé, intentado intervenir en la conversación.

—Y tú a Pelos en la Cara Internacional —replicó Klaus sin hacerme caso.

—¡HOLA! —dije más alto.

—¿No ve usted que estamos hablando? —refunfuñó Klaus.

—¿Y no ve usted que me da lo mismo? —contesté.

Klaus me miró a la cara, reconoció mi sed de sangre y se puso a temblar:

—Sí..., sí..., ya lo veo...

—¡Bien! —contesté.

—¿Por qué tiene esos colmillos tan grandes? —me preguntó Barbara atemorizada.

—¿No esperarás en serio que conteste: «Para comerte mejór»?

Barbara negó asustada con la cabeza.

Mi ansia de clavar los colmillos en su cuello era enorme.

—Ejem... —dijo Klaus—, ya va siendo hora de que me apunte a Me Esfumo Internacional.

—¡Klaus! —exclamó Barbara aterrorizada.

Cuando comprendió que la dejaba sola, ella también quiso huir, pero la agarré antes de que pudiera largarse.

—Voy a buscar ayuda —le gritó Klaus antes de desaparecer en el interior del hotel, y sus palabras no sonaron creíbles.

—Un auténtico héroe —me burlé.

—¡¡¡KLAUSSSSS!!! —gritó Barbara despavorida.

El hombre la había abandonado. Pero no me compadecí de ella. ¿Quién siente compasión por la comida?

—Ayúdame, Klaus... Retiro lo del sudor de pies—gimoteó la mujer.

—Barbara... —dije.

—¿Sí? —preguntó asustada.

—Prefiero que la comida tenga la boca cerrada.

Se calló y gimoteó para sus adentros. Abrí la boca y acerqué los colmillos a su cuello. Sus gimoteos me traían sin cuidado. Todo me traía sin cuidado. Menos su sangre. ¡Quería su sangre dulzona, aromática, tentadora!

Enajenada, le hice un rasguño en la piel del cuello con mis colmillos. Enseguida bebería, acallaría mi ansia desmesurada. Sin embargo, antes de que pudiera consagrarme a ello, oí:

—¡Emma!

Ésa no era la voz de un Klaus.

Aparté los colmillos del cuello de Barbara, pero seguí sujetándola. Y entonces lo vi: Drácula.

El paisaje del desierto nocturno le sentaba de maravilla. Parecía todavía más guapo y aristocrático que antes. Increíblemente apetecible. Pero, en ese momento, ni de lejos tan apetecible como la yugular de Barbara.

—¿No pensarás en serio beber su sangre? —me preguntó Drácula con voz suave.

—¡Pues claro que sí!

—¡Eso te hará infeliz!

—Puede, pero primero me hará feliz —contesté.

—Déjalo —insistió.

—¡Escucha a este hombre! —dijo Barbara.

—¡Creía que habíamos quedado en que la comida no habla! —le rugí, y volvió a guardar silencio.

—¡Tómate esta pastilla! —me pidió Drácula alargándome otra de sus píldoras rojas, que servían de sucedáneo a los vampiros.

En el cuello de Barbara ya brotaban las primeras gotitas de sangre en los dos puntos donde le había rasguñado la piel con mis colmillos.

—¡Prefiero el original al sucedáneo! —exclamé, y me dispuse a chuparle la sangre a Barbara.

En vez de contestar, Drácula lanzó una píldora en mi dirección. Con un ímpetu enorme. Y certero. Me dio de lleno en la boca abierta y cayó en mi esófago a través de la laringe. Me atraganté y tosí, pero la pastilla ya estaba en mi cuerpo. Y surtió efecto velozmente: el ansia desaforada se apagó de inmediato y solté a Barbara.

—Vete —le dije aturdida.

No supo qué contestar.

—Ya no eres comida —dije—, vuelves a ser Barbara.

—No me llamo Barbara, sino Astrid —comentó.

—¿Sabes qué me importa a mí eso?

—¿Un rábano?

—Chica lista, Astrid. Y ahora desaparece o Astrid recibirá...

—¿... una patada en el culo? —preguntó.

—¡Chica lista, Astrid, muy lista!

La mujer salió corriendo hacia el resort y la oí gritar:

—Quita, quita, que ahora mismo llamo a un abogado experto en divorcios.

—Humanos —dijo Drácula suspirando—, son tan prescindibles...

El enajenamiento por la sangre se había evaporado. Drácula había impedido que me convirtiera en una asesina. Eso quizás era incluso lo más grande que jamás nadie había hecho por mí. Le estaba profundamente agradecida por ello.

Sin embargo, el hecho de que ya no estuviera enajenada no fue una bendición total, porque los demás sentimientos volvieron a aparecer de golpe. Me habría puesto a llorar otra vez allí mismo por mi familia.

—¿Tienes planes para esta noche? —preguntó Drácula—. Si no los tienes, vuela conmigo.

—¿Los vampiros pueden volar? —pregunté.

La idea me distrajo un poco de mi lucha contra los lacrimales.

—Si nos transformamos en murciélagos, sí.

—Puaj —dije. La idea me resultó desagradable.

—Pero yo propondría volar en mi jet privado —dijo Drácula sonriendo, y señaló un jet que había aterrizado a menos de cien metros.

Lo medité un momento.

Luego contesté:

—Una propuesta rematadamente buena.

MAX

Sobre mi cabeza, un jet volaba por el cielo cuando me deslicé junto a la carpa del circo, que se llamaba Maximus. En las jaulas que había junto a la carpa roncaban dos tigres decrépitos y un gorila enorme, gordo, probablemente adiposo. En el centro de la pequeña área de desierto que ocupaba el circo había un carromato que debía de pertenecer al director. A favor de esa hipótesis hablaba el hecho de que en ese vehículo ponía en letras grandes: *Der Grosse Maximus.* De ese nombre podía deducirse que Maximus era un director de circo que hablaba alemán. Además, cabía suponer que un hombre que se llamaba a sí mismo el Gran Maximus no sufría precisamente de falta de ego. Seguro que hablaba de sí en tercera persona.

No obstante, poco importaba qué prototipo psicológico representaba el tal Maximus en el género humano; tenía que hablar con él porque, si una criatura como yo podía encontrar refugio en algún sitio, ese sitio era aquél. Allí vivían ya unas cuantas criaturas extrañas: a través de la ventana iluminada de un carromato, vi quitarse la ropa a una mujer con piel como de serpiente. Los pechos de esa mujer serpiente fueron los primeros que vi en directo en mi vida, y no estuve seguro de qué debía opinar de aquella visión.

En otra caravana colgaba un cartel donde se anunciaba: *Jo y Bob, las hermanas siamesas del trapecio.* Y delante de la carpa, apoyada en un poste, dormía una mujer gorda, borracha y barbuda. Sí, en ese entorno, ¡seguro que no llamaría la atención!

Subí los pequeños escalones de madera podrida y oí unos ronquidos fuertes a través de la puerta. Maximus tenía una voz de potencia máxima, eso era seguro.

Al llegar al descansillo, piqué con la pata en la puerta. Maximus roncó un poco más fuerte. Así pues, continué martilleando la madera hasta que en vez de ronquidos oí:

—Mierda, ¿quién osa molestar a Maximus a estas horas de la noche?

Lo que imaginaba: Maximus hablaba de sí mismo en tercera persona.

—Como seáis vosotras otra vez, siamesas idiotas —rugió—, os daré tal patada en ese culo que compartís ¡que ya no sabréis ni dónde está el puñetero Siam!

Aquel hombre no parecía precisamente un empresario cordial.

—¡Vengo a pedir trabajo! —grité con valentía a través de la puerta cerrada.

—¡No necesito mozos para viajar conmigo! —contestó bramando.

—¡Vengo a trabajar de atracción de circo!

—¿Qué ofreces?

—Tiene que verlo usted mismo.

Al cabo de unos instantes meditando, el gran Maximus contestó:

—De acuerdo, pero si no me convence, les diré a las hermanas siamesas que te den una paliza. ¡Tienen dos ganchos de izquierda sensacionales!

Tragué saliva. Y esperé. Por lo visto, el director del circo tenía que vestirse. Después de lo que me pareció una eternidad, la puerta se abrió por fin y apareció el gran Maximus en albornoz..., y era bajito. Para ser exactos: era liliputiense. Uno de esos antipáticos que tiran de los pelos en las peleas o le muerden la oreja al contrincante.

—Ya veo que el nombre de «El gran Maximus» es una autorreferencia irónica —dije valeroso.

—¿Por qué irónica? —contestó agresivo. Por lo visto, no le veía la ironía a su nombre por ningún lado—. ¿Y qué demonios significa «autorreferencia»?

—Es cuando... —quise explicarle.

—¡Cierra el pico! —me interrumpió.

Luego me observó y no le sorprendió en absoluto tener delante a un hombre lobo que hablaba. Era evidente que estaba acostumbrado a criaturas como yo.

—¿Cómo te llamas?

—Max.

—Si quieres trabajar en el Circo Maximus, ¡no podrás llamarte así!

—¿Eso significa... que puedo quedarme?

—Tendrás techo, comida gratis y 25 dólares al mes.

—¿Sólo 25 dólares?

—¿Dónde vas a gastar tanto dinero siendo un lobo?

El argumento era irrefutable. Aun así, yo no estaba conforme. Si iba a ser un vagabundo, al menos no sería de los que se contentan con poco. Por lo tanto, haciendo acopio de todo mi coraje, dije:

—¡Quiero 50 dólares!

—Soy Maximus el Grande —contestó el liliputiense en albornoz; rebuscó en sus bolsillos y sacó un puro muy gordo—, ¡no Maximus Rockefeller!

—50 dólares o me voy —insistí.

—Tampoco soy Maximus, el hombre que te necesita —contestó, y se encendió el puro placenteramente.

Dudé. ¿Me iba? Pero ¿adónde?

—Por la pinta que haces, diría que no tienes mucho donde elegir —constató.

Seguro que era el único liliputiense del mundo que podía hablarte por encima del hombro.

—De acuerdo, 25 dólares —acepté apretando los dientes.

—20 —me corrigió con frialdad.

—¡Hace un momento eran 25! —protesté.

—No haberte atrevido a rechistarme —contestó Maximus, y me tiró el humo del puro a la cara.

—Pero... —dije, y tosí.

—Vuelta a rechistar. Ahora son 15.

—¡Eh!

—13.

—Eso...

—10.

—No debería seguir hablando —me resigné.

—Por fin has comprendido cómo funcionan las cosas con Maximus —se burló, y me acarició toscamente la cabeza—. ¡Ahora te enseñaré dónde puedes dormir!

—¿Tendré mi propia caravana? —pregunté esperanzado mientras bajábamos las escaleras de la suya. Me habría encantado tener un reino propio.

Maximus se echó a reír.

—Una caravana propia... Eres la mar de divertido... ¡A lo mejor también podrías actuar de payaso! Los niños siempre se echan a llorar con el nuestro...

Observé al liliputiense, que se tronchaba de risa, y me estremecí pensando que a partir de entonces vería a aquel hombre cada día. De pronto me sentí como los huérfanos desgraciados de los cuentos infantiles, que se quedan con el malo porque sufren una dramática carencia de alternativas.

Maximus dejó por fin de carcajearse y, mientras caminábamos por los terrenos del circo, me preguntó:

—¿Cómo quieres llamarte?

Reflexioné: ¿por qué no podía iniciar una nueva vida con un nombre nuevo? Tal vez Oliver o Harry o el de cualquier otro huérfano que se hubiera convertido en un gran héroe, aunque empezaba a estar bastante convencido de que yo no estaba hecho de la misma pasta que los héroes.

Después de cavilar un poco, recordé el nombre de otro huérfano que se convirtió en héroe, un capitán llamado Kirk.

—¡Quiero llamarme James Tiberius! —le contesté a Maximus.

Maximus se me quedó mirando.

—Tiberius pega un poco con Maximus —afirmé, intentando que se le hiciera la boca agua con la idea.

Sonrió. Ampliamente. Al menos podría empezar mi nueva vida con un nombre heroico: James Tiberius von Kieren.

Bueno, quizás debería renunciar al «Von Kieren».

—¿Qué opina? —pregunté esperanzado.

—Nada —replicó—. A partir de ahora, ¡te llamarás Rex!

—¿¡¿REX?!? —pregunté con espanto.

—Te queda mejor —contestó Maximus, y añadió—: Aquí tienes tu dormitorio, Rex.

De golpe y porrazo, olvidé el horror por mi nuevo nombre. Porque le cedió el sitio al horror por mi nuevo dormitorio.

—¿La jaula del gorila? —exclamé—. ¡¿¡Tengo que dormir en la jaula del gorila!?!

—Esto es un circo, no un hotel de lujo, Rexi-Boy.

—¡¿¡REXI-BOY!?!

Me embargaron las lágrimas. Lo único que me impidió llorar fue el temor a que a Maximus le diera otro ataque de risa.

Abrió la puerta de la jaula y, como rechinaba, el gorila se despertó. Y soltó un gruñido más profundo que los que emitía mi padre Frankenstein.

—¡Os llevaréis muy bien! —exclamó Maximus con una sonrisa burlona.

Lo dudé.

—Tenéis muchas cosas en común —añadió.

Lo dudé aún más.

—Vamos, entra de una vez en la jaula, quiero volver a acostarme, Rexi-Boy —me ordenó mi nuevo director.

Deprimido, hice lo que me decían. Maximus cerró la puerta de la jaula y se fue. Desapareció fumándose contento el resto del puro.

Me deslicé hacia el extremo de la jaula donde no estaba tumbado el gorila, que ahora me observaba con mucho interés. Pensaba echarme a llorar en cuanto llegara al rincón. Pero apenas había tenido tiempo de producir la primera lágrima, cuando el gorila se puso a hablar:

—¡Me llamo Gorr!

—¿Sa... sabes hablar? —pregunté, estupefacto.

—Tú también, Rexi-Boy —replicó el gorila parlante.

Me había quedado tan asombrado que no supe qué contestar.

—Parece que a la sabandija liliputiense no le faltaba razón: tenemos algo en común. ¿Eres una persona hechizada como yo? ¿O eres un lobo hechizado?

—Persona. Me hechizó una bruja... —le expliqué.

—¡Y a mí un sacerdote vudú del Congo!

Gorr era realmente una persona con un destino parecido al mío. Mi corazón volvió a albergar un poco de esperanza. Tal vez aquel gorila podría ser mi bondadoso mentor. Enseñarme todo lo que necesitaba para arreglármelas en aquel mundo desconocido. ¡Ser el Obi-Wan Kenobi que me convertiría en un caballero Jedi!

—El sacerdote vudú —siguió contando el gorila— se enfureció conmigo porque arrasé su pueblo con mis soldados.

Estaba claro que tendría que quitarme de la cabeza lo de «bondadoso mentor».

Gorr se levantó y se me acercó con parsimonia. Se plantó delante de mí y sonrió con malicia, enseñando sus dientes amarillentos de gorila.

—¡Ya me imagino quién de los dos será el criado del otro a partir de ahora!

—¿Ah, sí? —pregunté despavorido.

—Te daré una pista: de los dos, no será el gorila.

Lo dijo enseñando sus dientes amarillentos, y no pude evitarlo: me eché a llorar definitivamente y grité muy fuerte:

—¡MAMÁÁÁÁÁÁ!

EMMA

Un jet privado es de lo más chic. Sobre todo si estás acostumbrada a los vuelos *low cost* en los que te cobran aparte hasta el aire que respiras.

El jet privado de Drácula era espacioso y supersilencioso, un sueño de maderas nobles, asientos de piel y mayordomos. Me senté en una butaca supercómoda y un mayordomo me sirvió una copa de vino tinto que hizo estallar de alegría sensorial todas mis papilas gustativas.

—Es un Château Farfernac del 78 —dijo Drácula.

—Nunca he oído hablar de él —contesté, cosa que no

era de extrañar, puesto que tenía tanta idea de buenos vinos como de musicales modernos.

—Es de mis viñedos privados.

¿Drácula tenía viñedos? Eso era tener estilo. Muchísimo estilo.

—¿Te apetece comer algo, querida Emma?

—Ya me has hecho tragar una pastilla —respondí, y tomé otro sorbo del tal Château. No costaba habituarse a aquella bebida.

—No hablaba de hambre, sino de si te apetecía comer algo —dijo con una sonrisa—. Los vampiros ansiamos la sangre, pero eso no significa que tengamos que renunciar a los placeres culinarios. ¿Te he comentado ya que tengo a bordo un cocinero con tres estrellas Michelin?

—No, no me lo habías dicho.

—Tengo a bordo un cocinero con tres estrellas.

Lo dijo sonriendo de tal manera que me temblaron las rodillas.

Aquel vampiro causaba estragos en las mujeres. Sobre todo en las vampiras con alma.

Poco después degustábamos el menú más fantástico de todos los tiempos: carne de búfalo mozambiqueño, queso de cabra tibetano y un tiramisú andaluz tan delicioso que jamás volvería a probar un tiramisú italiano. Eran exquisiteces que habrían dejado sin aliento incluso a los críticos gastronómicos más insensibles.

Mientras comíamos, Drácula me habló de lugares recónditos llenos de belleza que quería enseñarme: la ciudad africana oculta de B'wana, cuyas ruinas se encontraban en la jungla congoleña, o el legendario templo de las flores de loto en Birmania. Drácula describía la hermosura de esos lugares con tanta viveza que sus descripciones me estimulaban aún más que los magníficos platos y el magnífico vino. Yo no tenía ni idea de que en el mundo moderno, donde todo estaba medido y registrado, existían tantos lugares recónditos llenos de misterio, encanto y belleza. Tenía que ser fascinante viajar a ellos con Drácula. En comparación, un viaje a las islas Mauricio con Hugh Grant, como el que había hecho mi antigua compañera de trabajo Lena, seguro que más bien parecía una visita al zoo de una ciudad de provincias.

Mentalmente, ya no estaba en el jet privado, comiendo y bebiendo, sino que recorría con Drácula el templo lleno de lotos y olía sus flores.

—¿En qué piensas? —preguntó Drácula, interrumpiendo mi paseo mental.

En vez de contestar, dejé el tenedor y lo observé. Tenía unos ojos en los que podías perderte. A juego con sus labios sensuales. Y con el rostro aristocrático y pálido. Y con el cuerpo musculoso. Seguro que tenía una buena tableta de chocolate debajo de la elegante camisa, y que la báscula de grasa de su cuerpo estaba en paro. ¿Cómo sería hacer el amor con Drácula en el templo de las flores de loto? Cheyenne me había contado que era un virtuoso en la cama.

¡Alto, alto! ¡No podía pensar en eso!

Por otro lado, ¿por qué no podía imaginarlo? ¿Por qué iba a tener remordimientos si me acostaba con Drácula? ¿Por Fsuleifka-Frank?

Deseaba a aquel hombre..., vampiro..., propietario de un jet privado... Y él me quería a mí. Se notaba a simple vista. Lo suyo no era lascivia. Sino amor. Increíble, ¡un hombre como él se había enamorado precisamente de mí, de Emma von Kieren!

Pero, ¡alto, alto! Quizás todo aquello no era más que un truco para seducirme. Probablemente habían echado alguna sustancia en la comida para sugestionarme. De lo contrario, ¿cómo podía explicarse que lo deseara tanto y que apenas pensara en mi familia? De Drácula se podía esperar cualquier vileza, aunque no hubiera sido Drácula, sino solamente el jefe del consorcio de Guguel.

—¿En qué piensas? —volvió a preguntar.

—¿Le has echado algo a la comida? —le pregunté directamente.

—¿Por qué iba a hacerlo?

—Para ponerme.

—¿Significa eso que me deseas? —replicó contento.

Ups.

Tenía que salir rápidamente de aquel lío, y contesté:

—Ejem..., no..., no, ¿cómo se te ocurre?

—Porque sospechas que te he echado unas gotas de afrodisíaco en la comida.

—Ejem, sí, podría pensarse eso... —admití.

—Pero si te hubiera echado unas gotas...

—... ¡no habrían hecho efecto! —me apresuré a completar la frase.

Drácula me observó. Divertido. No me creyó. Luego sonrió cordialmente y dijo:

—Si algún día me deseas, queridísima Emma, tendrá que ser por tu propia voluntad y no porque yo recurra a las malas artes. Un verdadero amor tiene que basarse en la sinceridad y la verdad.

—Bi... Bien —repliqué.

Pero no estaba bien. Drácula no me ponía porque le hubiera hecho algo a la comida, sino que me ponía porque me ponía. Y si no pensaba en mi familia no era porque él intentara engañarme; no pensaba en mi familia porque no pensaba en mi familia. Y, en aquel momento, eso no me provocaba remordimientos porque no tenía remordimientos.

A no ser que... Drácula me mintiera y hubiera adulterado la comida.

—¿Me estás mintiendo? —le pregunté a bocajarro.

—No —contestó, alto y claro, y sin pestañear.

Reflexioné sobre la respuesta y pregunté:

—¿Eso último era mentira?

—No.

—¿Y esto?

—Así no lo averiguarás nunca —dijo sonriendo cariñoso.

No iba desencaminado.

—Tienes que indagar dentro de ti misma —dijo Drácula con dulzura— si tu deseo es o no verdadero.

Indagué dentro de mí misma y lo constaté: mi deseo era sincero. Y no sólo eso, la sensación era rematadamente agradable. Drácula me amaba, yo lo deseaba y estaba sola. Separada de mi marido infiel y de unos hijos desagradecidos. Podía vivir mi propia vida. ¡Merecía vivir mi propia vida! Y merecía disfrutarla. ¡Nadie podía prohibírmelo!

Quería gozar de inmediato de mi libertad. Por eso le pregunté a Drácula directamente:

—¿Te importa que te bese?

No esperé la respuesta. Me incliné hacia él por encima del tiramisú andaluz y de la mesa, y posé mis labios suavemente sobre los suyos. Eran fríos, como los míos. Pero —espero que se me perdone la cursilada, pero a veces las cursiladas son sencillamente ciertas— cuando nuestros labios se tocaron, la pasión ardió como el fuego. Drácula besaba como un gran maestro. Por lo visto, había aprovechado su vida inmortal para perfeccionar la técnica del beso. Pasaron minutos sin que nos apartáramos el uno del otro; por suerte, los vampiros no necesitábamos respirar.

Cuando finalmente separó sus labios de los míos, me costó permitírselo. Drácula habló un momento por el interfono y dio a la tripulación una grata orden:

—Que no nos moleste nadie hasta que aterricemos.

Luego volvió a besarme y me desnudó lentamente. Y puesto que mi físico de vampira era mucho más atractivo que el anterior, no tuve que preocuparme por la luz, ya que no había ninguna parte de mi cuerpo que hubiera preferido descubrir en la penumbra la primera vez. Sólo pensé: «¿Aterrizar? ¿Quién quiere aterrizar?»

ADA

Avanzaba como un torbellino por encima del desierto, donde el sol comenzaba a ponerse. Immo volaba detrás de mí a una distancia prudencial: le había dicho que no se atreviera a mezclar su arena con la mía.

Sobrevolé a toda velocidad un mar, que no sabía si era el mar Rojo, el mar Muerto o el mar que Fuera. Tendría que haber atendido más en clase de geografía. Luego volví a surcar el aire a toda mecha por encima de la tierra. Pero volara hacia donde volara, me arremolinara sobre la ciudad árabe que fuera, desde mi perspectiva de Google Earth no vi ejércitos oprimiendo a la población ni policías golpeando a manifestantes. Nadie a quien poder cantarle las cuarenta ni enseñarle qué es la peste.

Finalmente sobrevolé una ciudad portuaria árabe. Allí, en un callejón mugriento con edificios torcidos, divisé a dos chicos que le estaban dando una paliza a un hombre trajeado y con un gran mostacho. Eso era mejor que nada.

Descendí como un remolino desde una gran altura y vi que los dos matones intentaban esconderse de mi tormenta de arena detrás de unos cubos de basura. Su víctima bigotuda no tuvo fuerzas para levantarse y se quedó tirada en el suelo. Caí en el callejón en forma de arena y me transformé en momia. Los dos tíos demostraron que no eran tontos del todo y se agazaparon aún más detrás de los cubos de basura.

—Levantarse hoy no ha sido buena idea —les grité, y primero los machaqué con la peste.

Les salieron bubones en la cara y, al cabo de unos segundos, tenían el aspecto de las criaturas contra las que Frodo luchaba en *El señor de los anillos.* Luego les mandé un enjambre de mosquitos y, como final glorioso, un pequeño aguacero de ranas. Cuando acabé, los dos yacían hinchados y desmayados en el suelo.

Sin embargo, por alguna razón que se me escapaba, aquello no me hizo feliz. En cierto modo, esperaba que me complacería hacerles tragar a los malos un poco de su propia medicina. Pero se me atragantó a mí lo que les había hecho.

El bigotudo recobró el conocimiento, se levantó a duras penas y dijo respetuoso:

—No sé qué clase de criatura maravillosa eres, pero has obrado bien.

Una ventaja de ser una momia egipcia era que entendía y podía hablar perfectamente la lengua árabe.

—Me alegro —repliqué en árabe, un poco triste porque el bien que había hecho no me había sentado bien.

—Me has salvado de esos cerdos revolucionarios.

—¿Cerdos revolucionarios? —pregunté desconcertada—. ¿Por qué «cerdos revolucionarios»?

—Soy agente de los servicios secretos y me habían descubierto. Ahora los llevarán a la sala de torturas.

Glups.

—Ejem... ¿Quién gobierna este país?

—¡El presidente!

—¿Fue elegido? —pregunté esperanzada.

—No directamente.

—¿Indirectamente?

—Tampoco.

Aquello no sonaba a superdemocracia.

—¿Pueden sustituirlo en el cargo?

—Cuando muera, lo sustituirá su hijo.

No, la democracia era otra cosa.

Había machacado con la peste a quien no debía. Miré al bigotudo profundamente a los ojos y lo hipnoticé.

—Quiero que olvides que esos dos son revolucionarios.

—¡Ya está olvidado! —contestó con fervor.

Immo descendió a mi lado y se transformó en su versión con taparrabos.

—No es fácil distinguir el bien del mal —comentó.

—Tú lo has dicho —repliqué suspirando.

—Ni siquiera en el propio corazón —añadió Immo.

Aquello sonó a sabiduría incómoda.

Miré a los pobres tipos a los que había desfigurado. Por desgracia, no poseía la habilidad de curarlos. Seguramente tardarían semanas en recuperarse. Qué idiota era. Me había lanzado de cabeza a una situación sin analizarla antes. Yo no era una Anck que sabía exactamente lo que hacía. Ni por asomo.

Quizás ése había sido precisamente el error: había querido ser como ella.

Y antes había querido ser como Cheyenne.

Pero tenía que encontrar mi propio camino.

Tenía que ser yo misma.

Fuera como fuera.

Al regresar a la gruta de Immo, fui incapaz de pensar en algo que no fueran los dos revolucionarios a los que no había podido ayudar. Mi único consuelo era que el bigotudo no los delataría y tampoco perjudicaría a nadie más (también lo había hipnotizado para que, en el futuro, se ganara la vida trabajando de payaso por las calles).

Tenía unos remordimientos bestiales. Me habría ido bien contar con alguien que me animara. Pero ¿quién? Mi padre infiel seguro que no. ¿Immo? Sólo me veía como la reencarnación de su Anck. ¿Mamá? Quizás habría podido aconsejarme qué tenía que hacer ahora. Y quizás habría aprovechado para restregarme por las narices que ella me había dicho desde el principio que me quedara con ella.

Quizás.

Pero no necesariamente.

¿Dónde estaría?

Seguro que se sentía sola y abandonada y triste.

EMMA

Cheyenne tenía razón: ¡el sexo con Drácula es para volverse LOCAAAAAAAAA!

ADA

Immo me arrancó de mis pensamientos con la frase que yo siempre había querido oír en boca de alguien:

—¡Te amo!

Típico de mí. Por primera vez alguien me amaba. De verdad. Sin que lo hubiera hipnotizado antes. Y tenía que ser precisamente un vejestorio egipcio de tres mil años con taparrabos.

—Después de mucho sufrimiento, por fin he superado lo de Anck —dijo.

—Me alegro por ti —contesté, y desgraciadamente no me alegré por mí, puesto que ni queriendo lograba imaginar que acabáramos juntos.

Él, en cambio, sí: de pronto se arrodilló delante de mí sobre el suelo de piedra de la gruta. Y me cogió la mano. Oh, Dios mío, ¿no iría a...?

—¿Quieres casarte conmigo?

¡Eso quería Immo!

Yo, evidentemente, no.

Me miró lleno de esperanza. Tenía que reaccionar. De alguna manera.

—Ejem... Immo, eres una monada y todo eso... —balbuceé—, pero no creo que sea una idea genial...

—¿Por qué no?

Pero ¿qué preguntaba? Cuando alguien te responde a una propuesta de matrimonio diciendo «No creo que sea una idea genial», te echas a llorar sobre la almohada y no preguntas más.

—Bueno —intenté convencerlo con cautela—, la diferencia de edad es bastante grande. Tú tienes tres mil años y yo diecisiete...

—Pero ya has alcanzado la madurez sexual —replicó.

Uf, no me apetecía para nada hablar con él de mi madurez sexual.

—O sea que podemos engendrar hijos —prosiguió.

Por un lado, yo no estaba tan segura de que mi cuerpo de momia estuviera en condiciones de esas cosas; por otro, no quería pensar en ello ni por asomo.

—Soy muy impulsiva —dije, intentando dejarme por los suelos.

—Podré vivir con ello.

—Si me despierto muy pronto, soy insoportable....

—No te despertaré hasta el mediodía —replicó contento.

—Y cuando tengo la regla, mataría a todo el mundo hasta por la tarde...

—El amor lo soporta todo.

Al parecer, con la verdad no llegaría a ninguna parte; así pues, sólo me ayudarían las mentiras. A ver si también soportaba tan tranquilamente esto:

—A mí... ¡sólo me gustan las mujeres!

—Te convenceré de lo contrario —continuó insistiendo—. Me gustan los retos.

Me atrajo hacia él, hasta quedar casi pegados y quiso besarme. Contra mi voluntad. Fue asqueroso. Y puesto que acababa de hablar de madurez sexual, comprendí qué quería realmente y aún me dio mucho más asco. Lo aparté con todas mis fuerzas.

—Dios mío, sí que estás necesitado —lo increpé—. Yo no te quiero. ¡Jamás podría querer a alguien como tú!

—¿Qué...? —preguntó horrorizado.

—¿Y qué te creías? Un tío que ha pasado tres mil años en una gruta, colgado de una mujer... Nadie dirá: hala, qué tío más genial.

En su cara se formaron unas arrugas de ira.

—Además, te paseas por ahí con un ridículo taparrabos y te apestan los pies.

—¡A mí no me huelen los pies!

—Cierto, no se puede decir que huelan.

—¿Te... burlas de mí? —advirtió mientras comenzaba a ponerse rojo.

—¡Bingo!

—¿Qué significa «bingo»?

—¡Que te desprecio! ¡Te considero incluso más tarado que la palabra «despreciar»!

Se le puso la cara definitivamente roja de ira. Immo temblaba de rabia. Seguramente me había pasado un pelín.

—¡Pues haré lo que me pidió Drácula! —dijo temblando.

—¿Drácula? —pregunté. ¿Qué tenía que ver él con todo aquello?

—Drácula quería que matara a tu hermano y a tu padre. ¡Y también a ti!

Qué poco considerado.

—¡Y lo haré ahora mismo!

Muy poco considerado.

Por un instante pensé que Immo recurriría a la «maldición de la momia», aunque según las reglas se jugara la vida con ello. Pero, en vez de maldecirme, se transformó en un enorme escarabajo azul. En un colepóptero..., copelóptero... coleloquesea. En cualquier caso, no era especialmente aterrador. Comparado con los zombis y con Godzilla, incluso era bastante ridículo. Hasta que de pronto escupió un líquido negro contra la pared, justo a mi lado, y la piedra se desintegró de inmediato.

EMMA

Tierno. Sensual. Excitante.

Había engañado a mi marido, había disfrutado de cada minuto y no había pensado en él ni un segundo. Sólo ahora, mientras cruzábamos las montañas de Transilvania en la limusina de Drácula, pensé en lo que había hecho. El sol brillaba en el cielo, pero gracias a los cristales opacos del coche no me ardía la piel de vampiro, y me pregunté si debía tener remordimientos por Frank. Los tenía. Un poco. Un poco bastante.

Pero ¿debía tenerlos? Estábamos empatados 1-1 poniéndonos los cuernos. O mejor dicho: íbamos 1-8, porque Frank se había ido ocho veces a la cama con su guía erótica, con una mujer más joven y guapa. Por lo tanto, era más que justo que yo me hubiera acostado con un hombre más viejo y guapo en el futón del jet privado (¡los edredones eran para volverse loca!). Podría haberlo hecho siete veces más, y sólo entonces habría habido un empate entre Frank y yo.

Dios mío, todavía estaba enfadadísima con él, ¿cómo había podido herirme tanto?

—Me gustaría enseñarte algo fantástico —dijo Drácula arrancándome de mis furibundos pensamientos. Tuvo mi mano cogida durante todo el trayecto, como un adolescente enamorado.

—¿Qué es? —pregunté.

—¡Mi hogar!

Señaló un castillo que acababa de aparecer a la vista. Se alzaba sobre una colina y, con sus incontables torres, tenía un aspecto mayestático, majestuoso, impresionante. En comparación, la casa de campo inglesa donde se había mudado Lena con su novio inglés seguro que era miserable.

—Guau... —exclamé.

—Espera a ver el templo de *wellness* —dijo Drácula sonriendo.

—¿Tienes un templo de *wellness*? —Eso me pareció más fantástico que un viñedo propio.

—Con baño romano, termas griegas y sauna ayurvédica. Y lo mejor de todo: la luz del sol se filtra a través de un techo de cristal especial y no puede hacernos nada si nos tumbamos junto a mi piscina de agua de mar. Podremos disfrutar del sol sin que nos haga daño.

—Suena maravilloso —dije suspirando impaciente.

—Y lo es. Pero también disfrutarás de algo aún más maravilloso.

—¿De qué? —pregunté con curiosidad.

—De mis masajes.

«Disfrutar» fue poco.

Drácula me dio masajes eróticos en el jardín de orquídeas de su castillo (no me pregunté cómo había conseguido criarlas en las montañas de Transilvania). Sus manos acariciaban de maravilla, y hasta consiguió convertir mis rótulas en zonas erógenas. Después del masaje, hicimos el amor en su baño romano, aromatizado con exquisitas fragancias. A continuación, en el jacuzzi, aromatizado con exquisitas fragancias. ¡Qué bien que mi nuevo cuerpo fuera tan resistente!

Si continuábamos así, Frank y yo pronto habríamos empatado ocho a ocho. Entonces, tal vez tendría que preocuparme por los remordimientos. Pero me había propuesto no saber nada de mi conciencia hasta entonces.

A primera hora de la tarde, cuando salimos del jacuzzi, Drácula me cubrió con un albornoz suave como la seda y ordenó que me sirvieran un té aromático exquisito. Luego me comentó:

—Discúlpame, tengo que ocuparme de unos asuntos profesionales.

—¡Pero vuelve pronto! —exclamé, fingiendo con el índice que lo amenazaba y con una risita tonta de colegiala.

Me quedé sola, tumbada junto a la piscina, debajo del techo de cristal transparente que filtraba el sol de manera agradable, y disfruté de los rayos que me caían en la cara.

Sí, sol, piscina y *wellness*. Menús de tres estrellas y viajes a países exóticos. Nada de celulitis en los muslos ni en el trasero, y sexo fantástico con un hombre encantador y atractivo... Y la guinda del pastel: también era inmortal. ¡Mi vida de vampira era maravillosa!

FRANK

EMMA

Drácula se hacía esperar. Pero eso no fue tan malo, porque su criado Renfield se pasó media tarde proporcionándome revistas, masajes en la cabeza y deliciosos bombones (confiaba en que los vampiros no fueran propensos a los michelines).

Cuando Renfield acabó el masaje y se fue, me levanté y contemplé la piscina, que tenía un agua tan maravillosamente clara y azul que a buen seguro habría estimulado a David Hockney a pintar nuevos cuadros. Disfruté de la vista y no me molestó en absoluto no poder reflejarme en el agua.

De pronto, el cristal transparente que frenaba los rayos de sol se rompió en pedazos con gran estrépito sobre mi cabeza. Una cosa muy grande cayó en picado hacia mí. Tuve reflejos y salté a un lado. La cosa —parecía un cuerpo humano— chocó contra el borde de la piscina, resbaló dentro y se hundió inanimada hasta el fondo. Me llevé un susto tremendo. Puesto que el cristal había quedado hecho añicos, el sol me quemaba sin piedad. No era tan grave como en Egipto, pero decidí saltar al agua de todos modos para ponerme a salvo de la radiación.

Antes de sumergirme, me quité el albornoz y, mientras nadaba lentamente (los vampiros no necesitan respirar y, por lo tanto, no hacía falta que me diera prisa) hacia el fondo en ropa interior, reconocí a la persona que estaba a punto de ahogarse: ¡era Baba Yaga!

Dios mío, la habíamos perseguido por media Europa y ahora yacía inconsciente delante de mí. Le salían burbujas por la boca. No la compadecí. Mi estado anímico era similar a cuando ves en televisión un reportaje sobre niños en la guerra y te preguntas si en otro canal estarán emitiendo *House*. ¿Me había convertido en un monstruo insensible por ser una vampira? ¿O sólo era como mucha gente normal?

Las burbujas cesaron. A Baba no le quedaba mucho tiempo. Y yo no tenía realmente ningún problema por dejarla en el fondo. Pero lo tendría mi familia. Ada, igual que yo, no quería que la transformaran de nuevo en sí misma, pero Frank y Max seguramente querían recuperar su antiguo cuerpo.

Lo que Frank pensara me traía sin cuidado; seguía tan enfadada que, si por mí fuera, la bruja podía convertirlo en una pera loca para el club de boxeo de los hermanos Klitschko. Pero Max me importaba. Lo echaba de menos. Y me pregunté si había hecho bien dejándolo con Frank y Ñuleika. Una pregunta que yo misma contesté: «No, idiota, claro que no hiciste bien.»

Levanté a la bruja del fondo, la cogí en brazos, nadé con ella hasta la superficie y la dejé en el borde de la piscina antes de salir yo. Debido a las gotas de agua que se deslizaban por mi piel, el sol me quemaba mucho más. Me eché el albornoz por encima de la ropa interior mojada y arrastré a la inconsciente Baba Yaga hasta debajo de un gran cocotero, donde recobró el conocimiento. Escupió un poco de agua como si fuera una fuente defectuosa y, finalmente, preguntó:

—¿Tú salvado mí?

—Espero no arrepentirme —contesté.

—Una criatura estúpida salvado a mí —señaló perpleja.

—Vale, ya empiezo a arrepentirme —dije ofendida.

Baba se incorporó temblando, se quedó de pie tambaleándose y miró alrededor:

—Está yo en castillo Drácula. Por fin llegado a destino. —Se fijó en que yo iba en ropa interior y me preguntó sin más rodeos—: ¿Tú ama Drácula?

Una pregunta interesante que no me había planteado.

¿Amar? Eso eran palabras mayores. Drácula me fascinaba, y la vida excitante que prometía era más que tentadora. Pero ¿lo amaba? Seguramente era más acertado decir que estaba coladita por él. Pero ya se sabe que de ahí puede surgir el amor. Y si eso ocurría, los dos podríamos formar con Max la familia más extraña de la historia del mundo.

—Eso a ti no te importa —le contesté a la bruja.

—Él no quiere a ti.

—¿Por qué... lo dices? —pregunté molesta.

—Bueno, tú eres tú —dijo con una sonrisa burlona.

—Gracias —repliqué con acritud.

—¿Quién va a querer mujer tan estúpida?

—Gracias otra vez.

Sonrió burlona y quise defenderme:

—Pues según la profecía de Haribo...

—Harboor —me corrigió.

—Como sea... Él dijo que el vampiro con alma amaría a la vampira con alma...

—¿Drácula explica a ti eso?

—Sí.

—Tú más estúpida que estúpida que estúpida. Drácula no tiene alma.

No quise creerla. Alguien que se había portado tan bien conmigo tenía que poseer un alma. Y, ante todo, alguien por el que estaba colada y con quien tal vez incluso fundaría una nueva familia, tenía que poseer un alma.

—Yo enseño a ti.

La bruja se acercó tambaleándose al borde de la piscina, sacó su amuleto, levantó los brazos temblorosos por encima de la cabeza y gritó:

—*Irbraci tempi passanus!*

De los diez dedos de sus manos salieron disparados unos rayos negros hacia la piscina. La superficie del agua comenzó a hervir a borbotones.

Me acerqué llena de curiosidad y lo que vi consiguió que me olvidara de que se me estaba achicharrando la piel: en la superficie burbujeante del agua se veían unos neandertales sentados alrededor de una hoguera dentro de una cueva. De pie ante ellos había un hombre viejo y enjuto, con barba blanca. Les contaba algo excitadísimo y gesticulando bestialmente con los brazos. Al parecer, se trataba de una conexión en directo al pasado y el viejo decrépito era el adivino Haribo. Parecía un poco loco, como esos que se pasean por las zonas peatonales con carteles en los que pone «El fin se acerca, ¡arrepentíos!» o como esos que escriben *bestsellers* sobre la amenaza de la extranjerización en nuestra sociedad. Los neandertales temblaban de miedo por lo que Haribo explicaba. Yo no, porque no entendí una palabra de lo que farfullaba en su lenguaje prehistórico.

—¿Tú oyes que dice cosa terrible? —preguntó Baba sonriendo irónica.

—Sí, lo oigo. Pero sólo entiendo «ositos de goma», marca Haribo, claro.

—Tú perdona —replicó Baba. Disparó otro rayo negro con el dedo índice y gritó—: *Translat!*

Con eso debió de conectar el sistema dual de su televisor mágico, con doblaje al alemán; fuera como fuese, entonces entendí a aquel viejo nervioso:

—... y Drácula contraerá matrimonio con la vampira con alma.

Eso no sonaba terrible.

—Y Drácula tendrá hijos con ella —prosiguió Haribo excitado.

¿Hijos? No sabía si me apetecía. Mis pensamientos no habían llegado tan lejos. Ni mucho menos.

—¡Mil hijos! —exclamó el adivino.

¿Mil?

—¡Y miles y miles!

Mi útero se quedó atónito.

—Y con esos hijos, el vampiro sin alma formará un ejército de criaturas horribles con las que someterá el mundo y exterminará a la humanidad.

En ese instante, podría haberme inquietado saber que Drácula no tenía alma.

O que pretendía reunir un ejército para conquistar el mundo.

Pero mi cerebro conmocionado se había trabado en las palabras «miles y miles de hijos».

El chalado de Haribo siguió comiéndoles el tarro a sus neandertales con otras profecías del terrible futuro: los avisó de las armas de destrucción masiva, de la gripe porcina y de las televisiones privadas. No es de extrañar que los neandertales decidieran extinguirse.

Cuando las imágenes desaparecieron por fin, la bruja me preguntó:

—¿Tú visto qué planea Drácula con ti?

—¡No puede ser verdad! —repliqué—. Quiero decir que Haribo tiene pinta de triturar ositos de goma y fumárselos luego...

No quería creerlo: primero Frank me engañaba, ¿y ahora resultaba que el amor de Drácula por mí también era una simple mentira? ¿Cómo iba a resistirlo? Primero perdía a mi familia, ¿y luego la magnífica alternativa que me había surgido?

—¿Tú necesita más pruebas? —preguntó la bruja.

—No estoy muy segura... —contesté abrumada.

—¡Tú necesita una! —constató la bruja.

Volvió a sacar el amuleto, masculló algo y, en esta ocasión, de sus manos salió disparado un humo que olía a azufre y lo nubló todo. Antes de que la bruma nos rodeara completamente, ya estábamos lejos de la piscina...

... y de repente nos encontramos en una mazmorra de lo más clásico. Se componía de galerías oscuras, tan sólo iluminadas por antorchas y que olían a moho. En esos pasadizos había grutas excavadas en la tierra, cerradas con pesadas rejas de hierro. Detrás de las rejas vegetaban prisioneros nada clásicos. Eran pequeñas criaturas demacradas, algunas no medían ni diez centímetros de altura, que gemían allí dentro.

—¿Qué... son esas criaturas? —inquirí, cuando por fin recuperé el habla.

—Elfos, hadas, ángeles de la guarda... Drácula ha capturado todos —explicó Baba—. Todos seres que ayudan a humanos son enemigos suyos.

Observé con más detalle a aquellas pobres criaturas atormentadas. Efectivamente: eran pequeños ángeles de la guarda consumidos, a los que habían arrancado las alas; elfos con las orejas puntiagudas mutiladas y hadas, antaño preciosas, con señales de quemaduras en todo el cuerpo. Todas nos miraban como si no nos vieran. Hacía mucho que habían quebrantado su voluntad. Aquellas mazmorras eran un museo del horror que le habría quitado el sueño hasta al mismísimo Stephen King. Pero el mayor horror era éste: me había acostado con el hombre que había creado aquello.

Oh, Dios mío, cuánto ansiaba una ducha.

MAX

Durante toda la mañana tuve que andar a la caza de pulgas, chinches y otros bichos parasitarios en la piel del gorila Gorr. Sin embargo, comparado con lo que tuve que aguantar por la tarde en el circo de los anormales, aquella limpieza fue una experiencia verdaderamente euforizante. El liliputiense, vestido con un sombrero y una gabardina no muy compatibles con aquel calor, me condujo a la carpa, que estaba plagada de remiendos provisionales, y me dijo:

—Bueno, Rexi, ahora ensayaremos tu número.

A esas alturas, tendría que haberme inquietado que las gemelas siamesas, que se columpiaban en lo alto del trapecio, sonrieran maliciosas e ilusionadas. Pero yo aún creía firmemente que las funciones del circo, en las que actuaría como lobo parlante, se contarían entre los momentos brillantes de mi futura vida artística.

—Hopalong Cassidy, ¡ven aquí! —gritó Maximus al grupo, y un viejo vestido con ropa del Salvaje Oeste salió de las filas superiores.

—¿Quién es? —le pregunté al director del circo.

—Tu nueva pareja.

—¿Y... qué hace mi nuevo compañero? —pregunté sin mucho aplomo.

—Es el lanzador de cuchillos.

—¿LANZADOR DE CUCHILLOS?

—Has oído bien, Rexi.

—¿No ira a lanzármelos a mí? —pregunté despavorido.

—A mí, seguro que no —contestó Maximus sonriendo.

—¡Y a nosotras, tampoco! —exclamaron contentas y a coro las hermanas siamesas, que entonces colgaban cabeza abajo del trapecio.

Miré a Cassidy, que bajaba lentamente las escaleras palpando el camino. No hacía falta vivir en Baker Street, 221 B, ni llamarse Holmes para llegar a la conclusión de que era ciego.

—Pero... si no ve nada... —protesté.

—No te preocupes, lanza de oído.

—¿DE OÍDO?

—Bueno, lanzar de olfato es demasiado difícil hasta para él.

Las hermanas siamesas soltaron una carcajada, igual que el gorila Gorr y la mujer barbuda, que también había entrado en la carpa.

—Pero... pero... —balbuceé—, yo pensaba que haríamos un espectáculo en el que yo hablaría.

—¡Un espectáculo de circo auténtico ha de tener dramatismo! —dijo Maximus, con un énfasis que permitía deducir que creía profundamente en ese tipo de dramaturgia. Luego se volvió hacia el *cowboy* y le anunció—: Bueno, Cassidy, hemos encontrado a un sustituto para tu indio Tanitou.

—Desde nuestra última actuación, Tanitou ya no se llama así —contestó el lanzador de cuchillos, y su voz sonó triste, tristísima.

—¿Cómo se llama ahora? —pregunté, aun estando seguro de que no me gustaría la respuesta.

—Tanitou, *el Eunuco*.

Aquél fue el momento en el que decidí huir.

A aquel momento le siguió el momento en el que Gorr me agarró por el cuello.

Me arrastró sonriendo hasta una gran diana y me ató con la ayuda de la mujer barbuda, que era casi más fuerte que el gorila. Me quedé con las muñecas y los tobillos bien sujetos en unas lazadas fuertes, y las cuatro extremidades estiradas.

—Y ahora, Cassidy, ¡lanza! —exigió Maximus.

—Soy demasiado viejo para esta mierda —contestó el lanzador, pero cogió un cuchillo y lo lanzó. Pasó volando junto a mi oreja y se clavó en la madera de la diana.

—¡AHHHH! —grité.

—No grites todavía —comentó Maximus.

—Entonces... ¿cuándo? —inquirí, con los dientes castañeteando a un compás de tres por cuatro.

—¡Cuando hagamos girar la rueda! —dijo Maximus riendo a carcajadas, y le dio impulso a la diana.

La rueda dio vueltas en círculo conmigo y entonces grité de verdad:

—¡AHHHHHHHHH!

Cassidy cogió el segundo cuchillo, lo lanzó hacia la diana giratoria y me afeitó unos cuantos pelos de la cabeza. Estaba tan espantado que dejé de gritar.

—Lo ves, Cassidy, ¡todavía puedes! —Maximus alabó a su lanzador, y luego le ordenó—: Ahora coge el arco con la flecha en llamas.

Gracias a la circulación rápida de la rueda, sólo vi vagamente cómo el liliputiense le ponía al *cowboy* una flecha encendida en la mano. Cassidy la colocó en el arco, lo tensó con manos temblorosas y me apuntó. Enseguida dispararía la flecha y, con un poco de mala suerte, yo me convertiría en «Rexi, *el Eunuco*» o, con muy mala suerte, en «Rexi, el que aquí descansa en paz». Y en la lápida, debajo de esas líneas, figuraría un apéndice: «... sin haber besado a Jacqueline».

Cerré los ojos, esperé la flecha final y entonces oí un «¡URGHHH!».

¡Era la voz de papá!

Abrí los ojos y, rotando, vi que agarraba a Cassidy del brazo y la flecha salía volando hacia el techo de la carpa. Para mí, que la lona comenzara a arder tuvo una importancia marginal. ¡Mi padre había venido a salvarme!

—¡Cogedlo! —gritó Maximus.

—¡Ya le enseñaré yo lo que aprendí cuando era mercenario! —chilló el gorila Gorr.

—Y yo lo que aprendí en el equipo de lucha libre soviético —gritó la mujer barbuda con acento ruso.

Se abalanzaron sobre papá mientras la diana giratoria perdía lentamente velocidad de rotación. La gente del circo tenía dificultades para agarrar a papá. Pero sólo hasta que las gemelas siamesas cayeron sobre él desde el trapecio. Se sentaron a horcajadas encima, le apretujaron el torso con las piernas y le taparon los ojos con sus cuatro manos, mientras el gorila Gorr y la gorda le pegaban.

Entretanto, la rueda se detuvo en horizontal, de manera que quedé colgado en un ángulo de noventa grados respecto al suelo, y tuve que seguir la pelea desde esa perspectiva.

—¡Mierda! —exclamó Cassidy de repente.

—¿Qué pasa? —gritó Maximus.

—¡La carpa está ardiendo!

Miré hacia arriba desde mi posición horizontal; mis ojos aún no focalizaban con mucha agudeza, pero el hombre tenía razón: ¡la lona ardía!

Los frikis del circo soltaron a papá y huyeron de la carpa incendiada. Papá corrió hacia mí, despedazó furioso la diana y yo pude liberarme de las ataduras. Corrimos juntos por la pista en dirección a la salida mientras la lona ardiendo nos llovía encima, a izquierda y derecha. Cuando por fin dejamos atrás aquel infierno en llamas, todavía no estuvimos a salvo. Porque volvíamos a estar frente a la jauría del circo, y Maximus se dirigió furioso a papá:

—¡Has destrozado mi circo!

—¡Me imfporta ufna fmierfda! —contestó papá.

Cogió a Maximus y lo lanzó hacia el desierto describiendo un gran arco, al menos a cien metros de distancia. El liliputiense aterrizó de mala manera en una duna de arena. La gente del circo se quedó perpleja.

—Como una lanzadora de martillo china —murmuró la mujer barbuda.

Antes de que se dieran cuenta, papá agarró a la barbuda y a Gorr y los hizo chocar de cabeza con tanta fuerza que los dos bellacos cayeron inconscientes en el suelo al instante. Hopalong Cassidy y las siamesas miraban a papá aterrorizados. Él se agachó amenazador hacia ellos y murmuró:

—¡Buh!

Las siamesas huyeron aterradas, gesticulando con sus cuatro brazos, y Hopalong corrió tan deprisa como le permitían sus piernas de hombre viejo.

—Tendría que haberme ido a la residencia con Tanitou —maldijo entretanto.

Fue alucinante: todos mis torturadores estaban fuera de combate. ¡Mi padre me había salvado!

En aquel momento, que hubiera engañado a mamá me pareció totalmente irrelevante. Me arrimé a una de sus piernas; olí que era la pierna donde me había meado y me pegué a la otra. Saltaba a la vista que papá era feliz porque yo volvía a quererlo, y me dijo:

—Te fquiefro.

¿Cuándo me lo había dicho por última vez?

De acuerdo, nunca me había dicho «fquiefro», pero tampoco «te quiero» desde hacía mucho tiempo. Seguro que entonces yo aún era un niño pequeño.

Luego, incluso me acarició cariñosamente la cabeza. Tampoco tenía ni idea de cuándo me había acariciado por última vez con tanta dulzura.

Qué curioso, a veces no nos damos cuenta de lo mucho que echamos de menos algo hasta que volvemos a experimentarlo.

Se me hizo un nudo en mi garganta de licántropo y de pronto me sentí más próximo a papá que nunca. Para mí, aquél fue el momento más feliz de nuestro disparatado viaje. Y por eso susurré:

—Yo también te fquiefro.

Mi papá alto y fuerte tragó saliva, conmovido. Luego se inclinó hacia mí y me abrazó. Con mucha suavidad y cariño.

Pero nuestro formidable momento padre-hijo encontró un final repentino: una tormenta de arena se cernía sobre nosotros. No era una tormenta de arena normal, claro. Era Ada la que soplaba por encima de nuestras cabezas. Volvimos a ver su cara arenosa. Y gritó:

—Papá... Max... ¡socorro!

Luego se deslizó hacia el suelo en forma de arena, se transformó ante nuestros ojos en la momia Ada y se desplomó, muy debilitada. Cuando papá y yo nos disponíamos a correr hacia ella, se levantó una nueva tormenta de arena. Naturalmente, se trataba de Imhotep. Él también descendió al suelo, pero no se transformó en su figura humana, sino en un escarabajo enorme. Y a buen seguro que fue el primer escarabajo de la historia de nuestro planeta que anunciaba pomposamente:

—Preparaos para morir, ¡miserables!

Mientras yo me notaba que escondía inconscientemente el rabo entre las piernas, papá siguió conectado en modo salva hijos. Caminando pesadamente sobre la arena, se acercó furioso al escarabajo y le gritó:

—Esfcarafafjo, ¡pfam fculo!

—¿Qué? —preguntó confuso Imhotep, el escarabajo, y se quedó quieto un momento.

Grave error, porque papá aprovechó ese breve instante de confusión para agarrar al enorme escarabajo. Éste le disparó un ácido desde sus manos, pero papá le levantó los brazos, y no le dio. Así pues, el veneno negro se esparció sin orden ni concierto por el aire. Y yo traduje sonriendo lo que papá había gruñido a voces:

—Mi padre dice que el escarabajo recibirá ahora una buena azotaina en las posaderas.

EMMA

Baba Yaga me condujo con una antorcha en la mano por una escalera de caracol que descendía a lo más hondo de las mazmorras. A cada peldaño que bajaba, oía menos los lamentos de los prisioneros, pero me angustiaba más. Comencé a tiritar. Y no porque sólo llevara puesto un albornoz. No, era por el sufrimiento que flotaba en el aire y que parecía concretarse más a cada paso. Daba la impresión de que se materializaba, me rodeaba el cuello y me asfixiaba como una boa constrictor.

—¿Adónde vamos? —pregunté temerosa.

—A ver hijo mío —contestó Baba.

—¿Está aquí? —pregunté horrorizada.

—Drácula captura él como rehén, yo puedo verlo ahora porque creado a ti. Su guardia personal no detiene mí. Ése es trato yo con él.

En aquel momento casi comprendí por qué Baba nos había hecho todo aquello a los Von Kieren. Nos había sacrificado por amor de bruja madre.

Al llegar a lo más hondo de las mazmorras, Baba iluminó una gruta con la antorcha y vimos... a su hijo.

¡Y era un niño de verdad!

Un crío de unos siete años, encadenado de pies y manos, y con heridas purulentas abiertas por todo el cuerpo. Por eso el sufrimiento allá abajo era tan grande, porque era el sufrimiento de un niño.

—¡Golem! —exclamó Baba.

Corrió hacia el pequeño, tiró la antorcha al suelo y abrazó a la criatura ensangrentada que gemía.

El olor de Golem era insoportable, estaba hecho una pena. Cogí la antorcha y alumbré en su dirección.

—¡Ahhhh! —chilló el pequeño, y se tapó la cara con el brazo para protegerse. Después de tantos años en la oscuridad, el fuego de la antorcha era demasiada luz para él. Retrocedí unos pasos, y el Golem dejó de gritar y lloró quedamente.

—¿Éste es tu hijo? —pregunté—. ¿Cómo puede ser... tan pequeño?

—Yo creé a él con barro —explicó Baba mientras acariciaba con ternura al crío.

—¿Puedes crear vida? —pregunté perpleja.

—¿No pueden todas mujeres?

—No con magia.

—Todo nacimiento es mágico —contestó.

No se podía replicar nada.

—Yo creé a él —dijo Baba— porque yo comprendo que sólo amor hace feliz. Por desgracia, yo entero de eso muy tarde en vida. Pero no demasiado tarde.

Eso me llegó al alma, puesto que yo acababa de abandonar a mi familia.

Baba se volvió de nuevo hacia Golem e intentó tranquilizar al niño, que gimoteaba.

—¡Todo irá bien!

Tanto ella como yo sabíamos que mentía. Pero ¿qué iba a decirle al pequeño? ¿«Chiquitín, qué bien que volvamos a vernos... Ah, por cierto, voy a morir dentro de unas pocas horas»?

Baba le besó las heridas al niño. Lo hizo con lágrimas en los ojos. Poco a poco, los gemidos del crío se fueron silenciando. Se calmaba gracias al amor de su madre. Aliviado porque creía que se quedaría con él y podría salvarlo. Pero Baba Yaga no podía salvar a nadie.

Y yo no podía volver con Drácula después de todo lo que había visto. No quería ayudarlo a convertir la Tierra en una mazmorra como aquélla. Sin embargo, no tenía sentido huir; Drácula me encontraría en cualquier lugar del planeta y, si hacía falta, me obligaría a ser su novia y a engendrar los vampiros con los que quería destruir el mundo.

No parecía haber escapatoria, pero de repente se me ocurrió una idea fantástica: Drácula necesitaba a la vampira Emma para llevar a cabo su plan, pero no podría hacer nada con la Emma humana.

—¡Vuelve a transformarme en mí misma! —le pedí a Baba—. Así el mundo estará a salvo.

—Yo no puede.

—Ejem... ¿Cómo dices? —pregunté sorprendida.

—Yo no puede. Hechizo no puede ser rompido con otro hechizo.

—Entonces ¿con qué? —pregunté confusa. Al parecer, la bruja no podía ayudarnos; y si eso era cierto, la habíamos perseguido todo el tiempo para nada.

—Hechizos sólo rompen con dicha...

—¿Con dicha qué?

—Con dicha, con filicidad —fue la respuesta—. Sólo filicidad interior completa puede romper hechizo. Sólo si tú siente hondo momento de filicidad, tú otra vez humana.

—Sigo sin entenderlo. ¿Por qué? —repliqué.

—Yo puede hechizar a ti porque tú vulnerable. Y tú vulnerable porque tiene momento de infilicidad...

—... y sólo un instante de felicidad puede deshacerlo —completé.

Por fin había comprendido la lógica de la magia. Pero estaba muy lejos de sentirme feliz. Y en esas mazmorras, más lejos de lo que nunca había estado antes.

—Pero —objeté—, entretanto he tenido momentos de felicidad absoluta, o sea que tendría que haberme transformado hace mucho.

Preferí callarme que lo había dicho pensando en la comida con Drácula, en sus masajes y, naturalmente, en el sexo fenomenal con él.

—Típico de vosotros, humanos —se burló Baba—, confundís placer con filicidad.

En eso, yo era culpable de la acusación.

—Y no sólo tiene tú que sentir filicidad total —prosiguió Baba—, también familia tuya. Vosotros hechizados a mismo tiempo con mismo hechizo. Ellos también eran infilices. Todos normales sólo si...

—... también nos sentimos felices en el mismo instante —completé. Con tristeza. Porque mi familia no estaba conmigo. Y aunque lo hubiera estado, los Von Kieren seguramente no podríamos vivir juntos un momento así.

Entonces, ¿qué podía hacer para desbaratar los planes de Drácula? ¿Suicidarme con comprimidos de ajo de la marca Ilja Rogoff? ¿Sacrificar mi vida por la humanidad para que Drácula no pudiera formar un ejército? Me faltaba el valor para eso. Por mucho que lo intenté, no encontré en mi interior a un Jesús que estuviera dispuesto a morir por los demás. Sin embargo, en mi búsqueda interior encontré a un Espartaco que no tenía ni idea de que existiera dentro de mí.

—Entonces, sólo queda una posibilidad —anuncié al más puro estilo Espartaco—, tendré que luchar contra Drácula.

—¿Tú quiere luchar contra él? —preguntó Babá espantada—. Tú aún más estúpida que estúpida que estúpida...

—Lo sé —dije suspirando—. Lo sé. Pero tengo que intentarlo.

—Tú no conseguirá sola —dijo—. Tú necesita aliados.

—¿Se te ocurre alguno?

—Sí...

—¿Quién? —pregunté con curiosidad; quién podía ayudarme en mi lucha imposible...

—Tu familia.

La bruja me pilló a contrapié.

—Yo hechizo y vienen aquí.

—Pero entonces los pondrás en peligro... —protesté.

—Mientras Drácula vive, vosotros todos en peligro —replicó, levantó el amuleto y se puso a mascullar de nuevo—: *Brajanci transportci...*

FRANK

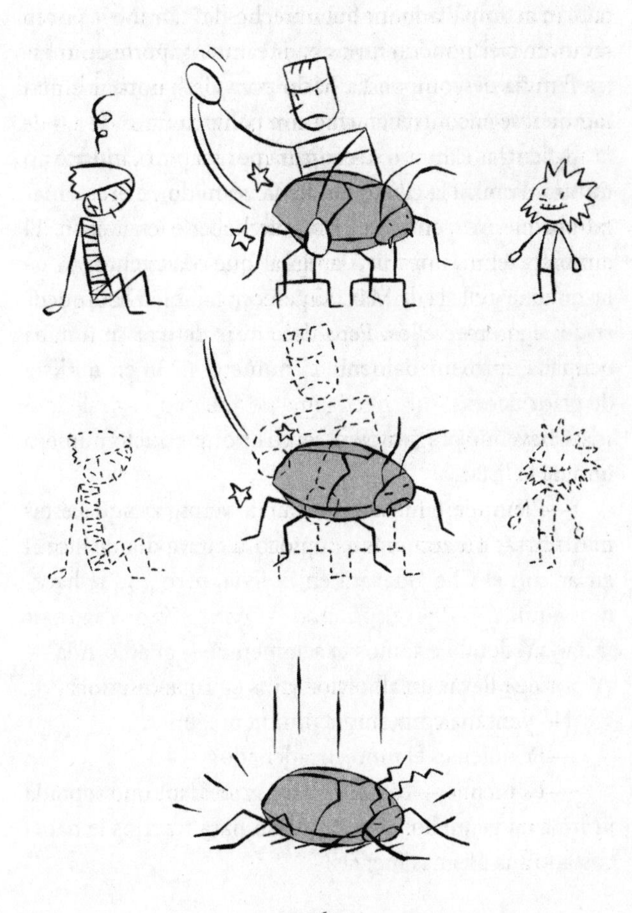

EMMA

Aparecieron todos en la mazmorra con gran estrépito y mucho azufre: Frank, Ada, Max..., incluso Cheyenne y Jacqueline. Mientras los demás tosían entre los vapores del azufre, yo miré interrogativa a Baba Yaga, que contestó:

—Familia no sólo propia sangre.

Había dicho algo cierto: Cheyenne y Jacqueline nos habían acompañado un buen trecho del camino y, por lo tanto, en cierto modo formaban realmente parte de nuestra familia descompuesta. Malo para ellas, porque ahora también se encontraban en grave peligro.

Mientras el humo se disipaba poco a poco, intenté no mirar a Frank a la cara, pues tenía un nudo en el estómago porque me sentía culpable de haberlo engañado. Él también rehuía mi mirada, igual que Max rehuía la de Jacqueline y ella la de Max. Al parecer, también había ocurrido algo entre ellos. Pero descubrir de qué se trataba ocupaba aproximadamente el número 4.238 en mi lista de prioridades.

Cheyenne preguntó enseguida por el puesto número uno de la lista:

—Ejem, es fantástico volver a veros, aunque estas mazmorras me recuerdan un poco la cueva donde hice el amor con el Che Guevara en Bolivia, pero... ¿qué hacemos aquí?

—¿Y dónde estamos exactamente? —añadió Ada—. ¿Y por qué llevas un albornoz y vas en ropa interior?

No pensaba contestar la última pregunta.

—¿Y quién es el niño encadenado?

—Es mi hijo —contestó Baba, y se desplomó agotada junto a su pequeño. Usar la magia para traerlos le había costado sus últimas fuerzas.

—Bueno, en mi clase hay unos cuantos que tienen madres viejas —comentó Ada—, pero esto es una exageración.

—¡Tiene que volver a transformarnos! —dijo Max señalando a Baba Yaga.

Pensé si debía contarle a mi familia que la bruja no podía deshacer el hechizo. Que sólo recuperaríamos nuestros antiguos cuerpos si todos sentíamos a la vez un instante de felicidad absoluta. Pero decidí no hacerlo. ¿Para qué iba a atormentarlos pintándoles un escenario tan poco realista como el éxito de las curas de desintoxicación de Charlie Sheen? Además, teníamos que despachar un asunto. Así pues, dije:

—Estamos en las mazmorras de Drácula y tenemos que salvar a la humanidad. Y eso sólo es posible si somos monstruos.

—Cuando crees que no te puede ir peor —dijo Ada suspirando—, te cae encima otro montón de mierda.

Sin embargo, Frank me miró con los ojos brillantes y muy celoso, y me preguntó:

—¿Dráfcufla? ¿Pfolfo?

—¡Nada de pfolfo! —me apresuré a mentir, igual que un político delante de una comisión investigadora—. Y si aquí hay alguien que no debería hablar de «pfolfo», ése eres tú, ¡míster Pfolfo a la octava potencia!

El brillo desapareció de los ojos de Frank, que desvió la mirada consciente de su culpabilidad. En asuntos de infidelidad, un ataque es la mejor defensa.

—Mandó a Suleika a paseo por el desierto —lo defendió Max.

Eso me desconcertó y desinfló mi agresividad.

—Por favor, acepta de nuevo a papá —me rogó Max, mirándome con sus ojos de hombre lobo fiel.

Desvié la mirada hacia Frank sin querer. Él volvió la

cabeza con cautela hacia mí, y parecía realmente tener la esperanza de que lo perdonara.

¿Quería hacerlo?

¿Podía?

Vi en mi mente a Frank, el Frank humano, revolcándose con Suleika. Acto seguido, me vi en mi mente revolcándome con Drácula, y maldije a mi mente por no ser capaz de ofrecerme imágenes más agradables.

Ada contestó por mí:

—¡Pero el muy cerdo la ha engañado!

Qué locura: precisamente mi hija rebelde me defendía.

—No insultes a papá, ¡no es un cerdo! ¡Nos ha salvado la vida!

Max defendió a su padre y con ello indujo a Ada a dejar en paz a Frank. Su furia se desvaneció, y le dijo a su hermano:

—Vale, vale... Puede que tengas razón.

Por lo visto, Frank les había salvado la vida mientras yo no estaba con ellos. En las últimas horas, él había hecho mucho más por nuestra familia que yo. Horas en las que yo me entregaba a la pasión con Drácula.

Dios mío, ¡cuánto me avergonzaba!

Y, con la vergüenza, volvieron a mi mente las imágenes de mis revolcones con Drácula. Unas imágenes ante las que me pregunté si, en el caso improbable de que algún día pudiera perdonar a Frank, él me perdonaría a mí.

—No es que quiera interrumpir vuestro capítulo de «Gossip Girl» —intervino Jacqueline—, pero ¿no ha dicho alguien no sé qué de salvar a la humanidad? No es que la humanidad me parezca guay, pero si deja de existir, a lo mejor tampoco habrá cerveza. Ni tabaco. Y eso sería una mierda.

Me apresuré a explicarles la profecía de Haribo y los siniestros planes de Drácula. Cuando acabé, todos estaban bastante sorprendidos. Jacqueline fue la primera en recuperar la palabra:

—Creo que no he oído bien. Será que todavía voy fumada.

—¿Ibas fumada? —preguntó Max mirándola inseguro.

Ella lo miró no menos insegura y contestó:

—Por eso ayer me reía tanto.

Max sonrió tímidamente. Jacqueline también le sonrió tímidamente. Y yo seguí sin tener la más mínima idea de qué pasaba entre los dos.

Frank, que tardó un rato hasta que su cerebro oxidado lo procesó todo, se encolerizó ante la idea de que Drácula quisiera dejarme embarazada miles de veces. Se agachó en el suelo de la mazmorra y dibujó con uno de sus dedazos en la tierra:

Frank quería defenderme de Drácula. Salvarme de él. Igual que había salvado a los niños. Como monstruo de Frankenstein, tenía más fuego en su interior del que había tenido siendo humano. Mostraba una cara que había ocultado durante mucho tiempo.

O que yo no había visto nunca.

Entonces lo comprendí: Suleika había visto esa cara. Sólo yo, su mujer, no la había visto. Hacía mucho que no había observado a Frank con detalle, mucho que no me había preguntado qué dormitaba en su interior, por debajo de su fachada de hombre estresado por el trabajo. Sí, seguramente hacía mucho que no conocía a Frank.

—¿Alguien tiene idea de cómo vamos a sacudir a Drácula? —dijo Ada yendo al grano, y con ello me arrancó de mis pensamientos—. Tenemos que salvar el mundo.

Allí estaba de nuevo: la Ada idealista y resuelta. Al contrario que en nuestro último enfrentamiento delante de la pirámide, esta vez me alegré de verdad de ver a mi hija tan llena de energía.

—No fácil vencer a Drácula —dijo Baba, que seguía abrazando al pequeño Golem—, pero vosotros tiene una posibilidad.

—¿Cuál? —inquirió Max.

—Drácula baña cada día en su baño de Lázaro. Con fango y hierbas mágicas. Ahora él hace.

Así pues, ¿no estaba trabajando como me había dicho en la piscina, sino disfrutando de una fangoterapia?

—¿Y para qué necesita un baño de fango mágico? —preguntó Ada.

—Él es inmortal, pero necesita baño para no ser viejo.

—O sea que, sin el baño, sería un inmortal con Alzheimer, incontinencia y tabletas Corega—concluyó Max.

—¿Y de qué nos sirve eso? —Ada empezaba a perder la paciencia.

—Drácula dentro de baño, no puede salir y objetivo fácil —explicó Baba.

—¿Y cuándo tiempo se baña el tío?

—Hasta que sol pone.

Jacqueline sacó el iPhone, buscó en Google y anunció:

—Eso será dentro de un cuarto de hora.

Me pasaron dos ideas por la cabeza: primero, que a mí también me gustaría tener un proveedor de telefonía móvil que ofreciera tan buena cobertura. Luego, que en los próximos quince minutos la familia de monstruos Von Kieren decidiría el destino del mundo.

MAX

El miedo invadió mi cuerpo, porque fui el único que pensó que Drácula tendría a su servicio a seres atroces que lo escoltarían durante el baño recreativo. Si cualquier malvado de tercera categoría contaba con matones siniestros a sueldo, con más razón los tendría uno de primera clase como el príncipe de los malditos. Pero ni mi miedo ni los mercenarios de Drácula eran el problema prioritario; antes teníamos que preocuparnos por saber cómo podíamos aniquilarlo.

—Ajos, seguro que no hay en este castillo —deduje en voz alta—. No será tan tonto. Un vampiro no llega a viejo siendo un cretino.

—¿Un qué? —preguntó Jacqueline.

—Idiota —tradujo Ada.

—Tampoco habrá estacas de madera a montones —añadió Cheyenne.

Mamá asintió con la cabeza:

—Acabo de darme cuenta de que no he visto ni un solo trozo de madera en todo el castillo.

—Entonces, Drácula no es un idiota —constató Jacqueline.

—Y tampoco habrá agua bendita para que podamos verterla en el baño de barro —suspiró Ada.

Todos ponían cara de desánimo. Sólo nos quedaban catorce minutos hasta la puesta de sol y no se nos ocurría una idea ni por asomo. Miré a Jacqueline: si el día anterior, cuando hablamos por teléfono, sólo se había reído porque había fumado... entonces no se había reído de mí. Eso sería maravilloso. No significaba que correspondía a mis sentimientos, pero al menos no se había burlado de ellos.

Ahora bien, si la humanidad era eliminada, Jacqueline también dejaría de existir. Ni idea de qué pasaría con nosotros, los monstruos. Pero yo no quería un futuro sin Jacqueline, ni siquiera si ella no me quería.

Las sinapsis neuronales de mi cerebro trabajaron a destajo por salvar a Jacqueline, se mandaron señales y se conectaron aquí y allá para llegar a una solución. Y las sinapsis ofrecieron resultados:

—¡Seguro que hay sal y aceite de oliva en el castillo! —exclamé.

Los demás me miraron como si no tuviera todos los números atómicos en la tabla periódica.

—No sabía que la sal podía destruir a los vampiros —dijo mamá.

—Y no tienen la presión alta —añadió Cheyenne.

—Y seguro que el aceite de oliva no obliga a huir a los vampiros —comentó Ada.

—Ufta —metió baza también papá.

—Sí —dije sonriendo—, pero con sal, aceite de oliva, agua y un poco de bálsamo se fabrica agua bendita. Y tenemos bálsamo. Las vendas de momia de Ada fueron embalsamadas. Sólo tenemos que rascar un poco.

Todos se quedaron asombrados, y Ada me dedicó una sonrisa de aprobación.

—Hermanito, no tienes un pelo de tonto —dijo, y me dio una palmadita en el pecho.

No recordaba cuándo fue la última vez que mi hermana me había sonreído tan cariñosa. Probablemente, cuando de pequeño encontré su ratoncito Diddl debajo del mueble del comedor. La sonrisa de Ada era otro ejemplo del fenómeno consistente en no darse cuenta de que se echa algo de menos hasta que se recupera.

Papá liberó con sus fuertes zarpas al hijo de Baba Yaga, dejamos a la bruja debilitada en la gruta y subimos las escaleras a toda prisa. Al cabo de unos cien peldaños, Jacqueline me pidió que me parara un momento. Nos pegamos a un muro, dejamos pasar a los demás y prometimos seguirlos enseguida. Cuando todos estuvieron a una distancia desde la que no podían oírnos, Jacqueline me dijo con una dulzura que nunca le había visto antes:

—No sólo no tienes un pelo de tonto, también eres bestialmente valiente.

—No, no lo soy —dije meneando afligido la cabeza—. La adrenalina inunda mi cuerpo por el miedo que me da saber que pronto nos enfrentaremos a Drácula.

—No me refería a eso —dijo sonriendo—. Has hecho una cosa mucho más valiente que luchar contra un vampiro.

No entendí a qué se refería.

—Me dijiste que me querías. Yo no me habría atrevido nunca —dijo en voz baja. Y al decirlo, pareció realmente femenina. Pero no lo mencioné; quería evitar la colisión, provocada adrede por ella, de su pie contra mis partes.

—Tu valor me ispira —confesó dulcemente.

—Se dice «inspira» —la corregí.

—¿Vas a destrozar este momento haciéndote el listillo? —se burló.

—¿Qué momento? —pregunté inseguro.

Mi corazón de hombre lobo se puso a latir de pronto tan deprisa como pudo, que ya es decir, porque sabido es que el corazón de los lobos late 7,83 veces más deprisa que el de los humanos.

—Este momento —replicó Jacqueline.

Se inclinó hacia mí y me dio un beso tierno, cariñoso, en mi morro de lobo.

A veces no sabes lo que te has perdido en la vida hasta que lo experimentas por primera vez.

ADA

No había subido tantas escaleras desde que la tarada de nuestra tutora nos había llevado de excursión a la catedral de Colonia, para alegría de los fumadores de la clase.

—Si tuviera diez años menos... —gimió Cheyenne.

—... tendrías sesenta y ocho —se burló mamá con cariño.

—... y estaría igual de acabada —le dio la razón Cheyenne.

Se sentó agotada en un peldaño y nos pidió:

—Dejadme aquí. Soy una molestia.

—Pero aquí no estás a salvo —replicó mamá.

—Tampoco lo estaré si voy con vosotros.

—Me encantaría poder objetar algo —dijo mamá suspirando, abrazó a Cheyenne como sólo se abraza a la gente que no sabes si volverás a ver algún día, y añadió—: Me alegro de no haberte despedido.

—Yo también. Aunque por eso he acabado aquí —comentó Cheyenne sonriendo.

Jacqueline, que se había vuelto a reunir con nosotros acompañada por Max, corrió hacia la vieja hippie y le dio un beso de despedida. Qué disparate, yo siempre había pensado que lo más cariñoso que podía hacer Jacqueline era tirarle a alguien una lata de cerveza a la cabeza.

—Vendremos a buscarte —le prometió a Cheyenne—, y luego nos echaremos unas caladas, mamá.

—¿La has llamado mamá? —preguntamos mi madre y yo al unísono, bestialmente sorprendidas.

—¿Nunca os han dicho que sois clavaditas? —se burló Jacqueline.

Papá levantó la mano:

—Fyo.

—¡No somos clavaditas! —protestamos nosotras a coro.

—No, qué va... —se burló Jacqueline.

—Vuestro parecido es secundario ahora —urgió Max—. ¡Hay que darse prisa!

Tenía razón, claro. Dejamos atrás a Cheyenne, como a un soldado herido en una película americana; seguimos subiendo a paso ligero las escaleras y luego corrimos por unas galerías llenas de celdas. Ver el sufrimiento de las hadas, los ángeles de la guarda y los elfos que estaban encerrados dentro fue un verdadero horror. Su imagen me inundó de una furia increíble. Yo personalmente le vertería a Drácula el agua bendita en el baño y, acto seguido, echaría sus cenizas en el comedero de los cerdos.

—¿Dónde están las llaves de las celdas? —pregunté.

—¡No tenemos tiempo de liberarlos! —contestó mamá.

La miré furiosa. No quería ver sufrir a aquellas criaturas ni un segundo más.

—Primero tenemos que ocuparnos de Drácula.

Tenía razón, claro. Por poco que me gustara. Carecía de sentido liberarlos si luego se acababa el mundo. Y en las condiciones en que estaban, esas criaturas no podían ayudarnos ni un poquito a luchar contra Drácula.

No obstante, no conseguí apartarme: era la primera vez que veía con mis propios ojos sufrir tanto a alguien. Era muy distinto de verlo en televisión. Y de repente tuve claro qué quería hacer con mi vida si salíamos vivos de allí: ayudar a los necesitados. No se trataba de desencadenar revoluciones ni de derrocar dictadores, se trataba de reducir el sufrimiento. Para eso no hacían falta momias con superpoderes, sino personas comprometidas con los demás.

Vaya, si alguien me lo hubiera dicho dos días antes, le habría preguntado si había respirado demasiado incienso.

—Ven de una vez —me urgió mamá.

Asentí y salimos corriendo de las mazmorras al verdadero edificio del castillo. Mientras corríamos, mamá nos explicó:

—Drácula tiene un cocinero con tres estrellas.

—Si trabaja para él, será un mamón con cuatro estrellas —contesté.

—La mayoría de los cocineros con estrellas cocinan para gente no muy agradable, porque son los únicos que pueden permitírselos —comentó mamá, haciendo crítica social.

—En cualquier caso, un imbécil que hace malabares con tenedores no podrá detenernos —contesté mientras abría de un empujón la puerta batiente de la cocina.

—También se podría formular la hipótesis contraria —dijo Max tragando saliva y señalando al cocinero.

El tío estaba junto a los fogones, en el centro de una cocina, toda de acero inoxidable. Era un demonio salido del infierno, medía más de dos metros de altura y tenía cuernos en la frente y una cola con púas en la punta, igual que un mangual. Si te encontrabas de cara con una cosa así, no volvías a preocuparte nunca más por las espinillas. Por desgracia, el hecho de que el demonio llevara puesto un gorro de cocinero no lo hacía parecer más inofensivo. Nos miró y gritó cabreado:

—Fuera de mi cocina, ¡aquí hay normas de higiene muy estrictas!

Papá se dirigió de inmediato hacia él. Seguro que

pronto fregaría el suelo con el demonio, igual que había hecho con el escarabajo Impotente.

Con un sonoro «ufta», le atizó un puñetazo al demonio en su cara roja. Pero luego gritó y se cogió la mano. Al parecer, el demonio tenía la piel más dura que el acero. Sonriendo, éste le pegó un sartenazo a papá, que cruzó volando la cocina y chocó contra una estantería llena de ollas. Cayó inconsciente al suelo, las ollas le llovieron encima de la cabeza dura y sonó una melodía semejante a la de un carillón desafinado.

—El demonio tiene una fuerza enorme —gimió Max.

—Vaya, no me había dado cuenta —dije tragando saliva.

El cocinero demoníaco tenía otras preocupaciones:

—¡La salsa bearnesa está rebosando!

«Menudo problemón», pensé.

—Verá... —Mamá lo intentó con la comunicación—, sólo queremos un poco de sal y aceite de...

No continuó. El demonio también le pegó un sartenazo, ella también voló contra la pared y aterrizó junto a papá. No se podía derrotar a aquella criatura infernal mediante la fuerza bruta. Por lo tanto, tocaba averiguar qué tal iba de voluntad. Con un canguelo bestial y tembleque en las rodillas, me acerqué a él justo cuando apartaba del fogón el cazo de la salsa. O lograba hipnotizarlo o me atizaría igual que había hecho con papá y mamá. Sólo que yo no me quedaría atontada en un rincón como ellos dos. Semejante golpe me arrancaría la cabeza de momia del cuello.

Llegué junto a los fogones y dije:

—Eh, tú, Tim Mälzer...

El demonio me miró, clavé mi mirada en sus ojos rojos, que brillaban demoníacamente, y le pedí:

—Quiero que nos des sal y aceite de oliva.

—¡Será un placer! —contestó.

Respiré aliviada. Mi plan funcionaba. El demonio se dejaba hipnotizar. Cogió sal y aceite. Pero el diablo cocinero no me los dio.

—¿Qué pasa? —pregunté desconcertada.

Sonrió malicioso.

—¡Que os den!

Y se rió diabólicamente, en el sentido literal de la palabra. Detrás de mí oí murmurar a Max:

—El sentido del humor de este demonio es de lo más deplorable.

En cambio, el cuchillo de cocina que acababa de coger era de lo más impresionante. Y de mala manera.

—Haré paños de cocina contigo—dijo el chef infernal con una sonrisa de oreja a oreja.

Miré el enorme cuchillo, y me dio más miedo que todas las cosas sobrenaturales que había vivido los últimos días. Mucho más.

Nunca había entendido por qué en las películas de psicópatas las adolescentes con minifalda siempre chillan, en vez de salir corriendo cuando el asesino en serie se les planta delante armado con un cuchillo. Entonces lo comprendí, y yo misma sólo fui capar de proferir un grito.

El demonio levantó el cuchillo. Sentí más miedo que nunca en toda mi vida, pero no fui capaz de dar ni un paso. Estaba paralizada y oía mis gritos como si fueran un eco lejano.

El demonio asestó el golpe...

... y, en ese preciso instante, mamá se interpuso de un salto.

El cuchillo le dio de lleno en el corazón.

Mamá se llevó las manos al pecho y se desplomó delante de mí.

—¡Mamá! —grité.

La parálisis se disipó y me precipité hacia ella. Tenía

una puñalada profunda en el pecho y no se movía... Dios mío, ¡no se movía!

Max corrió también hacia mamá y husmeó inquieto a su alrededor, gimiendo despavorido.

—¡Por el purulento Belcebú! —exclamó suspirando el demonio al darse cuenta de lo que había hecho—. ¡He matado a la vampira! Drácula se vengará sin piedad cuando se entere. ¡Será mejor que me largue! —Y se quitó el gorro de cocinero mientras murmuraba—: ¡Prefiero volver a asar hamburguesas humanas en el infierno antes que contárselo!

Dicho y hecho; se esfumó en el aire con un estrépito de bums, pufs, pams, y no volvimos a verlo.

Abracé a mamá, me quedé mirando fijamente la herida abierta en su carne y me eché a llorar.

—Mamá... Mamá...

Max aullaba a moco tendido:

—¡Auuuuuuuuuu!

No podía pensar en nada, ni en que mamá se había sacrificado por mí, ni en que yo era la culpable de su muerte, ni en lo que le pasaría a la humanidad... Por mi cabeza sólo pasaban imágenes de cuando me sentada en su regazo, con el pijama puesto y ella me leía libros... Y de ella tapándome en la cama y dándome tres besos... en la frente, en la nariz y en los labios... Y mientras esas imágenes me pasaban a toda velocidad por la cabeza, todo mi cuerpo se estremeció con un llanto convulsivo. Lloré... y lloré... y lloré...

De repente oí una voz suave:

—Snufi...

¡Era mamá!

La tenía en mis brazos, y hablaba. Flojito, ¡pero hablaba!

Max paró de aullar.

—No es para tanto —susurró mamá—. Los vampiros no tenemos corazón.

Estaba viva. Estaba viva. Dios mío, ¡estaba viva!

Max se meó de alegría.

Y yo lloré de alivio.

Y de vergüenza.

Porque, tonta de mí, le había echado en cara que no me quería por hija.

Pero mamá había arriesgado su vida por mí.

Y cuanto más comprendía cuánto le importaba, más se mezclaba otro sentimiento con la vergüenza, y acabé llorando de felicidad.

EMMA

La puñalada me provocó un dolor infernal, pero al cabo de un minuto ya estaba curada y sólo se veía una cicatriz, que también desapareció al cabo de unos segundos. Los vampiros teníamos una capacidad de cicatrización impresionante. No era de extrañar que sólo pudieran eliminarnos con cosas tan absurdas como el ajo o el agua bendita.

Con todo, yo no había calculado esa curación milagrosa: en el instante en que el demonio intentó clavarle el cuchillo a Ada, sólo seguí mi instinto de madre. Mi propia vida me daba igual, quería salvar a mi hija. Y me sentía aliviadísima por haberlo logrado.

Me levanté. Ada me abrazó y me dio un beso muy fuerte en la mejilla. Eso casi volvió a derribarme: ¿mi hija me besaba? ¿Mi hija adolescente? ¿Me besaba? ¿A mí?

Quizás estaba muerta y había ido a parar a una vida después de la muerte, que era de lo más estrambótico.

—A ver si acabáis de sobaros —nos interrumpió Jacqueline—, que aún tenemos que mojar un pequeño problema con el agua bendita. Y no nos queda mucho tiempo.

Señaló hacia la ventana de la cocina y vimos que el sol se estaba poniendo por encima de las montañas de Transilvania.

—Además, estás pisando una meada de perro —añadió.

Bajé la vista hacia mis pies desnudos y, efectivamente, estaba en medio de un charquito de líquido caliente.

—Yo... —dijo Max sonriendo abochornado— ¡voy a despertar a papá!

Salió corriendo y le lamió ruidosamente la cara a su padre.

Frank se levantó aturdido mientras yo, siguiendo las instrucciones de Max, preparaba una jarra de agua bendita con agua, aceite de oliva, sal y el bálsamo que pudimos rascar de las vendas de momia de Ada. Luego salimos a toda prisa de la cocina, fuimos al vestíbulo del castillo y nos dirigimos a un viejo ascensor con puertas de reja y el interior forrado de terciopelo granate. Entramos y nos apiñamos en aquella jaula, que olía a moho. Frank estuvo a punto de chocar con el techo, y todos observamos el cuadro con los botones de los distintos pisos, numerados del uno al trece.

Apreté el trece porque estaba segura de que un individuo como Drácula viviría ahí, y el ascensor se puso en marcha rechinando, como correspondía a un chisme tan viejo. Max se arrimó a las piernas de Jacqueline, y ella lo acarició. Definitivamente, me había perdido algo en el desarrollo de su relación.

En el noveno piso, la mirada de Frank y la mía se cruzaron por descuido, y los dos la desviamos con rapidez. Busqué desesperadamente un punto donde mirar, y fijé la vista en el indicador de los pisos: ... 11, 12, 13... ¿Qué nos esperaba?... ¡13! ¡Se oyó «ping»!

Habíamos llegado. Las puertas se abrieron a sacudidas. Tensos y en silencio, nos adentramos en un pasillo antiguo donde había muchos cuadros colgados. A cada paso que daba, sujetaba con más fuerza la jarra del agua bendita.

—Rembrandt, Renoir, Van Gogh —enumeró impresionado Max a los viejos maestros.

—¿Van Gogh? ¿No es ése el que entrenaba al Bayern de Múnich? —preguntó Jacqueline.

Max iba a corregirla, como era costumbre en él, pero se lo pensó dos veces y se limitó a sonreírle. Sólo a quien se quiere de todo corazón se le salva la cara de ese modo.

A pesar de la situación, sentía mucha curiosidad por saber exactamente qué había entre los dos; al fin y al cabo, yo era madre y él era mi hijo. Así pues, le pregunté en voz baja:

—¿Salís juntos?

—Yo... creo que sí —contestó Max tímidamente.

Me alegré por él, yo también apreciaba a Jacqueline por su valentía y su sinceridad. Mejor una chica así para mi hijo que una muñequita que supiera más de maquillaje que de la vida. Entonces, Max dijo algo que me sorprendió mucho:

—Y te lo debo a ti.

—¿A mí?

—Tú me dijiste que podía superar mis miedos, y eso me dio valor.

Me miró con los ojos radiantes de gratitud. Y eso que la noche anterior me había maldecido. Sí, ya era oficialmente un adolescente, con los cambios de humor que eso comportaba. Si sobrevivíamos a la aventura en el castillo, tendría que aguantar otra pubertad.

—Esperad —dijo Ada, que se había parado de repente—, me ha caído algo en la cabeza.

Los demás también nos paramos. Ada se quitó una bolita marrón de la cabeza. La examinó y dijo:

—Tengo una sensación... de mierda. —Nos enseñó la bolita sujetándola con los dedos y añadió—: En el sentido literal de la palabra.

Levantamos la vista lentamente hacia el techo. De allí colgaban murciélagos.

ADA

Una docena aproximada de bichos se balanceaban cabeza abajo del techo. Luego echaron a volar y a dar vueltas lanzando pitidos a nuestro alrededor. Amenazadores. Siniestros. Siempre pasando a un pelo de nuestras cabezas.

—Me gustan más cuando sólo se cagan —comentó Jacqueline.

A mí también. Pero incluso ese revoloteo fue genial comparado con lo que vendría después: los murciélagos frikis se transformaron en vampiros de dos metros y medio de altura, con trajes negros y gafas de sol también negras. Tenían pinta de ser capaces de matar a sus enemigos de 1.234 maneras diferentes, y sin darles tiempo de enterarse de que ellos también tenían enemigos.

—Debe de ser la guardia personal de Drácula —dijo mamá tragando saliva.

El más alto de todos se nos acercó. Se quitó las gafas de sol y nos lanzó una mirada asesina con sus ojos rojos, una mirada que decía: no estoy a partir un piñón con nadie. Ni un plátano. Ni un menú ahorro del McDonald's. Lo único que se come conmigo es sangre humana.

En voz baja, pero profunda, amenazadora y penetrante, le dijo a mamá:

—En circunstancias normales, mataríamos de inmediato a cualquiera que se atreviera a acercarse a los aposentos de Drácula, pero tú eres la novia del príncipe. Por eso sólo mataremos a los que no son vampiros.

—¿Sólo? —preguntó aterrorizado Max—. ¿Cómo que «sólo»?

Los vampiros aullaron con ansia asesina. Fue tan desagradable que casi añoré el cuchillo del demonio cocinero.

—¡Les tiraré el agua bendita! —nos dijo mamá en voz baja.

¡No podía hacerlo! Tenía que guardar el agua para Drácula. No debía desperdiciarla para salvarnos. Aunque eso significara que nunca me estrenaría con un chico porque iba a ocurrirme algo tan tonto como morirme.

Mamá estaba a punto de verter la jarra sobre los guardaespaldas, pero la detuve cogiéndole el brazo.

Uf, cuando me ponía altruista, ¡era insoportable!

Enfrentarme a la guardia era un suicidio. No podía mirar simultáneamente a doce vampiros a los ojos para hipnotizarlos, y seguro que esos tíos no se dejarían impresionar por una lluvia de ranas ni por un enjambre de mosquitos. Ni siquiera la peste podía hacerles nada. Por lo tanto, no me quedaba otro remedio: ¡la terrible maldición de la momia!

Lo malo era que la maldición probablemente sería tanto como un suicidio. Immo me había explicado que la maldición causaba la muerte fulminante de las víctimas, pero, por desgracia, la momia también podía diñarla. Seguro que se debía a algún tipo de retroacción mística.

Soltar la maldición era sencillo. Sólo había que decir: «Yo os maldigo.» No obstante, yo le di un toque personal y grité:

—¡Yo os maldigo, cabrones!

Los vampiros se desplomaron en el suelo al instante.

Y yo me desplomé con ellos.

—La madre y la hija son realmente clavadas. ¡Se sacrifican la una por la otra! —murmuró Jacqueline elogiosamente.

Y tenía razón: por lo visto, mamá y yo nos parecíamos de veras, no sólo en tonterías como ser pecho plano o en que siempre nos acalorábamos tanto con los demás que al final estallábamos. Yo también tenía la abnegación de mamá. Quizás no era tan deplorable ser como ella. Pero, evidentemente, no pensaba reconocerlo nunca delante de ella, eso sería demasiado adulador. Además, estaba demasiado ocupada diñándola.

EMMA

Los vampiros yacían en el suelo convertidos en esqueletos, y salía humo de sus huesos pelados. La maldición de la momia no dejaba las cosas a medias.

Ada yacía inconsciente junto a ellos, pero aún respiraba. Lenta y superficialmente. Había sobrevivido. De aquella manera. Pero ¿volvería a despertar?

Me quedé mirándola, enferma de preocupación, sin saber cómo podía ayudarla, hasta que Jacqueline dijo algo muy odioso:

—Nos queda un minuto.

Poco después dijo algo aún más odioso:

—59 segundos.

Sabía que tenía que separarme de Ada si no quería que su sacrificio hubiera sido en vano. Pero no podía.

—58...

—¡De acuerdo! —vociferé, pero no me aparté de Ada.

—¡57!

—He dicho ¡DE ACUERDO!

—Vaya, una que se estresa.

Le pedí a Frank que levantara a nuestra hija del suelo y la llevara con nosotros. La cogió cariñosamente en sus enormes brazos. Casi como antes, cuando Ada aún era una niña pequeña. En el fondo, Frank siempre había sido un buen padre. Maldito trabajo. Con tantas horas extra, su empleo había sido para el pobre tan perjudicial como Drácula para la humanidad.

Echamos a correr hacia el fondo del pasillo, donde había una puerta de roble alta. Detrás debían de encontrarse los aposentos de Drácula. Abrí la pesada puerta y, en efecto, el príncipe de los malditos estaba dentro de su baño de Lázaro, en una sala prácticamente vacía. Era muy distinto de como lo había imaginado. Drácula flotaba subiendo y bajando lentamente dentro de un enorme cilindro de metacrilato que parecía una columna de anuncios translúcida. El líquido donde estaba sumergido despedía destellos de un azul transparente, y él parecía sumido en un profundo sueño. Además de él, dentro del tanque sólo había una caja de plata depositada en el fondo. Ni idea de qué había en el interior ni de qué se llevaba uno a un baño como aquél. ¿Un patito de goma? ¿O acaso alguien como Drácula tenía más bien una piraña de goma? ¿Una hiena de goma? ¿Un Gadafi de goma?

El hecho de que Drácula estuviera desnudo me provocó calor y escalofríos al mismo tiempo, porque volví a recordar el sexo con él, que primero me había parecido tan fantástico y, después, tan repugnante. Me estremecí, Frank lo notó y lo miré avergonzadísima. Y aunque era lento de mollera, no lo era de sentimientos. Se dio perfecta cuenta de que lo había engañado con Drácula. Muy afectado, dejó a Ada en el suelo, pero no dijo nada.

—Hala, ¡menuda cosita tiene el príncipe! —dijo asombrada Jacqueline.

—¡Jacqueline! —aulló contrariado Max.

Frank echó un vistazo a la entrepierna de Drácula y se puso todavía más celoso.

Envidia de pene entre monstruos.

Freud se habría quedado boquiabierto.

—Saltaré sobre el cilindro y verteré el agua bendita dentro —anuncié.

Pero Max me cerró el paso.

—Me parece demasiado fácil.

—¿Demasiado fácil?

No me lo podía creer. Nos habíamos impuesto a la guardia personal de Drácula y a la versión infernal de Jamie Oliver; habíamos dejado atrás a Cheyenne y Ada estaba inconsciente. Si eso era fácil, no quería participar en nada difícil y no quería saber tampoco qué podía ser muy difícil.

—Es el príncipe de los malditos, sería demasiado simple que lo venciéramos así —insistió Max.

Antes de que pudiera contestarle, oí la voz de Drácula a través de unos altavoces supermodernos que estaban instalados en el tanque:

—Vaya, un lobo listo.

Miré espantada a Drácula, que seguía flotando arriba y abajo dentro del cilindro con los ojos cerrados. Todavía estaba dormido, ¿no? Entonces, ¿cómo es que podía hablar? De repente, abrió los ojos. Se me encogió el corazón inexistente. Luego, Drácula sonrió. Y la sangre se me heló en las venas.

—Veo que me has traído algo —dijo sonriendo, y señaló la jarra a través del cristal—. Supongo que será agua bendita improvisada.

—Tienes que tirarla dentro ya —me urgió Jacqueline—. ¡Sólo nos quedan treinta segundos!

—¿En serio creías que no me prepararía para una traición por tu parte? —me preguntó Drácula sonriendo.

—Ya os lo había dicho —gimió Max.

—¡Me da igual! —dije resuelta—, ahora mismo haré lo que he venido a hacer.

Gracias a mis piernas fuertes, salté con la jarra encima del cilindro y me quedé de pie en el borde, que debía de medir unos veinte centímetros. Drácula nadó rápidamente y con elegancia hacia el fondo y abrió la cajita. Pero ¿qué podía sacar de allí dentro? ¿Su Gadafi de goma? Todo lo que pudiera matarme a mí, también lo liquidaría a él.

—¡Se acabaron los masajes! —exclamé furiosa, y me dispuse a tirar la jarra dentro del tanque.

Sin embargo, Drácula sacó entonces del cofrecillo una pequeña píldora de color azul, la lanzó y la pastilla atravesó el líquido como una bala, salió del tanque y fue directa hacia mi boca. Desde allí fue a parar a mi estómago a través de la garganta. Y al instante me atormentó la sed de sangre más terrible que jamás había tenido.

Dentro del tanque, el príncipe de las tinieblas sonreía:

—Todo antídoto tiene su antídoto.

Olvidé por completo lo que me proponía hacer. Sólo quería sangre. ¡Puñetera sangre deliciosa!

Salté del cilindro y tiré la jarra del agua bendita bien lejos, contra una pared donde quedó hecha añicos. Los pedazos cayeron al suelo, el agua impregnó el parqué y el horror se extendió por las caras de los demás.

—¡Mierda! —exclamó Jacqueline.

—«Mierda» es una manera suave de formularlo —dijo Max temblando—. Era... nuestra última posibilidad.

—Eres un lobo listo de verdad —ratificó Drácula.

—Preferiría ser un pingüino —contestó temblando Max—. En el Antártico.

A mí, en cambio, me daba igual haber destruido la única opción de eliminar a Drácula. Quería sangre... no la de un lobo ni la de una momia inconsciente, tampoco la de una adolescente cervecera; quería la sangre de la criatura que atesoraba más cantidad de aquel néctar vital maravilloso.

Me abalancé sobre Frank, lo empujé al suelo y me tiré encima. Me dispuse a clavarle vorazmente los colmillos en el cuello. Si acaso esperaba algo en pleno delirio, era que se defendiera con toda su fuerza sobrehumana. Pero no lo hizo. Al contrario. Se quedó inmóvil y no luchó. Sólo susurró:

—Te quiero.

No dijo «Tfe qfiero» ni «Fte fquierfo» ni nada semejante; no, aunque le costó un esfuerzo de concentración enorme y sobrehumano, por primera vez pronunció una frase correctamente. La mejor frase de todas: «Te quiero.»

El ansia vertiginosa de sangre aún bullía en mi interior, pero aparté los colmillos de su cuello. No obstante, continué encima de él y, por lo tanto, podía morderle la yugular en cualquier momento.

Frank siguió hablando, le costaba mucho esfuerzo pronunciar las palabras correctamente. Y no consiguió articular más de tres palabras seguidas. Pero bueno. Con tres palabras se pueden decir muchas cosas. Y dijo:

—Trabajo muy importante... Ahora ya no... Sólo importamos nosotros... Suleika fue error...

Al recordar a aquella mujer, estuve a punto de hincarle los colmillos otra vez.

—Pero eso acabó... Tenemos futuro juntos...

Esa idea hizo que olvidara el hambre por un momento.

—Futuro estupendo —ratificó Frank.

Eso eran sólo dos palabras, pero maravillosas.

Dentro del cilindro, Drácula se dio cuenta de que yo dudaba y de que Frank tal vez lograría despertar nuestro amor hasta tal punto que yo me olvidaría del hambre. Por eso gritó:

—¡Me he acostado con tu mujer!

Frank se quedó conmocionado. Aunque lo había sospechado, la confirmación supuso un duro golpe para él. Seguro que se enfurecería, gruñiría y me apartaría de su lado. Entonces yo volvería a sentir el delirio de la sangre y lo despedazaría como un animal salvaje.

—¡Y es muy buena en la cama! —añadió Drácula metiendo cizaña.

Frank tendría que haber descargado su furia entonces, como muy tarde, pero no hizo nada parecido. Ni siquiera gruñó. Lo miré a los ojos, y esto es lo que vi:

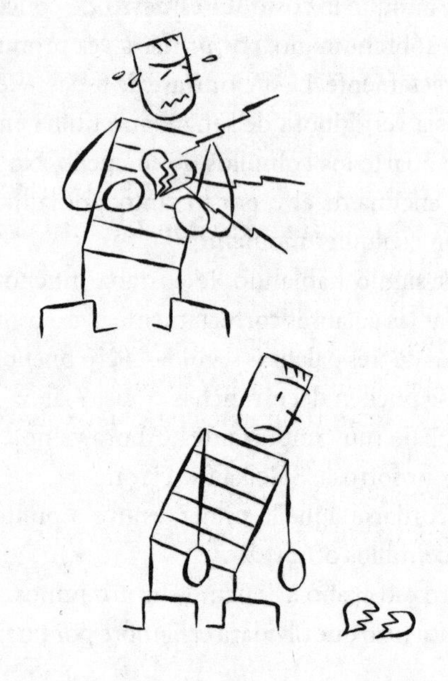

Frank me sonrió cariñosamente.

—Fue culpa mía... Te perdono...

Su amor era tan grande que podía perdonarme. Y ese gran amor atravesó mi delirio y me llegó al alma.

—¡Muérdele de una vez! —gritó Drácula.

Aún tenía sed, pero no escuché a Drácula. Y Frank consiguió entonces pronunciar incluso más de tres palabras seguidas:

—Yo siempre te querré.

Después de que lo dijera, no sólo me olvidé del hambre, sino que la superé. La sed de sangre había desaparecido. Vencida definitivamente por el amor que Frank sentía por mí.

El amor es más grande que cualquier delirio.

El amor convierte a los monstruos en personas.

Tenía la cabeza despejada. Y también el corazón. Frank perdonaba mi engaño y, gracias a ello, yo el suyo con Suleika. Su ejemplo me había enseñado que el amor es perdón.

Seguía encima de él, en una posición ideal: lo besé en su boca metálica y él besó mis labios fríos de vampiro. A pesar de todo, ese beso reconfortó mi corazón, orgánicamente inexistente. Fue el mejor beso que jamás nos habíamos dado. Incluso mejor que el primero. Y, a su manera, ése también fue un primer beso. El primero de un amor reavivado.

—Humanos... —oímos suspirar a Drácula—, sois insoportables.

La voz ya no salía de los altavoces. Miramos asustados hacia el tanque, y el príncipe de las tinieblas estaba en el borde del cilindro.

Oh, oh, seguro que el sol ya se había puesto.

—¡Hala otra vez! —dijo asombrada Jacqueline—. Pensaba que las cositas se encogían en el agua, pero si ésa está encogida... ¿cómo es cuando está normal?

—¡Jacqueline! —exclamó contrariado Max.

—Emma sabe cómo es —dijo sonriendo el príncipe desnudo.

Frank y yo nos levantamos deprisa. Pero ya no teníamos agua bendita para destruir a Drácula. ¿Podríamos los Von Kieren vencerlo igualmente? Sin ajo, agua bendita ni estacas de madera, Drácula era inmortal. Y tenía miles de años de experiencia en matar. Nosotros sólo llevábamos tres días siendo monstruos. Se acercaba nuestro final definitivo.

Pero a mí no podía matarme, por la profecía de Haribo. Quizás aún me quedaba una posibilidad de salvar a mi familia, aunque con ello me viera obligada a soportar una vida inmortal de tormento al lado de Drácula.

—Salva a mi familia y me quedaré voluntariamente contigo —dije.

—¡Emma! —exclamó Frank.

—Sé lo que hago —dije valerosa.

—¡No! —exclamó mi marido. Gracias a su amor por mí, había recuperado el habla.

—Tranquilo —se burló Drácula—, ya no quiero a Emma.

¿Ya no me quería? Eso no fue muy halagador que dijéramos.

—Me resultaría demasiado tedioso tenerte para siempre a mi lado y engendrar hijos contigo.

Rotundamente, nada halagador.

—He tenido innumerables mujeres a lo largo de mi vida inmortal, y debo decir que estás por debajo de la media.

Si hubiera dibujado como Frank, en aquel momento habría garabateado esto:

—Al intentarlo contigo —dijo Drácula, ahora con voz queda—, realmente tenía la esperanza de que podría sentir algo parecido al amor... Pero no ocurrió nada.

Por un momento pareció desilusionado, o sea que no había mentido cuando me habló de su nostalgia por el amor. Pero, por lo visto, era incapaz de amar.

—¿Y qué pasa con la profecía? —pregunté, albergando la esperanza de que al menos la humanidad quedara a salvo si no podíamos engendrar una horda de vampiros.

—Hay otras formas de exterminar a la humanidad.

—¿Como cuál? —preguntó Jacqueline.

—Creo que no queremos saberlo —dijo Max tragando saliva.

—Os lo contaré sin rodeos —replicó Drácula, cuya sonrisa maníaca había perdido todo el encanto—. En mi consorcio informático hemos desarrollado un virus extraordinario y, con su ayuda, esta noche me haré con el control del arsenal atómico ruso.

—¿Iniciarás la tercera guerra mundial? —pregunté con espanto.

—Yo la llamo la «última guerra mundial» —dijo sonriendo con sarcasmo, y de un salto se plantó en el suelo.

—Este hombre ha visto demasiadas películas de James Bond —comentó Max tragando saliva.

—Si contaminas el planeta con radioactividad —intenté argumentar—, morirá todo el mundo, pero también tu fuente de alimentación.

—Tengo suficientes píldora rojas para una vida eterna. Y por fin me liberaré de los insoportables humanos.

Le brillaron los ojos ante esa idea. Todos teníamos en algún momento el deseo de estar solos, por ejemplo, en reuniones de trabajo, fiestas familiares o veladas con los padres... pero aquello... Aquello era la perversión máxima de las ganas de estar solo.

Drácula se dirigió a una cómoda de madera de roble

maciza y sacó una máscara de gas de uno de los cajones.

—¿A qué viene eso? —preguntó Jacqueline.

—Creo que tampoco queremos saberlo —contesté.

—No, más bien queremos echar a correr —coincidió Max.

—Demasiado tarde —oímos resollar a Drácula a través de la máscara.

—Y encima con efectos de sonido a lo Darth Vader —se lamentó Max.

Entonces supimos por qué era demasiado tarde para echar a correr: el príncipe pulsó un botón poco llamativo que había en la pared. Del suelo surgió un centro de mando supermoderno, con pantallas, ordenadores y consolas. Mientras lo mirábamos boquiabiertos, Drácula accionó otro botón en una de las consolas. De las paredes de la sala salieron boquillas por todas partes, y esas boquillas pulverizaron gas. Frank, Max y Jacqueline comenzaron a toser enseguida, se retorcieron y se desplomaron uno tras otro en el suelo.

—Mamá... eres nuestra única posibilidad... —jadeó Max poco antes de ser el último en perder el conocimiento.

Seguramente pensaba que yo era inmune al gas porque era un vampiro. Pero yo también me encontraba terriblemente mal. El gas estaba mezclado con ajo.

Al despertar, olía como si me hubieran macerado en salsa *tsatsiki*. Me sentía muy débil y yacía sobre un austero suelo de cemento. A mi lado, en una gran sala vacía que parecía un búnker, estaban Frank, Max y Ada.

¡Mi hija había recobrado el conocimiento! La maldición de la momia no la había matado. Sin embargo, no pude alegrarme sin ninguna sombra de preocupación.

Por un lado, porque todavía parecía débil; por otro, y esto era mucho peor, porque tenía las manos atadas a la espalda con cadenas plateadas, igual que los demás. Las cadenas iban a parar al suelo, donde estaban fijadas en el cemento. Frank tiraba furiosamente de las suyas, pero no logró arrancarlas del anclaje. El material plateado del que estaban hechas parecía mucho más resistente que el hierro normal. No obstante, lo más extraño de la situación era: ¿por qué yo no estaba encadenada?

—Bueno, por fin has despertado —oí decir a Drácula.

Estaba apoyado tan tranquilo junto a la puerta de la sala, sin máscara, con un traje elegante, agitando una copa de champán y sonriendo burlón.

—Siempre es mejor que las personas mueran despiertas. Bueno... mejor para mí.

—¿Dónde está Jacqueline? —preguntó Max, preocupado.

—Con la vieja Cheyenne en las mazmorras. He pensado que vuestra última décima parte de hora tenía que ser una fiesta puramente familiar. Mandé construir esta sala para ejecuciones especiales, inspirándome en uno de mis escritores favoritos...

—No será Jane Austen —murmuré.

—Mi escritor favorito es Edgar Allan Poe.

Terror antiguo de un zumbado. Evidente.

—Deberías probar con Alan Alexander Milne. *Winnie the Pooh* es encantador —repliqué, con una sonrisa forzada.

—Tal vez lo lea cuando todos los humanos hayáis muerto, entonces estaré por fin solo. Y por fin tendré tiempo. Y, sobre todo, paz. —Puso cara de añoranza, y prosiguió—: Poe escribió una magnífica historia sobre la Inquisición española...

—*El pozo y el péndulo* —dijo Max tragando saliva.

—Lo que más me gusta de la historia es la parte en la que habitación se reduce.

Pulsó el botón de un mando, que estaba fijado en la pared de la puerta y tenía dos botones más. Del techo salieron unas estacas de madera. Docenas. Sólidas, afiladas, letales. También y precisamente para un vampiro.

—Nunca me ha gustado Edgar Allan Poe —gimió Max.

—Mucho mejor Schiller en clase de literatura alemana —coincidió Ada.

—Que disfrutéis de la vida —nos deseó Drácula, se bebió el champán y, mientras se dirigía a la puerta, dijo—: Ah, por cierto, las cadenas son de titanio indestructible.

Frank las sacudió con más fuerza. En vano. Pero yo no estaba encadenada. Corrí como una loca hacia Drácula. Y él me tendió con mucha calma una gargantilla de la que colgaba un crucifijo. Aunque aún lo tenía a un metro de distancia, hizo que me ardieran las entrañas. Un paso más y me fundiría por dentro. Retrocedí instintivamente y me sorprendí bufando como un animal salvaje. Hasta tal punto afectaba la cruz mi sustancia vampiresca.

A Drácula no le afectaba. Colgó la gargantilla en el mando, se acercó sonriendo a la puerta y la cerró después de salir, mientras el techo descendía imparable sobre nosotros. Intenté acercarme a los botones, pero la cruz me lo impidió. Me derrumbé delante con un padecimiento terrible y, antes de que me desgarrara definitivamente, me alejé a rastras de la cruz y volví con mi familia.

—Los vampiros judíos y los musulmanes lo tienen mejor en situaciones como ésta —dijo Max.

—Si tuviera fuerzas para lanzar otra maldición —dijo Ada, sin miedo ni desesperada.

Dios mío, acababa de sobrevivir a una maldición y estaba dispuesta a jugarse la vida de nuevo.

Había sido realmente injusta con mi hija. Siempre había pensado que sólo se interesaba por sí misma, que era una chica caótica sin iniciativa. Y resultaba que podía sentirme orgullosa de ella; era desinteresada, tomaba decisiones. Sí, incluso podía sentirme halagada cuando alguien decía que éramos clavadas.

Ada era una chica fuerte.

Seguramente siempre había sido fuerte. Sólo que yo no lo había visto.

Igual que tampoco había reconocido lo valiente que era Frank.

Y tampoco que en Max, detrás de su fachada de rata de biblioteca, se escondía un niño romántico que incluso era capaz de confesarle su amor a alguien como Jacqueline.

En aquel instante lo comprendí definitivamente: yo, idiota de mí, había estado demasiado ocupada conmigo misma todos esos años para ver a mi familia como se merecía.

Si hubiera hecho eso en vez de dar vueltas y más vueltas a lo que me molestaba de mi vida y a cómo habría podido irme mejor, los habría juzgado a todos de otra manera.

Y mi vida no me habría sacado tanto de quicio, ¡y habría sido mejor!

Seguro que tampoco habría discutido constantemente con ellos, no habría ocurrido la debacle de Stephenie Meyer, Frank y yo no nos habríamos puesto los cuernos y ahora no estaríamos en el búnker-monumento a Edgar Allan Poe de Drácula.

Pero, sobre todo: si los hubiera mirado a todos con otros ojos, habríamos podido ser más felices como familia.

Esa conclusión llegaba tarde. Muy tarde.

O no, quizás no era demasiado tarde. ¡Aún estábamos vivos!

Aunque la situación era desesperada, no podíamos salvarnos y pronto moriríamos, no era demasiado tarde para mirar a mi familia como se merecía. No a la luz de la vida cotidiana, de la frustración y el exceso de exigencia. Sino a la luz de sus posibilidades.

Los observé a todos. Por primera vez con otros ojos.

A Ada, una chica fuerte.

A Frank, un hombre valiente.

A Max, un niño amoroso.

Pude verlos como eran: algo muy especial.

Me sentí orgullosa de ellos.

Por eso dije con el corazón henchido:

—Os quiero.

Ada me miró sorprendida un momento. Luego sonrió y dijo:

—Todos habéis arriesgado la vida por mí. ¿Quién tiene una familia así?

—Ningún héroe de la literatura —replicó riendo Max.

—No es tan malo ser un Von Kieren —comentó Ada sonriendo feliz.

—No puedo estar más de acuerdo contigo —dijo Max con una sonrisa de oreja a oreja.

Luego, Ada pronunció unas palabras maravillosas. Las más hermosas que existen:

—Yo también os quiero.

A Max se le iluminó la cara.

—No puedo estar más de acuerdo contigo.

Miramos a Frank. Aunque las estacas del techo ya estaban a tan sólo cinco centímetros de su cabeza, se irguió y nos sonrió. Y en sus ojos vimos esto:

Nos arrimamos todos, los demás encadenados y yo no, y nos abrazamos.

Muy efusivamente.

Muy fuerte.

Y con mucho amor.

Sí, seguramente no formábamos una familia que siempre era feliz, sino una familia que discutía y estaba un poco estresada. Pero éramos una familia que se quería. Y, al final, eso es lo único que cuenta en la vida.

Me hizo feliz tener una familia como aquélla.

Profundamente feliz.

Y, por lo visto, no sólo a mí.

Porque, en ese instante, Ada, Frank y Max se transformaron de nuevo en personas.

Eso sólo admitía una conclusión: con el abrazo, ellos también habían compartido conmigo un momento de felicidad. Y puesto que lo habíamos sentido al mismo tiempo, el hechizo de Baba Yaga había quedado sin efecto.

Yo también me transformé en la vieja Emma. O mejor dicho: en la nueva Emma. Una Emma más feliz que tres días antes.

Dado que Frank había recuperado su constitución normal, era más bajo y delgado que antes, y pudo soltarse de sus cadenas. Lo abracé, él me besó y el contacto con sus labios normales fue mucho mejor que con los metálicos. Y con mis labios normales, el beso también fue mucho mejor que con mis labios de vampiro.

—No tengo nada en contra de vuestros besuqueos —nos urgió Ada—, pero... ¡ESTAMOS A PUNTO DE MORIR ENSARTADOS, MALDITA SEA!

Tenía razón, los chicos habían cambiado de aspecto, pero no de tamaño, y seguían encadenados. Y el techo descendía imparable.

Frank y yo corrimos hacia los botones. No me resultó fácil, puesto que con mis ojos humanos y sin gafas no veía muy bien. Pero ya lo dijo Antoine de Saint-Exupéry: «Sólo con el corazón se puede ver bien.» Y el mío había recuperado por fin la vista.

El techo había bajado tanto que los niños habían tenido que sentarse. Frank y yo tuvimos que correr agachados, y pensé: «Que no me dé ahora un ataque de lumbago.»

Llegamos por fin al mando, apretamos el botón que accionaba el techo y éste volvió a subir.

—Gracias a Dios —gimió Frank aliviado. Fue fantástico volver a oír su voz normal.

Los niños también respiraron hondo. Apreté otro botón, y la puerta se abrió. Entonces me pregunté para qué serviría el tercer botón, y confié en que fuera para las cadenas: de alguna manera tenían que soltarlas cuando querían deshacerse de los cadáveres de las víctimas. Efectivamente: apenas había apretado el botón, las cadenas saltaron. Los niños corrieron hacia nosotros y nos abrazamos por fin como es debido. Sin cadenas. Como personas.

Al cabo de un momento, Frank comentó:

—Ya va siendo hora de que nos marchemos de este castillo.

—Vamos a buscar a Jacqueline y a Cheyenne y, luego, ¡pies para qué os quiero! —remachó Max.

—Pero antes tenemos que liberar a los prisioneros —dijo Ada con determinación.

—No, nos quedamos —repliqué.

—¿Porque aquí se está de maravilla? —preguntó Ada con una mueca.

—Porque tenemos que salvar el mundo. Si nos vamos, Drácula desencadenará una guerra atómica.

—Podemos dar parte a la policía o al ejército o a los servicios secretos... —argumentó Max.

—¿Acaso nos creerían? —dije, planteando una pregunta retórica.

—Seguramente, no —admitió encogido Max.

—Pero ya no tenemos la fuerza de los monstruos —planteó Ada.

Cierto. Ya no teníamos la fuerza con que habíamos vencido a zombis, godzillas, momias y vampiros. Según todos los indicios, estábamos indefensos.

Sin embargo, no había sido la fuerza de los monstruos lo que nos había permitido salir airosos de todos los peligros, ahora lo sabía. Era otra la fuerza que habíamos descubierto en aquel viaje.

—Tranquilos —anuncié—. Drácula no tiene ninguna posibilidad contra nosotros.

—¿Y eso? —preguntó Ada.

—Bueno... —dije sonriendo satisfecha—. ¡Somos los Von Kieren!

FRANK

Mientras corríamos hacia el ascensor, me sentí muy feliz: ya no era un monstruo. Podía hablar de nuevo y por fin era capaz de volver a contar más allá de ocho (si hubiera podido hacerlo cuando era un monstruo, habría tenido que confesarle a Emma que me había acostado doce veces con Suleika). Tampoco chocaba contra las lámparas ni contra los techos bajos. Pero lo mejor de todo era esto: ya no estaba cansado. Ya no me apetecía tararear canciones tipo *No puedo más, Tampoco quiero más* o *Se me cae la cabeza encima de la mesa.*

En vez de eso, quería cantar bien alto canciones tipo: *Tú señálame el árbol, y yo lo cortaré, ¿Quién necesita un Red Bull?* o *Ey, lady Endorfina.*

Quería salvar el mundo, abrazar a mis hijos y dormir con mi mujer.

Cuando nos montamos en el ascensor, le miré el culo a Emma. Fantástico. Comparado con ella, Stephenie Meyer tenía realmente el culo gordo.

Hacía mucho que no le miraba el culo así a Emma, y todavía peor: hacía mucho que no contemplaba su preciosa cara. Era una maravilla ver cómo se le iluminaba cuando se entusiasmaba con algo. Con esa mujer maravillosa había tenido dos hijos de los que podía sentirme orgulloso. Qué absurdo: no había comprendido lo grandiosa que era mi familia hasta que fui un monstruo descerebrado.

Ahora que había recuperado mi cerebro, no podía volver a caer en la vieja rutina. La estúpida consigna de erigirse en sustentador había estado a punto de costarme la familia. Y entonces, idiota de mí, en mi vida sólo habría quedado el banco. Una idea terrorífica. Tenía compañeros que sólo tenían su trabajo, con los que se podría rodar tranquilamente la película *El carnaval de las almas.*

A mí no me ocurriría. Lo había comprendido por fin: el sentido de la vida consistía en salvar gente y, sobre todo, a mi familia, pero no a los bancos.

MAX

Mientras subíamos en el ascensor, constaté dos hechos que habían cambiado a mejor: por un lado, me sostenía sobre dos piernas. Como *homo sapiens*. Y, todavía más grandioso: no sentía terror. Mi organismo no segregaba ni un solo nanolitro de adrenalina.

¿Por qué iba a tener miedo de alguien como Drácula? Él era mucho más cobarde, mucho más miedoso que un niño normalísimo de doce años. Al contrario que él, ¡yo no le tenía miedo al amor!

Sí, había sido muy valiente por mi parte confesarle mi amor a Jacqueline. Con ello había ganado más que otros grandes héroes: Frodo Bolsón acababa solo en las Tierras Imperecederas, y la historia de Luke Skywalker incluso acababa en el celibato. Quizás esos héroes eran más valientes que yo en la lucha. ¡Pero no en el amor! Comparados conmigo, ¡eran unos blandengues sin coraje!

Esperaba la confrontación con la moral muy alta: si tenía que vencer el bien, los cuatro Von Kieren nos convertiríamos en héroes. En caso contrario, ¿quién quiere vivir en un mundo donde no triunfa el bien? Excepto, tal vez, Drácula, Darth Vader y los gerentes de las centrales nucleares.

Al llegar al piso trece, corrimos por el pasillo y abrimos la puerta de los aposentos de Drácula, que estaba sentado delante de su inmenso teclado del horror, con cuya ayuda pretendía lanzar los misiles rusos. En las pantallas se veía cómo se abrían las escotillas de los silos atómicos. Oh, oh, en esos momentos, no me habría gustado formar parte de la guarnición de uno de esos silos y tener que decir por teléfono: «Ejem, señor presidente... Acabamos de tener un pequeño percance...»

El príncipe de las tinieblas se quedó perplejo al vernos y, encima, en nuestra forma humana. Cuando recuperó el habla, preguntó desconcertado:

—¿Sois los Von Kieren?

—No, tres chinos con el contrabajo —contestó Ada.

—¡Te ha llegado la hora, bribón! —grité con mucho patetismo. Sonreí contento y les dije a los demás—: Siempre había querido pronunciar esa frase.

ADA

El conde se echó a reír a carcajadas.

—Humanos... A veces sois muy divertidos.

Dejamos que se riera. No le duraría mucho la diversión. Los Von Kieren habíamos urdido un plan en el búnker. Y era muy bueno.

Mientras Drácula se olvidaba entre carcajadas de sus misiles nucleares por un instante, todos hicimos lo que debíamos: papá fue corriendo hacia el psicópata y lo agarró. Sabíamos que pasaría más o menos un segundo y medio antes de que Drácula lo estampara contra la pared. Pero ¡no necesitábamos más! Sólo nos hacía falta distraerlo mientras yo corría hacia el arcón donde guardaba la máscara de gas y Max salía pitando al mismo tiempo hacia la consola.

Papá chocó contra la pared, resbaló al suelo y gruñó:

—Pocas veces el dolor es tan gustoso.

Drácula se fijó entonces en Max, pero lo vio demasiado tarde.

—¡No hagas eso! —gritó el príncipe.

—Si Jacqueline estuviera aquí, levantaría el dedo corazón y diría algo así como: «Súbete aquí encima y baila.»

Luego pulsó el botón y salieron las boquillas de las paredes. Drácula sabía que al cabo de un segundo comenzarían a pulverizar gas, y no resistiría. Corrió despavorido hacia mí para arrebatarme la máscara, su última salvación.

Pero ¿habría sido un buen plan si no lo hubiéramos calculado todo?

EMMA

Me mantuve quieta todo el rato, mirando a mi familia. Con buenos ojos. Fue fantástico verlos en acción.

Luego, como habíamos acordado, Ada me tiró la máscara de gas. De ese modo ganábamos los segundos decisivos que nos hacían falta para que el gas mezclado con ajo saliera de las boquillas. Me puse la máscara mientras, para variar, los demás respiraban con dificultad y se desplomaban. Sin embargo, en esta ocasión, Frank, Ada y Max lo hicieron con una sonrisa en los labios. En cambio, Drácula jadeaba y, entre dos ataques de tos, dijo:

—¡Me las pagarás!

Me acerqué a él, me agaché y con una preciosa voz de máscara de gas le susurré al oído:

—¡No creo!

El resto fue bastante sencillo: corrí hacia la consola y detuve los misiles, cosa que el presidente ruso seguramente celebraría con un cargamento de vodka. Luego busqué los interruptores que controlaban las rejas de las mazmorras. Los encontré, los pulsé y vi en las pantallas que las celdas se abrían. Elfos, ángeles de la guarda y hadas salieron de su encierro. Gritaron de alegría, volaron bailando por el aire y cantaron canciones preciosas de libertad. Después me ayudaron, con Cheyenne y Jacqueline, a registrar el castillo, a encerrar en las mazmorras a los criados que intentaban huir en desbandada, como Renfield, y a asistir a mi familia. Pero, sobre todo, me ayudaron a cumplir el mayor deseo de Drácula.

DRÁCULA

Al despertar, estaba solo en mi búnker. Con miles de cajas llenas de píldoras rojas. Bastarían para mucho, muchísimo tiempo. Los elfos, las hadas y los ángeles de la guarda incluso me habían instalado el baño de Lázaro. Pero los botones del búnker estaban destrozados y la puerta, cerrada a cal y canto: seguiría allí dentro eternamente. El único alivio en aquel momento fue saber que los vampiros no hacen la digestión.

Miré alrededor: por fin estaba solo, sin humanos que me incordiaran. Seguramente para siempre. De repente, ya no estuve tan seguro de que eso me depararía realmente tanta alegría.

EMMA

¡Los Von Kieren habíamos barrido a Drácula! Besé de nuevo a Frank. Al mismo tiempo, Jacqueline besó por primera vez a un Max humano. Lo apartó un poco, se rió y dijo:

—A ver cuándo te sale la barba.

Y volvió a besarlo.

Ada los miró y dijo sonriendo:

—Si hasta el renacuajo puede encontrar el amor, seguro que yo también tendré novio algún día.

—¿Uno? ¡Al menos 427! —dijo Cheyenne con una gran sonrisa.

—Buen plan —dijo Ada riendo.

Sin embargo, no todo era paz, alegría y dulzura.

Me despedí un momento de los demás, bajé a las mazmorras y fui a ver a Baba Yaga. La pobre estaba agonizando. A su lado, acurrucado en silencio, el pequeño Golem.

Baba me reconoció y me preguntó con voz débil y trémula:

—¿Habéis dado patada en culo de Drácula?

—¡Y menuda patada! —confirmé.

—Entonces, tú no mujer ridícula.

Sonreí levemente.

—Yo ahora muero...

—Lo siento mucho....

Lo dije sinceramente. Sin Baba, los Von Kieren habríamos seguido siendo los de antes y, a la corta o a la larga, nos habríamos desintegrado como familia. Seguramente a la corta.

—Tú no tiene que sentir... —susurró Baba—. Yo tengo que pidirte cosa...

—¿Qué?

Me hizo una seña para que me agachara y me susurró al oído:

—Por favor... cuida tú mi Golem...

No lo dudé ni un instante y, con voz firme, le prometí:

—Lo criaré como a mis propios hijos.

—Entonces... será buen niño.

Se me hizo un nudo en la garganta.

Pero Baba sonrió y, con su último aliento, murmuró:

—Yo ahora puede morir feliz.

Cerró los ojos. Para siempre.

Golem se echó a llorar en silencio. Me acerqué a él y lo estreché en mis brazos. Miré a Baba, que ya había muerto y tenía una sonrisa bondadosa en los labios. Le estaba infinitamente agradecida. Gracias a ella había comprendido algo muy importante: no hay que estar siempre feliz para ser feliz.

Cuando el pequeño estuvo demasiado agotado para seguir llorando, le sequé la cara. Lo saqué de las mazmorras para llevarlo arriba y anuncié que había un nuevo miembro en la familia. Todos le dieron una cariñosa bienvenida.

—Vaya, lo que siempre había querido: ¡otro hermano! —bromeó Ada.

Max fingió que le daba un codazo entre las costillas. Y los dos se sonrieron mutuamente. Incluso Golem esbozó algo parecido a una pequeña sonrisa.

—¡Ahora toca irse a casa! —proclamé.

—Creo que no —replicó Ada—. Al menos, yo no.

Eso me sorprendió y, entonces, ella explicó:

—Y no sólo porque, después de todo lo que hemos vivido, tenga todavía menos ganas de que el profe de biología me ponga la cabeza como un bombo con el rollo de las medusas...

—Entonces ¿por qué? —le pregunté.

—Mientras tú estabas abajo, me ha pedido ayuda un hada, una criatura mágica que se llama Campanilla...

—Oh —dijo Jacqueline—, pensaba que se llamaba Cogorcilla...

—El caso es que vivía en el País de Nunca Jamás y necesita ayuda para liberar el reino de la tiranía de un malvado capitán... —siguió contando Ada.

No pude evitar una sonrisa.

—Hace tres días, te habría internado en un psiquiátrico si llegas a venirme con esa historia.

—La ayudaré.

—Y no lo hará porque el destino la ha elegido como a Harry Potter o Luke Skywalker —la defendió Max emocionadísimo—, sino porque ella elige su destino.

—Y eso es muchísimo mejor —concluí, sonriendo con orgullo.

Ada me devolvió una sonrisa de agradecimiento y, de repente y sin más preámbulos, preguntó:

—¿Venís conmigo?

Max contestó sin vacilar:

—No permitiremos que vayas sola.

Y Frank dijo en broma:

—Ufta.

Los tres me miraron esperanzados, y me di cuenta de que estaban más que decididos a vivir nuevas aventuras.

En los últimos días había aprendido una cosa: nunca viene mal hacer cosas en familia.

Y nuestra familia era ahora más numerosa que antes.

Por eso exclamé:

—¡Al País de Nunca Jamás!

AGRADECIMIENTOS

Mi gratitud a Ulrike Beck, la heroína de las editoras, a Michael Töteberg, el agente literario que no se deja derrotar por ningún monstruo, a Marcus Hertneck (por asesorarme con el dialecto de los turistas suabos), a Marcus Gärtner y a Uft K., el ilustrador más fabuloso de todo el planeta.

Querido lector,

En mi primera novela, *Maldito karma,* la protagonista se reencarnaba en hormiga porque había acumulado un montón de mal karma. Para que tanto tú como yo nos ahorremos ese destino, he creado la Gutes Karma Stiftung (Fundación del Buen Karma).

Bromas aparte: creer en la reencarnación o en el Cielo no es relevante para cambiar cosas en este mundo. No se trata de recibir un premio o un castigo después de la muerte por nuestras acciones, sino de que ahora, en este preciso instante, es conveniente ayudar a las personas que no viven tan bien como nosotros. Eso no sólo las beneficia a ellas, sino que (y se puede reconocer tranquilamente, aunque no sea tan altruista) también te alegrará a ti.

La Gutes Karma Stiftung, que fue posible sobre todo gracias al éxito de mi novela, pretende ayudar a niños de todo el mundo. Por eso se centra en la educación, y lleva a cabo proyectos educativos grandes y pequeños en todo el planeta, incluso en Alemania. Para empezar, la fundación financia la construcción de una escuela en Nepal que ofrecerá a más de setecientos niños la posibilidad de ir en buenas condiciones a la escuela durante diez cursos.

Los proyectos se realizan en colaboración con distintos socios escrupulosos, con los que queda garantizado que las donaciones se emplearán con sensatez sobre el terreno. Así pues, tanto si quieres evitar reencarnarte en hormiga como si quieres hacer el bien, aquí podrás ayudar de una manera concreta.

Encontrarás más información en el web www.gutes-karma-stiftung.de

Cordialmente,

David Safier